北欧神話と伝説

V・グレンベック
山室　静 訳

目次

北欧神話と伝説

序　北欧人の生活と本書の意図……11

第一部　神話篇

世界の創造と神々……32
トール神と巨人たち……54
トールのヒミール訪問　64
トールとウトガルド＝ロキ　71
トールとルングニールの戦い　84
ゲイルロッドの許で　89
トールのハンマー奪回　92

神々の神話……98
アサ神族とヴァナ神族の戦い 100
アスガルドの城壁づくり 102
縛られた巨狼フェンリル 105
ロキと小人たちの賭 108
巨人にさらわれたイドゥン 112
スッツングの蜜酒 117
フレイの恋人 123
バルデルの死 128
ロキの処罰 134
ラグナロク（神々の没落）……139
古い神々とキリスト……150

第二部　サガと伝説篇

みずうみ谷家の人々……174
鍛冶ヴェールンド……222
ハディング王……229
永遠の戦い……238
アムレード（ハムレット）……247
寡黙のウッフェ……255
ラフニスタの人々……259
テュルフィングの剣……278
シクリング家の女たち……303

スギョルド家とハドバルド家……313
スギョルド王 313
フロデの石臼 314
ロアールとヘルゲ 318
ヘルゲとオローフ 325
ビョーウルフとグレンデルの戦い 331
ロアールとイングヤルド 344
ロルフ・クラキのこと 346
イングリング家の王たち……359
ヘルゲ・ヒョルワルドソン……371
イルフィング家のヘルゲ……376
ウォルスング家の物語……386
アンドヴァルの宝 386

シグムンドとシグニイ　390
竜殺しのシグルド　404
シグルドとブリュンヒルド　419
ギューキ一族とアトリ　440
ヨルムンレクの死　449
訳者解説　北欧の神話と伝説の大要……………………456

北欧神話と伝説

序　北欧人の生活と本書の意図

北欧の民族が、ドイツ人、イギリス人、オランダ人らと共に同じ民族系統に属することは、いまも彼らの言語が同族関係にあることから、はっきりと認められる。いまヨーロッパの北部と西部の大部分に広がっているこの民族群は、歴史の曙《あけぼの》にはスカンジナビアとバルト海西端の周辺の狭い地域に住んでいた。彼らはほぼキリスト誕生の頃までは、完全に歴史の外にあった。当時、歴史の中心は、地中海にあったからである。しかし、ローマ帝国がその栄光時代を迎えるのと同時に、彼らは文明圏の内部で関心をかきたてはじめた。彼らは南方の文化民族にとっては野蛮人として立っていて、その唯一の意義は、ローマ人の進出の目標をなしうるという点にあったのである。ただ彼らは、つねに自分らを平和と寛容のうちに搾取せしめるというのとはちがった、悲しむべき性質をもっていた。

最初に彼らは、大胆不敵で活動的な商人や奴隷売買人によって発見され、こうして国境地帯にコロニイが成立した。関係が密接になるにつれて、摩擦は頻繁になり、それが境界争いや討伐軍の派遣となった。次の機会には、彼らは彼らの親族に対して戦うことを求められ、最後にはローマ軍団の固定した傭兵《ようへい》となるにいたり、最後にはこれらの職業兵士は、この世界国家が保持しなければならなかった常備軍の不可欠の中核となったのである。

このようにしてゲルマン人がローマの政治に引きこまれると、この北方の蛮族に対するある文化的な興味が生じて、人は実用的な理由から彼らの性格と生き方を研究しはじめた。この半実用的で半科学的な好奇心の最良の収穫が、紀元後九八年に書かれた北ヨーロッパの住民についての一種の民俗学的ハンドブックである、タキトスの『ゲルマニア』だ。この書は近代の宣教師や植民地の官吏が書いたアメリカやオーストラリヤの未開人の記録と、同じ性質のものである。それが皮相なのは、それが開化した人間の目に映じたものとしての外部から見た民族の画面を提供するに止《とど》まっているからだ。著者は当然自分をこれらの蛮人より高くにいるものと感じていて、その興味をこの上ない恩恵をもって示すのであり、おのずと彼らのふしぎな思考の中にまで立入って考えるということができない。そこで彼にできるのは、これらの自然民族の風俗習慣を、少しもその思考法との連関を理解することなしに、まったく外面的に描くことだけになる。しかし、それほどタキトスの『ゲルマニア』は表面的だとはいえ、それはわれわれにとってははかり知れない意味をもつ。なぜといって、何といってもそれは当該の民族について教えてくれる、われらのもっている唯一の補助手段だからである。

タキトスはゲルマン人を、ブロンドで、赤っぽい髪をした、背の高い逞《たくま》しい人間として描いている。彼らは自然の手によって立派に装われて出てきたが、美をつくり出す能力を欠いている。彼らは毛皮を身にまとって、それを針か刺《とげ》でとめ、たぶん様々な色をした小さい布片を上に縫いつけるか、でなければ体の上に何かを描いているが、それはおそらく自分の眼の喜びのためというよりは、敵を嚇《おど》かすためであろう。彼らは木材で簡単な家を建て、その上に何か明るい色の粘土を塗るが、文明人が大きな価値をおくもの——例えば、趣味、快適さ、優雅さといったものは、まったく欠いている。しかもふしぎなことに、文化のすすんだ人々は彼らの家を並べて建てるのに、これらの野蛮人はめいめいの家を孤立させている——周りに広い空地をとって。これは火事を怖《おそ》れることから来るのかも知れないが、むしろ建築技術の未発達によるものと解すべきだろう。

彼らの富は家畜から成るが、品種を養成することを知らず、ただ頭数を多く持つことだけで満足している。他に小さい畑を耕しているが、それは一種原始的な収奪農業で、つねに新しい土地を求めて移動するが、土地は十分に利用できるだけあるのだ。

約言して、彼らは人生の美しさをなすところのものを、なに一つ理解しない。そこにも時に銀器が見出されるが、それは首領たちが贈物或いはバーター交易によって得たものであり、その器物が銀製であろうと粘土製であろうと、彼らにとっては本来は同じなのである。

さて、人は彼らが灰色の空の下の、不健康な森とはてしもない沼地の中に住んでいることを忘れてはならない。男たちのもつ唯一の現実的関心は、戦争である。それがない時は、彼らは少しばかりの猟を楽しむことができるが、それ以外は眠ることと食うことと飲むことで時を過す。彼らは発酵した穀物でかもした酒をもっているが、それは葡萄《ぶどう》酒よりも弱い。それを彼らは座って夜昼となく体に注ぎこんで、最後は酔っぱらってそこに寝ころがるか、お互いに取組みあうにいたる。

民は部族や親族に分れ、王か正規の首領の下に立つ。しかしそれ以外は彼らの法制は原始的な民主制だ。というのは、首領たちは彼の勇気と説得能力が作りだすだけの力を持つにすぎないからである。彼らの生活は全的に戦いを通じて形造られる。その民会はティングといい、男たちは武器を携えて会合する。男の子が成人すると、彼はティングで紹介され、首領か彼の最も近い親族の武器を帯びて、かくて男たちの一員となる。青年時代には、彼は王の下僕として仕えるか、主人に従って戦いに臨み、王が勝利のために戦う際は下僕は王の栄誉のために戦って、彼自身の栄誉は、主人がたおれた後までは生き永らえぬ覚悟をすることにある。彼の正義感もまた全的にその戦士的性格に規定されて、殺害と侮辱は、もしそれが賠償金をもってしては――それは家畜で支払われるのだが――償われぬ場合は、血をもって復《ふっ》仇《きゅう》される。強い親族連帯感を根拠に、賠償は殺された人間のすべての親族に、彼もまた侮辱を受けた者であるかのように分配され、争いが続いている間は、自らを死者の血縁者と感じている人間の一人一人がなだめがたい敵意をもっている。

女たちは健康で力強く、心情が清らかで、貞潔を犠牲にして購われる浮気な享楽は、娘を社会の外につき出すことになる。女たちはまた大きな尊敬を受けて、一種より高い存在とさえ見られているので、その言葉はつねに大きな重みをもち、しばしば啓示として尊ばれる。時には彼女らは一種の女予言者の地位にまで上って、その意見や予言によって部族の政治を指導する。

ゲルマン人の宗教観は、秘密にみちた儀式の行われる森の聖所とない合わされている。彼らの神々を彼らは壁の中や目に見える像に閉じこめることをしない。神性は彼らの見るところによれば神秘な存在で、ただ畏怖《いふ》と礼拝を通して感知されるのである。しかもその力は記号や画像の中に閉じこめられていて、日常の用にあっては聖なる森の中に隠されているのだが、危機に際しては取出されて、一種の旗として軍隊と共に持ち運ばれるのである。

このタキトスの描写は、そこに描かれている民族のためばかりでなく、この肖像を描いた人のせいでもまた、われわれの興味をひく。彼は近代の開化した人間のように、肩をゆすって、内的な美と精神的高揚を欠いたこの野蛮生活を放置することができない。それは粗野で鈍重で、より高い享楽への趣味をもたず、発見と進歩がもたらす高貴な洗練への知識をもたない。しかし、この軽蔑と並んで、そこには自然のこのすれっからしていない子供――ゲルマン人は彼の眼にはそう映じた――の根源力と素朴な徳性への、感傷的な熱狂を容《い》れる余地があった。われわれは同様の浪漫的気分が、十八世紀にはわれら自身の文化をつらぬいているのを、そしてその余響が二十世紀のわれわれの間にあるのを認める――文化人が単純生活の詩的享受と、自然の児《こ》への非現実的感激の中へ自分を眠らせようとする気分だ。

野蛮人への彼の記述の中で、タキトスは近代の自然愛好者と同様に、いうところの野蛮な人種が実際にはどうであるかをほとんど問わずに、彼自身の詩的理性的理想に従ってかくあるべしと考えたままに創作している。タキトスはゲルマン人の間で結婚が贈物――それは花《はな》聟《むこ》と花嫁の親族の間に交換される――によって成立することを聞いた。しかし家族の間に交わされる牛や武器は、あの秘密にみちた神聖な儀式への彼の担保となり、女がその夫と生と死、平和と危険をわかつことの証拠となるのである、と。彼のなしたゲルマン人のきびしい風習の記述は、だらしのない婚姻関係をもったローマ人の社会に対するはっきりした訴えかけをもっている。そこにはほとんど純粋なルソーめいたものが響いている――彼が力をこめてゲルマンの母たちは子供を自分で養育して、それを召使に任せることをしないという時に、この野蛮人は美を欠いているけれど、自然の偉大で単純な美徳をもつ、と彼は言いたいのだ。そして浪漫的なローマ人にとってゲルマン人の森の聖所は、単純な自然の児も自然の中の神秘にみちたものに対する一種の暗い予感をもっていることの証拠とされているのである。

もしタキトスの画像がまったく孤立しているなら、われわれはわれらの父祖については穴だらけの歪《ゆが》んだ像だけを得たかも知れない。われらが見ることをえた唯一のものは外側であって、それは少しも内側の精神生活をのぞかせてくれないから。しかしいまわれわれは幸いにも、何世紀も後にゲルマン民族が作り出した文学の中に一つの注釈をもつ。その中に彼らは彼らの最も内的な思想と感情の表現を見出し、その中にわれらはわれらの父祖を内側から知ることができるのである。われわれは彼らを奇異な風俗習慣をもつ見なれぬ蛮人と見るのではない。われわれは彼らが自分の眼で見て何を偉大ですばらしいとするか、何が彼らの魂を感動させるか、何を目ざして彼らは生き、どういうことで彼らが死ぬかを告白しているのを聞く。そしてこの光の中で見ると、タキトスのスケッチは一つの新しい意義をうる。われわれは見ることができるのだ――われわれがサガを通して北欧人として学び知るところの人間は、歴史の曙においてローマ人を怖れさせた民と、思考と理想と制度において本質的に異なったものではないことを。

タキトスの『ゲルマニア』と中世のザクセン人、フランク人、北欧人を結ぶ歴史は、ただ断片的に知られるか、忘れられてしまっている。タキトスが書いた当時は、ゲルマン人は一つの危険物であって、それを人は懲罰の遠征や、彼自身があけすけに告白しているごとく、各部族を互いにけしかけて、彼らが互いに相手を引裂くことを望んで力と計略ずくでお互い同士の抗争におしやることで、阻止《そし》しようとしたのであった。しかしこの危険は、数世紀を通じて増大してゆき、ローマ帝国の命取りになったのである。

この当時われらの北ヨーロッパでは、諸民族の間にはげしい発酵があって、ゲルマン民族をかつての国境を越えて南へ南へと駆りたてる、とどまるところを知らぬ「なだれ」が起ったのである。われわれが「なだれ」と呼んでいるこの民族移動の間に、ゲルマン人の諸部族は徐々にわれわれがいま見るような民俗的政治的パターンに結晶していった。手近な例をとってみれば、いまわれわれの眼前にあるスウェーデン人、ノルウェー人、デンマーク人への北欧人の分裂は、キリスト誕生のずっと後、紀元五〇〇年の頃に成立した——より正しく言えば、固定したものである。そしてデンマーク人がその土地を占拠したのは、他の血縁の部族ヘルル族などを南へ押出すことによってであったのは、たしからしい。

最初この北欧の動揺は、ゲルマン人の軍団がローマ人の築いた国境を越えて絶えず流れこむことに現われた。すでにカエサルが紀元前五五年の頃、ガリヤに攻めこんだゲルマンの首領を阻止するために、幾度かライン川を越えている。アウグストス帝はローマの国境をラインの彼方まで拡張しようとしたが、この試みは不幸な結末を見た——ヴァルスの軍団が紀元九年のトイトブルグの森の戦いで粉砕されたからである。幾度もの討伐軍の派遣にもかかわらず、ローマはライン川を境界として維持する以上のことは決してできなかった。続く世紀においてゲルマン人は絶えず南へ進出して、ついにドナウ川下流とバルカンに達した。この勢力拡大は大部分はケルト族の犠牲によって行われた。彼らはわれらの紀元のはじめの頃には、イギリスとガリヤを占拠していただけでなく、中部ヨーロッパの全域に広がっていたのである。

ローマ帝国の諸関節がいよいよがたぴししだした際に、ゲルマン族が歴史に関与する機会が来た。四世紀から五世紀にかけて、ゴート族が南ロシアとバルカンにかなりの国家を建てた。その後西ゴートはイタリアに殺到し、最後はスペインに国家を建設したが、これはほぼ紀元七〇〇年まで存在した。紀元五〇〇年の少し前に、同じ民族の他の支脈東ゴートの王テオドリクは、ゲルマン人を支配層とする国家をイタリアに建てた。しかしテオドリクの理想は古いローマ帝国を再建することだったので、彼はあらゆる手段を用いて古い政治上芸術上の伝統を維持或いは再生させることにつとめた。東ゴート王国は五五〇年まで続き、まもなくランゴバルド王国に吸収されたが、これはテオドリクの仕事の一部をさらに押しすすめた。ヴァンダル族が四三〇年頃ジブラルタル海峡を越えてカルタゴを征服したとき、アフリカもまたゲルマン族の国家を経験した。

四方へのこの拡張の間にゲルマン族は、紀元四〇〇年の直前にヨーロッパを襲ったフン族のよび起した大事件に、一役演じることになった。このアジア系の戦士団がロシアに攻めこんだ時、彼らは最初に強大な東ゴートの国と衝突した。王のエルマンリクはこの戦いで戦死し、彼の部下たちは降伏するの止《や》むなきにいたり、フン軍に編入された。大アッチラの下でフン族は王国を建てた。その中心はハンガリーにあったが、彼らは遠くバルカン半島や西のガリヤで戦うほどに強大であった。ビザンチンの使節がハンガリーでの外交官としての使命について残した報告から、われわれはフン人の間でゲルマン人たちが大いに高い地位を占めていて、その宮廷に彼らの文化的刻印を捺《お》しているのを見る――というのは、あらゆる儀式にゲルマンの刻印が捺されているのだから。また、四五一年にフン族がガリヤのカタロウニヤの野でその運命を迎えた時――そのとき彼らはローマの将軍アエティウスに壊滅的敗北を喫したのだが――も、勝利者側にはゴート人が加わっていたのである。

その後は四方への拡大が続く。フランク人はガリヤになだれこんで、メロヴィング朝の下で国家を建て、それがフランスに継続される。シュレスウィヒから出たアングル族とユート族は、西の海を横切ってバイキング行に殺到し、イングランドを劫掠《ごうりゃく》して最後にはその地に根をおろし、別の大国を建てるが、それは千年も存続する。この民族移動は中断もなしにバイキング時代に移行するが、これはエルベ平原から発した北海行の継続と呼ばれていいものだった。スウェーデン人、デンマーク人、ノルウェー人たちは、その小さい船に乗って、獲物と光栄を求めて西のブリテン諸島を訪ねる。彼らは一部はスコットランドとアイルランドのケルト系国家を、一部はイングランドの彼らの親族の間を荒す。また同時にスウェーデン人はバルト海に出てフィンランドとロシアを訪ねる。これらの遠征は、一部は純粋な冒険心の迸《ほとばし》りで、富の渇望と行為と名誉を求める野心が入りまじっていたが、大半はまた現実的な、目的を意識した掠奪行《りゃくだつ》であって、新しい国家の建設に導かれた。デンマークとノルウェーの王たちは、イングランドとアイルランドに王位を獲得し、スウェーデンの侯伯はロシアに国家を建設したが、これは中世期のずっと後まで存続して、高い程度にロシアの発展を決定したのであった。

戦いと掠奪行のこの渦巻は、われわれの父祖の伝説や物語に深い痕跡《こんせき》をとどめた。〈竜殺し〉のシグルドの有名な詩の中には、ライン河畔でのフランク族とブルグンド族の運命的な歴史の思い出がある。アッチラは北欧人の歌の中にアトレとしてなお生きているし、フン族の首領との戦いは、北欧の伝説のいたるところに顔をのぞけている——たとえばテュルフィングの物語におけるように。バルト海をめぐる諸伝説は、争いと遠征、戦死した王、殺害への復仇の思い出で満たされていて、この混沌《こんとん》を通してわれわれは、あの動乱の時期を覗《のぞ》きこむのである——首領たちや小貴族たちの無数の衝突を通して、スカンジナビアの諸国が形造られ、そこにデンマーク人、スウェーデン人、ゴート人、ノルウェー人という鋭く区別された民族が立ち現われるにいたるあの時期を。

タキトスがこの北欧の荒くれ者どものベールを引きはがしてから多くの世紀をへて、彼らは彼ら自身の文学を通して自己の民族的特性を世界に開示するだけに、自ら描くことができるようになった。この遠い北方でゲルマン古代の思い出が純粋明瞭に出現したというのは、特別のことだった。というのは、南方のゲルマン人の間では、キリスト教がローマ文化と共にあまりに早く優勢になったため、それが民族の古い運命と営みに対する興味を窒息させたためである。時たま民間の伝説や伝承が描かれた時にも――ランゴバルド族の間でパウルス・ディアコヌスによって、またゴート族の間でヨルダン（ヨルダネス）によってなされたように――、ペンを執《と》るのはきまって聖職者たちであったので、彼らは古代を教会の眼鏡を通して見て、古典的な歴史書を手本にそれを刈込んだのであった。

北欧の文学はアイスランドで開花した。この地には、ハラルド美髪王によって独立自存の首領たちがノルウェーに住むのを少しく不快にされた後に、天分に恵まれた多くの北欧貴族が、その故郷を見出したのであった。この北欧からの移住者たちは、一族の歴史を携えてゆき、古い思い出を大切にした。しかし彼らはまた、周囲の世界と生き生きした結びつきをもっていた――故国のノルウェーに対してと共に、西方のイングランドやアイルランドとの間にも。それらの国では、多くのアイスランド人が落着きない青春時代を過していたし、そこのバイキングの王廷にはしばしば血縁者がいたのである。この西欧文化との接触を通して、彼らは文学活動に促されたのだが、彼らはその古い理想にしっかりと根をはやしていたので、異国の影響は少しも彼らの個性を弱めることがなかった。かえってその独自性を自覚せしめて、その中に彼らの思考と感情の独自さを表現しうべき形式の創造へと、彼らを励ましたのであった。周囲の世界との実り多い合奏の中で、彼らは自己の前代についての明確な理解に達したが、この前代に対する夢が一転して、彼らはそれらの遺産を蒐集《しゅうしゅう》し、詩や散文

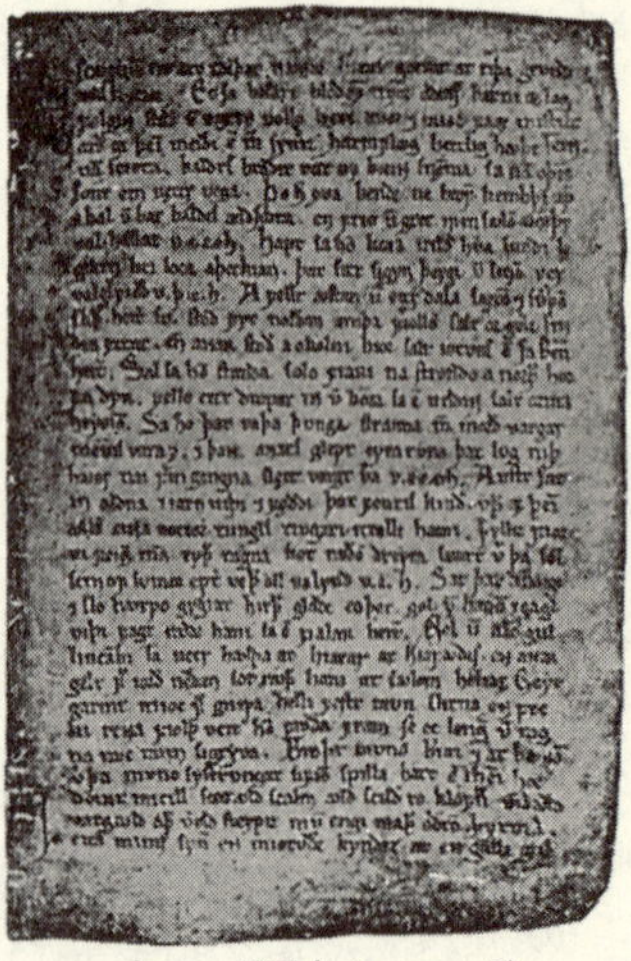
古エッダ写本の一ページ

物語サガに定着させることになる。

　豊かな古代北欧文学の先頭には『古エッダ』[1]が立っている。これは古詩の二つの集を含むが、一つは神々について、他は英雄についてのもので、この後者の中では〈竜殺し〉のシグルドとギューキ一族についての伝承が大きな場所を占めている。これら詩作の年代については、最初に言っておかなくてはならない――現存の形をとったのはほぼ十世紀だと。しかし、このことは何も決定的なことを言っているのではない。というのは、この種の詩は個々人の私的な所産として不変の形で印刷に付される近代の文学と、同じ基準で判断することはできないからだ。神話や伝説は、民衆の間を口から口へと伝えられてゆき、その度ごとにその時の趣味によって再話される。そこでわれわれに伝えられたその形は、それが記録の際に固定された姿にすぎない。

　一連の英雄伝説と前代の伝承が、散文の物語サガに保存されている。同様のものがしばしば詩句を通しても窺われるのだが。その最も重要なものは、『ロルフ・クラキのサガ』[2]、テュルフィングの剣とその所持者についての『ヘルヴォールのサガ』[3]、『ラフニスタ家（ケティル・ヘングとグリム・ロッデンキンド）のサガ[4]』などである。それにシグルドとギューキ一族の詩の再話である『ウォルスング・サガ[5]』が続くが、これにはわれわれの知っているエッダの詩以外の源泉も用いられている。これがさらに『ラグナル・ロドブロクのサガ[6]』に導く。これらのサガはもちろん北欧の豊富な伝説の宝の貧しい破片にすぎず、われわれは失われた一族の伝承への豊かな暗示がいたるところにちらばっているのを見る。

　これらの英雄物語の傍らに豊かなサガ文学があって、北欧人の、とりわけアイスランドとノルウェーの歴史を扱っている。第一には、『ニヤラ[7]』、『エイルビッギヤ』、『ラックスデラ』、『エギルのサガ』、『グルンマ』、『ヴァッツデラ』などの〈家族のサガ〉で、それらはアイスランドの首領たちの争いと、植民後の最初の一、二世紀における諸家族相互の抗争を物語っている。時折それらは渡洋以前の時代に溯《さかのぼ》って、家族の思い出の中を少しばかりわれわれに覗かせる。その後にスノリ・ストルルソンの『ヘイムスクリングラ[8]』――ノルウェーの歴史のハラルド美髪王からスヴェルレ王にいたる叙述――を頂点とする王のサガが続く。これらの王のサガには、しばしば首領の一族の伝承の貴重な断片が編みこまれている。

神話を描いた墓石　上はオーディン、下はトールがミッドガルド蛇を釣り上げているところ

　神話詩篇の補足としては『スノリのエッダ』があるが、これは要約された

神話のハンドブックと呼んでいいもので、一二二〇年頃に書かれた。これは散文でさまざまの神々の神話や、そのほか若干の英雄伝説を再話したもので、また神々とその本質について、若干の一般的な註釈をつけている。

この文学はサクソの『デンマーク史』(9)で補助される。これの最初の九巻は、デンマーク最初の歴史的人物であるゴルム老王以前の王たちを扱っている。サクソは一二〇〇年頃にこれを書いたが、聖職者であってラテン語を用いたにかかわらず、彼はすべての古い物語にこの上なく非教会的な興味を持っていて、入手したすべてを彼の物語の中におしこんだ。残念なことに、彼は一貫した歴史と王の系譜をそこから取出すために材料をまるきり自由に扱ったが、彼はその飾りたてたスタイルの中に、でなければ救いようもなく失われたにちがいない無数の伝説を保存した。どのようにして古い伝説が保存されて、新しい連関にもたらされるかは、スギョルド家の諸伝説に見ることができる。その大部分は南スカンジナビアの二つの民族或いは首領家の間の戦いを扱っている――一方はシェーラン島レイレに都するスギョルド家或いはデーン人たちであり、他方はまだその本拠は不明だが、おそらくバルト海の西部にいたらしいハドバルド族である。この戦いにおいてハドバルド族はまったく分断されて歴史から姿を消した。そこで以後の北欧の伝承は、その王フロデとイングヤルドをレイレの王とし、スギョルド家のロアールとロルフとの戦いを、スギョルド一族の異なった支脈の間の争いに変えてしまったのである。

イギリスでは英雄詩『ベオウルフ』の中に古代の大がかりな思い出が保存されている。それはたしかに約七〇〇年頃に書かれた詩で、レイレで巨人をたおした後に、ゴートランドで竜と戦って死んだゴートの英雄ベオウルフ（ビョーウルフ）の伝説を扱っている。どのようにしてこの材料がイギリスまで来たかについては何もわからないが、この地でそれがイギリスの一詩人によって芸術的に完成した叙事詩に形成されたのはたしかだ。それらは独得の仕方で古い精神と、古い北欧の画面を、その様式の中に保存している一方で、その描写の幅広さと、あちこちに緩く付着しているキリスト教芸術の反射に、キリスト教文化からの刺戟《しげき》を認めることができる。この詩は、『ロルフ・クラキのサガ』やサクソに描かれているのよりもっと古い——従って歴史にもっと近い——スギョルドの伝説の形を保存していることで、とりわけ興味がある。

　もしわれわれがわれわれの父祖を正しく理解しようとするなら、外の世界へ殺到していったこれらの掠奪者的首領や冒険者の背後には、故郷の村へ帰って、彼らの父親がしたように家畜を見張ったり土を耕したりした一民族があったことを忘れてはならない。家郷に留《とど》まった人々の伝統が、王や戦士たちの悲劇的運命ほどには文学的取扱いを直接には誘わなかったことは、理解にかたくない。幸いにもわれわれにはアイスランドのサガがあって、農民の屋敷で営まれた生活への深い観察を提供する。そしてわれわれは、家族の伝承のいとも些細《ささい》な忘れられたものが、年ごとに祭り——その時は親戚が集まって犠牲祭ブロット blót を営むのだが——の際に語られたり暗誦されたりするのに、稀《まれ》ならず出あうのである。北欧の家系のサガの貴重な見本は、ラフニスタ家の物語に見られる。

バイキングの首領たちの館では、生活は故郷の村でのそれとは異なった性格をとった。なぜなら、戦士たちは父祖の生き方や習慣が圧倒的な役割を演じる故郷の土から根こそぎにされて、生と幸運との不断の戯れの中に投げこまれるからだ。他国人の間での不安定な生存は、一方では戦士の緊張と栄光の輝きを特徴づけるが、他方故郷の村でのそれは、日々の労働と年ごとの祭りであって、それが人生に安定したリズムを与える。故郷にいる農民にとっては、栄誉は一つの相続財産、最も深い意味で一族の栄誉であり、彼の最大の使命は父祖と共に一族の目標として立ち、その財産に気をくばって、その尊敬と重みを維持することである。戦士と王国建設者の間では、名誉は栄光にみちた略取であって、おのれの抜身の刀で独力で日に日に獲得したものだ。その人生は誇らかな戦いと賑やかな祝宴で飾られた一つの祝祭だが、それはまた何時なんどき突然の死で終るかも知れない苛烈《かれつ》な戯れでもある。オーディン崇拝とワルハル（ワルハラ）信仰をもったバイキング時代の作品に刻印されているのは、こういう戦士の理想だ。故郷にいる農民は、死後の存在を、墓丘の中にいる世を去った血族の仲間に加わるものと考えた。戦士たちは死を王者的な神オーディンの館への招待と思い描いたが、そこでの日々は花やかな戦いと歓《よろこ》ばしい酒宴の中に過されるのであった。

しかしこの冒険的生涯はまた、全体としての人生に一つの新しい見地を導き入れたのであって、バイキング時代の悲劇的でパセチックな出来事の印象の下に、あの神々と人間の歴史についての力強い画像が形造られたが、それは時の誕生にはじまって世界の善と悪との諸力の間のラグナロクの場面で終る、一個の運命的なドラマだったのである。

この詩（『ベオウルフ』）は疑いもなく、われわれの父祖がイギリスで知るにいたったキリスト教に霊感をうけて生れたものだが、その画像も思考も共に北欧の刻印をもっていて、非キリスト教的だ。それは神々と巨人族との戦いの古神話や、その他の伝来の伝説の助けをえて創作されたものだが、伝承された材料を新しい視点によって配列して一個の指導的思想の下に編みこんだという以上には、なんらの変形を加えていない。そこで全体が劇的緊張でつらぬかれたのだ。そしてその思想というのは、力は強圧によって手に入れられねばならず、勝利はしばしば罪によって買い取られ、名誉欲は栄誉へのあくなき追求において挫折《ざせつ》に導かれて、かくて人生はおのずと自己の運命を伴う。やがて一つの新しい、より純粋な世界が来るであろうが、このものは戦いと死を通して買い取らねばならぬ、というのであった。

最後に人は、王や戦士たちの人生観が、どのようにこの詩を色染めているかを知る。というのは、最後の戦いを指揮して、彼ら自身の勝利にみちた死で悪しき巨人たちをこの世から払拭《ふっしょく》する神々は、戦いの神で勝利の与え手なるオーディンの導くところであり、彼を助けるのは、白刃を携えて戦場で名誉の死をとげることで、巨人との戦い手たる任務にふさわしいことを証明した英雄たちであるから。

ここに択《えら》び出した北欧人の伝説とバイキング時代の神話詩の物語は、翻訳ではなくて、現代の言葉による再話、或いはそう言いたいならば、再創作である。しばしば古いテキストは、近代の翻訳では理解しがたいものになっているが、それは往時の言葉はその意味と価値を、おのずと聴衆の中に高まってくる思い出と倍音から受けているのに対し、それが後代の読者には疎遠なものであるからだ。わたしの再話においては、テキストにおいて理解したことを表現するにあたって、言葉にそれがかつて持っていた生命を与えようとつとめた。

スギョルド家とイングリング家の伝説においては、わたしは『ベオウルフ』、スノリとサクソの記述、また『ロルフ・クラキのサガ』などの異なった形のものを結びつけて一つの全体としたが、これは昔のサガを語った人々も試みた行き方であった——例えばシグルドとギューキ一族についてのさまざまの伝承を一篇の『ウォルスング・サガ』に作り上げた時に。

名前の表記の点では、わたしはまったく気儘《きまま》に作品に対した。一般には古い形をそのままに用いたが、それがすぐさまわれわれの口の中に変化した形をおくような場合には、現代の語感を通用させた。また、言葉がいつの時にかきまった形をとった際——例えばオーディン Odin、フレイ Frey、ビョーウルフ Bjovulf など——には、わたしはつねにその特定の習慣を尊敬した。首尾一貫気取りはいつも悪いものだが、名前の場合には最悪だからである。

注

(1)『古エッダ』——たぶん十三世紀に編集された古詩集。八世紀〜十二世紀間に北欧で書かれた二十九篇の神話・伝説に取材した古体の叙事詩や箴言《しんげん》詩を集めている。学者として有名なセームンドの編と最初思われたため、「セームンドのエッダ」また「詩のエッダ」と呼ばれ、スノリ・ストルルソンの書いた詩学書『新エッダ』(「スノリのエッダ」、「散文のエッダ」ともいう)と合わせて両エッダとされる。

『新エッダ』と共に本書に収められた神話物語の主な源泉をなす。

(2)『ロルフ・クラキのサガ』──五世紀頃のデンマークの王ロルフ・クラキ（「竿《さお》のロルフ」或いは「木の株のロルフ」、三四九ページ参照）と、その剛勇の騎士ベズワル・ビャルキを中心にした伝奇的サガ。書かれたのは十三世紀頃かと思われるが、大変古い詩を引用してい、古い伝承であることがわかる。この物語は古英詩『ベオウルフ』と深い関係がある。大要は本書の伝説篇に出ている。

(3)『ヘルヴォールのサガ』──男まさりの美女ヘルヴォールが亡父の塚をあばいて魔剣テュルフィングを手に入れて活躍する物語だが、こういうサガがあるかどうか、訳者にはたしかでない。少なくとも有名なサガにはない。『古エッダ』系の英雄詩『ヘルヴォールの歌』を指しているのかも知れない。物語の大要は後出。

(4)『ラフニスタ家のサガ』──ノルウェー北部のラフニスタ島の豪族にまつわる物語。これも『新エッダ』『植民の書』などに一部は出ているが、まとまったサガとしては訳者は読んだことがない。物語は本書の伝説篇に出ている。

(5)『ウォルスング・サガ』──ドイツの『ニーベルンゲンの歌』と同じ材料を扱った長篇サガ。『古エッダ』に出ている関係詩篇をつなぎ合わしてパラフレーズしたような物語。主人公シグルド Sigurd はドイツのジークフリート。

(6)『ラグナル・ロドブロクのサガ』──ラグナルは竜を退治したことで知られるデンマークの英雄、その際に竜の血を浴びぬよう、特別の革の袋のような鎖かたびらをつくって着て竜をたおしたため、ロドブロク（革ぶくろ）の仇名《あだな》をうる。彼は上記の英雄シグルドの遺児アスラウグを妻にし、のちイギリスにバイキングとして遠征、捕えられて蛇の穴に投げこまれて死ぬ。遺児イヴァールらが復讐《ふくしゅう》のためにイギリスに攻め入り、ロンドンなどを攻略する。大変有名な伝説に取材した伝奇的サガ。

(7)『ニヤラ』以下──『ニヤラ』は『ニヤルのサガ』の愛称。多くの人によってサガ随一の傑作とされる千枚ほどの長篇。キリスト教流入期のアイスランドで、賢者ニャルと親友グンナルが、妻同士の争いから仲たがいをし、まずグンナルが殺され、最後にはニャル一家がグンナル方に包囲されて家ごと焼殺されるまでを描いた歴史小説。『エイルビッギヤ』は、スネーフェル半島のエイレ地方の植民史で、アイスランド植民初期の風俗信仰を描き、スノリという首領が着々と勢力を占める姿を辿《たど》っている。これも五大サガの一つに数えられる名作。『ラックスデラ』は『ラックス谷のサガ』の愛称。サガではめずらしく女性が中心になり、浪漫的な香気が高い名作。『エギルのサガ』は十世紀の英雄詩人エギル・スカラグリムソンの祖父の代から筆を起し、父グリム、叔父トロルフなどを経て、詩人の生涯を彼の作った詩を引用しながら描く。作者はスノリ・ストルルソンとする説が近年は有力。すこぶる簡勁《かんけい》透徹した筆致で、『ニヤラ』に劣らぬ名作。『グルンマ』は『殺しのグルムのサガ』の愛称。上記の諸サガに比べれば短い中篇サガだが、幼時は知恵が足りなく見えたグルムが、家の守護神の加護をうけ、彼をあなどる男らを幾度もたおして、アイスランド北部の並びない首領になるまでを描く、すこぶるまとまった名作。『ヴァッツデラ』は『みずうみ谷のサガ』の愛称。本書伝説篇にその大要が出ている。

(8)『ヘイムスクリングラ』——スノリ・ストルルソン（一一七八?—一二四一）の著。ノルウェー王朝史というべき大著で、邦訳すれば三千枚近くなろう。しばしば『諸王のサガ』と呼ばれる。その序章「イングリング家のサガ」はすぐ後に出てくる『スノリのエッダ』とはまた別の意味で、神話については大切。

(9) サクソの『デンマーク史』——サクソはコペンハーゲンの港を築いた傑僧アブサロンの秘書で、主人の命によってこの書 Gesta Danorum をラテン語で書いた。姓は伝わらないが、そのラテン語が独得の名文のため、文法家のサクソ（サクソ・グランマティクス）と呼ばれる。生歿年不明だが、スノリよりやや先輩。

第一部　神話篇

世界の創造と神々

巨人と神々と人間のはじまり

まだいかなる大地も、空もなく、ましてや岸辺にうち寄せる海もなかった太古の時に、この世界の真中に一つの巨大な空隙《くうげき》があって、ギンヌンガガップと呼ばれた。その北には、寒気きびしいニフルハイム（霧の国の意）があって、そこでは闇の中ですさまじい嵐が吹き荒れていた。また南方には、炎の燃えさかるムスペルハイムが赤々と燃え輝いていて、この火炎の中に故郷をもつ者でなくては、なんぴとも足を踏み入れることができぬほどだった。ムスペルハイムを守っているのはスルトという巨人で、彼の剣は苛烈《かれつ》な炎であった。いつかこの世界を火で荒廃させて、神々を没落させるのはこの巨人なのだ。

ところで神々がまだ生れなかった頃、ギンヌンガの淵に氷が盛り上った。というのは、その巨大な淵からいくつも川が流れ出て、流れる霧や霙《みぞれ》となってニフルハイムになだれ注ぐときに、それが凍りついてどんどん大きくなり、熔鉱炉《ようこうろ》から流れ出る鉱滓《かなくそ》に似た、重たい氷塊となったからである。そして霧は重たくその氷の上に横たわり、凝り固まって、冷たい霜の覆いとなった。

しかし、ムスペルハイムからこの氷塊に向って熱い風が吹きつけては、あたたかい夏の日によく見られるかげろうのように、その上に慄《ふる》えながら静かにただよった。その熱気でとけた霜の覆いは、生きた雫《しずく》となって滴り落ちたが、その雫がやがて人間めいた形をとった。こうして生れ出たのが巨大なユミールで、彼がすべての〈霜の巨人〉の先祖なのである。

このユミールがまだうとうとまどろんでいた間に、彼は全身に汗をかいた。すると彼の左の腋《わき》の下から、一人の男と一人の女が生れ、右の足は左の足との間に一人の息子を生んだ。ついでこの人たちから沢山《たくさん》の子孫が出てきたので、世界はたちまち物すごい巨人どもでうずまってしまった。

その間にも、霜の覆いからは雫が滴り続けたが、その滴《しずく》からアウドウムブラという牝牛《めうし》が生れた。最初の巨人ユミールは、この牝牛の乳房をしゃぶったわけだ。こうやって巨人どもが乳を飲んでいる間、牝牛の方は氷塊の中の塩味をおびた岩をなめていた。すると、その岩の中から、最初の日の夕方に、人間の髪の毛が出てきた。あくる日はそれが一人の男の頭になり、第三日には彼の全身がとび出して、野の上にすっくと突立った。彼は見た眼に美しい、丈高く、逞《たくま》しい男で、名前はブリと呼ばれた。彼には子供ができた。半分はその彼から、半分は巨人の種族から、三人の神が生れたのだ。それがオーディンと、ヴィリと、ヴェー[1]である。

やがて神々が成長して、自分らの力に自信をもつようになると、彼らは巨人ユミールを打殺したが、彼の血がはげしい勢いで世界の上に流れ出たため、彼の一族は残らずその洪水の中で溺《おぼ》れた。ベルゲルミルという巨人ひとりが、妻と共にある石臼《いしうす》の上に逃れて、生き永らえただけで。しかし、この二人から新しい巨人族が生れたので、いまだに世界には巨人が住んでいるのである。

さて神々はユミールの屍《しかばね》をギンヌンガの淵に投げこんで、その体で大地を創《つく》った。流れ出た血は海や川になり、肉は土に、骨は山に、歯や骨の破片は、岩や砂礫《されき》になった。それから神々は水を導いて、それが大地を取巻いて流れるようにし、そのようにして大地を大洋で守りかためたのであった。ついでユミールの頭蓋骨《ずがいこつ》を大地の上にかけて、それを天蓋にし、その四つの角のそれぞれに、一人の小人を見張番として置いた——北《ノール》と東《エスト》と南《シュド》と西《ウエスト》である。天蓋の下にはユミールの脳みそが漂った。そこで空の雲は、巨人の思いのように冷たくて陰惨なのだ。しかし、ムスペルハイムからはあらゆる火花がとんできてその周囲を旋回したので、神々はそれを取って天に送りつけて、大地を照らさせた。それからそれらの天体の軌道をさだめて、日の次には日が、年の次にはまた年が続くよう、彼らが後から後へと進み出るようにした。

このようにして、大地は荒々しい海の真中に横たわることとなった。その海辺の一番外側を、神々は巨人族の住居に与えた。それから大地の真中の土地を祝福して、ユミールのまつ毛でかこい、その垣の内をミッドガルド（中園）と呼んだのである。

ある日、三人の神は浜辺を歩いているうちに、岸に流れよっていた二本の木の幹を見つけた。彼らはそれを人間の形に刻んで、頬《ほお》に燃えるような赤みを与えた。一人はそれに呼吸と生命を贈り、もう一人は知恵と四肢の自由さを、三人めは視力や聴覚やすべての感覚を与え

古ウプサラの王陵　オーディン，フレイらの墓とされる

た。それから人間に衣裳《いしょう》を着せて、名前を与えた——男はアスクとし、女はエンブラと呼んだのだ。この二人から、いまもなおミッドガルドに住む種族は由来するのである。

神々は人間をミッドガルドに据えると、その中央をかこって自分たちの住所にし、それをアスガルドと呼んだ。アスガルドの真中には一つの美しい広々とした平原があって、イダの野とよばれる。この野の上に神々はその館や広間を建てた。彼らは鍛冶場《かじば》をしつらえて、ハンマーや火ばさみや鉄床その他の必要な道具をこしらえ、それであらがねを融かしたり、石を採ったり、木を伐《き》ったりした。黄金はいくらでもあったので、すべての器具や持物を純金でつくることができた。

ユグドラシルの巨樹

その野にはトネリコの巨木ユグドラシルが影を落していたが、この木は途方もなく大きくて、枝は全世界の上にひろがり、その根は大地の深みまでとどいていた。一本の根は、むかしのギンヌンガの淵である霜の巨人の国にとどき、もう一つのはニフルハイムまでのび、三本目のはしっかりと神々の国に根をはっていた。そのニフルハイムにのびている根のそばには、フヴェルゲルミルという泉があり、霜の巨人のところまでとどいている根の傍らには、ミミールの泉がわき出ているが、その水には知恵と賢さが隠されている。この泉にミミールは住んで、その水をギャラールホルン（ホルンは角状の杯）で飲むため、彼は知恵と予言力をもっている。

しかし、神々の許《もと》にとどいている根の傍らには、ウルドの泉と呼ばれる最も神聖な泉がある。神々が互いに相談しあう時には、この泉の傍らで会合するのである。このトネリコの木の下の泉のそばにはまた、ノルンたちが住んでいる。これはウルド（過去）、ヴェルダンディ（現在）、スクルド（未来）という三人の女性で、彼女たちがすべての人間に幸福や悲しみの運命を、彼の出身に応じて与えるのである――王侯の息子には大きなはげしい幸福を、日雇労働者には平凡な生活をというふうに。

いろいろの動物と悪しき霊《ヴエター》が、この木を蝕《むしば》んでいる。フヴェルゲルミルには竜のニドホグがいて、根を嚙《か》んでいるし、誰にも数えられないほど多くの悪い虫が、そこに蠢《うごめ》いている。また、ラスタトスクというリスが、その幹を上り下りして走っているし、鹿がその葉を食べている。

しかし、ウルドの泉に住むノルンたちが、このトネリコに水を注ぎ、泉の濡れた土をとってその根を覆って、枝が決して乾いたり枯れたりしないようにしているのである。

アスガルドに住む神々たち

アスガルドのはずれの高い天の山の上に、虹の橋ビフレストがかかっている。それは三色に光り輝いているが、その赤い色は、どんな悪い霊もこれを渡れぬように、橋に火が燃えているからである。この橋は、大きな深い水を越えてアスガルドに通じている。

ウルドの泉のまわりに、神々はめいめいの住居を建てた。中で最も壮麗なのは、オーディン神の広間ヴァラスキャルフで、光り輝く銀で屋根をふかれている。中にはオーディンの玉座フリッドスキャルフがあるが、この座席は、神がそこに座ると、全世界を見渡せて、そこで起る何物も彼の目を逃れえないという性質をもっている。

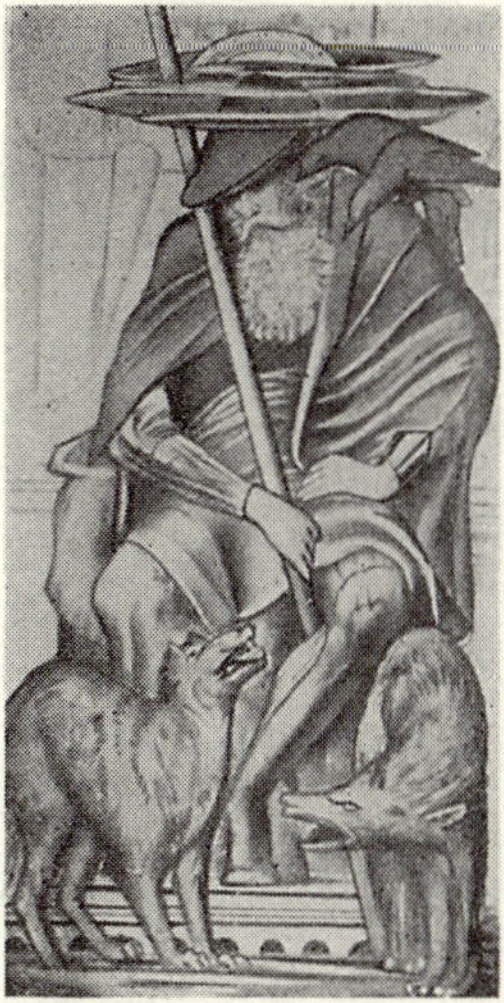

北欧の主神オーディン
(バーン・ジョーンズ筆)

アスガルドに住む神のうちで、オーディンは最高最大の神であって、他の多くの神は彼を父と呼ぶ。彼はどんな人間も知りえないほど多くの名をもつが、人々が彼のものに帰した偉大な行為もそれに劣らず数多い。彼はしばしば人間の間を歩きまわる――時には片目の老人として足で歩いて、時にはまた八本脚の馬スレイプニールに乗って。

彼は強大な王や征服者が富と権力をめぐって争う大きな戦いを指揮して、誰が勝利をえ、誰が戦場でたおれなければならないかを定める。彼は賢くて思慮深く、また詩術やルーンを解し、前代に起ったことをすべて知っている。彼が大きな苦悩を通してルーン文字の秘密を学んだことを語っている詩がある。その詩の中で、彼は自ら言っている。

「余は知る、余が九夜のあいだ嵐ふきすさぶ木の上にかかりて、槍《やり》をもてつらぬかれながら、余を余自身すなわちオーディンにささげたのを。この木がどこにその根をもつかを知る者は稀《まれ》なり。何ぴとも余に食事を与えず、何ぴとも酒杯もて余の舌をうるおさざりき。余は下方を覗《のぞ》いてルーネを学び、泣き叫びつつ学びて、生に立ち戻りぬ」

このように歌われているが、それが何を意味するかを理解できる者は、いまは一人もない。オーディンは片目であった。もう一方の眼は、あの知恵の泉から飲む許可をえるために、担保としてミミールに与えたのだと言われる。

オーディンの妻はフリッグという。彼女も賢くて、未来に起ることをすべて知っている。しかし、彼女はまた寡黙で、つぎに起ることを決してもらすことをしないのだ。

神々のうちで最も強いのはトールで、彼は大地《ヨルド》の息子と呼ばれる。彼はその鉄槌《てっつい》ミョルニールで知られる。彼がこれを振り上げると、すべての巨人やトロールは慄える。というのは、彼らの身内の多くの者が、音たてて空を飛んできたそれで、額をたち割られたからである。ミョルニールはすばらしい武器で、トール神がそれを投げると、かならず狙ったものに的中して、また彼の手に戻ってくるのであった。トールはまた手に一対の鉄の手袋をはめている。それをはめると、ハンマーの柄を握るのに、決して握り損じることがないのだ。また彼は腹に、メギンギョルドという力帯をしめる。すると彼の力は二倍になるのだ。トールはしばしば車に乗って出かけるが、その時は二頭の山羊《やぎ》、タングニョストとタングリスニルを車につなぐ。

偉大な神にまたチュルがある。すばらしい戦士で、勝利を祈願するのにふさわしい。ヴィダルのことは、人々は無言の神と呼ぶ。この神は足に重たい靴をはいて、のしのしと歩き回る。いつか彼はその逞しい踵《かかと》で巨狼《きょろう》の顎を踏み砕くであろう。ウルはスキーにたくみな神で、また弓の名手だ。決闘に出かける前に、人は多く彼に呼びかける。

ホッド（ホズル）という神もいる。しかし彼は盲目だ。この神については、ただ一つのこと――彼がバルデル（バルドル）神を殺すにいたった経緯が語られているだけだ。これは神々に起った最大の不幸であったのである。

ビフレストの橋のたもとには、ヘイムダル神が座って、巨人族に対して神々の国を見張っている。彼の眼は百マイルの遠くまでとどき、しかも夜でも昼と同様によく見えるのだ。彼はまた野の上でのびる草の音や、羊の背の上でのびる毛の音をききとることができる。いかなる魔物も彼を欺いて傍らをすりぬけることはできない。というのは、彼の眠りは鳥のそれよりも軽やかだからである。傍らにはギャラールホルンの角笛があるが、それを彼が吹きたてる時、その音は全世界に響きわたるのだ。

バルデルは愛すべき神で、この上なく美しく光り輝いているので、人間は野の一番白い草を彼の名によって呼び、〈バルデルの青〉と名づけている。彼もまた賢い神で、平和のもたらし手で、語る言葉は蜜《みつ》のように甘い。しかし彼の勧告はその響きのせいで、稀にしか力をもたない。

バルデルには一人の息子があって、フォルセティという。彼は不和に陥っている人たちへの忠告にたくみだ。彼が事件を審《さば》くと、人々は和解して、平和のうちに立去ってゆくからである。

ブラギは雄弁と詩術に熟達した神。妻はイドゥンという。彼女は幾つかの林檎《りんご》を匿《かく》し持っている。神々は自分が老年のために衰えたと感じた時に、それを食べるのだが、この林檎のおかげで、彼らはこの世の終りまで、永遠の若さを保つのである。

アサ神族とヴァナ神族

以上の神々はすべてアシール（アサ神族）と呼ばれるが、それによって彼らの国はアスガルドと呼ばれるのだ。ところで、偉大な神ニヨルドとフレイは、別の神族に属して、自分たち固有の生き方をしている。

ニヨルドはたいそう黄金や幸福で富んでいるので、海を越えて航海する商人たちは彼に訴える——彼らの辛苦に対する報償として順風と富とを与え給えと。ニヨルドはヴァニール

（ヴァナ神族）と呼ばれる彼の一族の間に館をもつと言われる。

昔、アサ神たちとヴァナ神たちは戦ったことがあった。若干の人々はいまでは信じている——これはアサ神を信奉する民族と、ヴァニールと呼ばれる民族との間の戦いだったのだと。なぜならこちらは異なった神々をもっていて、彼らはその神々をヴァナ神、或いは簡単にヴァニールと呼んだからである。さて民族と民族が戦う際は、その神々も彼らのために戦うことが当然期待される。そこで人々は、アサ族とヴァナ族とが戦ったのだと言っていいわけだ。

やがて戦いが終ると、アサ族とヴァナ族は同盟を結び、お互いに仲間を人質に出した。アサ族からはヘニールがヴァナ族の許へ行き、こちらは引替えにニヨルドをアスガルドに送った。以来、ニヨルドはずっとアスガルドにいることとなる。

彼の息子がフレイである。フレイは雨と日光と土地の恵みを左右する力をもつ。そこで人々は彼に祈願するのだ——国土に豊作を与えたまえと。オーディンがスレイプニールにのり、トールが彼の山羊に車をひかせるように、フレイも彼自身の動物をもつ。それは巨大なイノシシで、グリンブルスチつまり黄金の剛毛という。時には彼はこのイノシシの背に乗るといわれ、時にはまたこれを彼の車につなぐのだという。

フレイ（性器に注意）

フレイには姉妹があって、フレイヤという。彼女についてはいろいろの物語があるが、中でも多いのは、彼女が男に喜びをもつ女神だということである。フレイヤは愛にこがれている男と女をやさしく眺める。彼女にはオッドという夫があるが、この神について語られることはわずかだ。彼はよく長い旅に出たが、彼が留守のあいだ、フレイヤは涙を流して泣いたといい、その涙は彼女の膝にこぼれて純金になったという。

彼女は好んで猫のひく馬車を走らせた。また彼女は戦場へのりつけたといわれ、そうやって戦場にくると、彼女とオーディンとで、戦場にたおれた者を、半分ずつ自分のものにするのであった。

彼女の最も大切な飾りはブリシンガメンと呼ばれる首飾りだが、あるときヘイムダルとロキは、この首飾りを求めて海中のある島まで、アザラシの姿をして競争で泳いだといわれる。ヘイムダルが先についたため、彼は〈フレイヤの飾りを取ってきた神〉と呼ばれる。他の言い伝えはいう――ブリシンガメンも他の神々や人間の最もすばらしい宝と同様に、小人族に由来するものであると。

フレイはまた妖精の一人に数えられ、その住居はアルフハイム（妖精の国）と呼ばれる。われわれは知っている――他の部族や家族がその神々をアシールと呼ぶのと同様に、若干の土地では民がその神を妖精《アルファル》と呼ぶことを。

オスロ峡湾のゲイルスタッズに、ウエストフォルド（オスロ湾の西岸地帯）を支配する首領の一家が住んでいたが、この人々は彼らの神をゲイルスタッズの妖精と呼んで、それを彼らの一族の祖としていた。この一家では彼はオラーブ・ゲイルスタッズアルフの名で通っていた。ゲイルスタッズ家はハラルド美髪王の一族だが、人々の言うところでは老ハラルドの息子ハラルド・グレンスケと妃《きさき》オースタの息子の聖オラーブ王は、オラーブ・ゲイルスタッズアルフにちなんで、こう名づけられたものだと。そして彼はお守りとして、一族が古くから伝えた品を持っていた。即ち、一つの黄金の輪と、一つの帯と、ベーシングという剣であり、これらはすべてゲイルスタッズアルフの塚から取り出されたものだという。

オースタが産褥《さんじょく》についていた時、彼女は子供がどうしても出て来ようとしないためにひどく苦しんだ。こうして今にも死なんとしていた時、彼女はゲイルスタッズから来たフラーネ・フレーセンというハラルド・グレンスケの親友に助けられた。彼が例の帯をもってきて、妃のそばに置くと、直ちに子供を出産したのであった。それから息子に水をふりかけて、オラーブと名づけ、後に母親は伝家の宝のベーシングと腕輪を息子に贈ったのだという。そこで、オラーブ王は昔のオラーブ・ゲイルスタッズアルフの生れ代りだと信じる者もあった。しかし敬虔《けいけん》な王自身は、キリスト教に改宗した後は、その種の古い記録に耳を貸そうとはしなかったが。

神々の中には、なお一人の人物がいて、自身は巨人族の出でありながら、神々の一人に数えられている。彼はロキという。彼のおかげで神々はさまざまの災厄に陥るが、それは彼が気まぐれで、争いの種を蒔《ま》いたり他人を困らせるのを、最大の喜びとしていたからである。彼は出まかせを言い、二枚舌で、真直ぐな道を行くのを嫌ったが、いつでも狡猾《こうかつ》な手段を用いては、自分のいたずらを通すのである。巨人の出にもかかわらず、彼は美しくて色白で、要求される通りに自分の言葉を合わせるのが巧みだった。時折彼は神々をこの上ない不幸に陥れかけたが、またつねにそのずる賢い思いつきで、いよいよという時にはその苦境から彼らを救い出す術を知っていた。しかし、その狡智《こうち》はつねに、彼が自分でやらかした悪事を自分自身の頭で償わなくてはならぬにいたって、最もすばやく働くのである。彼の勇気と彼の賢さの中では、賢さの方が大きかったとしてよい。

その他の霊的存在――ノルン、フュルギエなど

神々の側には、光を広げ、この世界に秩序をつくり出そうとする霊的存在が立っている。次に世界の始めに神々は、光と天と地を、ムスペルハイムから飛んでくる火花でつくった。次には車をこしらえて、それに馭者《ぎょしゃ》をのせて天を走らせるようにした。昼《ダーグ》が彼の馬スキンファクスを走らせると、その走り輝くたてがみから、全世界に光がふりそそぐ。夜《ナット》はリムファクスを走らせるが、その柔毛からは露がしたたって、朝ごとに深い谷間にきらめくのだ。太陽《ソル》は自分の車に二頭の馬をつないでいる――アルヴァクルとアルスヴィンだ。彼女らの前には一つの楯《たて》が立っている。それは大地を焼きこがす太陽の熱から守るのである。

ユグドラシルの泉の傍らにいる三人のほかにも、まだ多くのノルンがいる。ノルンたちは子供が生れた際には必ずやってきて、その生命を祝福する。このノルンたちは互いにひどく異なっている。その属する種族に従って、それぞれ力と幸運を定められているからだ。そのある者は神々の仲間だが、他のものは妖精に属し、また小人に属するノルンもいる。みずから不名誉と不幸をつくり出す人々は、悪いノルンに目をつけられているのだ。

これらのノルンのうち、一族の家に付属しているものは、その家のフュルギエと呼ばれる。それぞれの家はそのフュルギエをもち、しばしば彼女らは簡単に家の女神《ディシール》或いは主婦と呼ばれた。彼女らは家族の者の揺籃《ゆりかご》から墓場まで従ってゆき、その安寧を見守る。力強くて賢いフュルギエをもつことは大きな幸福だったが、その力は一家の系譜がその栄誉を見守っているということから来るのであり、その家の男も女もが、父祖から相続した栄誉を高めるべくつとめて、つねに先祖に恥じない新しい行為を行うことにかかるのであった。時たま守護女神は友の前に自分の姿が目に見えるようにするか、夢の中に現われて、相手によき忠告を与えたり、迫っている危険を警告する。その言葉を尊重しないと、決して善いことにはならないのだ。

むかし、アイスランドの農民トルギルスが、ヘルガフェルの有力な首領スノリと争ったことがあった。あるとき彼が民会に出かけて行く途中、一人の堂々とした大女がこちらに向ってやって来るのを見た。彼が女の傍らを馬で通りすぎた時、女は言った。「お前さんは威張りくさって馬にのって、スノリの計画を切りぬけるつもりらしいが、賢いあの男の裏をかくことは到底できはしないよ」。それと共に女の姿は消えた。トルギルスは言った。「おれがそっちへ向っているのに、お前が民会から引上げてくるとは、きっとろくなことにならんぞ」

それでも構わずに、トルギルスはさらに進んでいった。そして一日、彼がそこに座って他人の膝の上の金を数えていた時、一人の男が背後から彼に切りつけた。そして人々は、肩から血煙を吹きあげるのと同時に、頭が十一と数えるのを聞いた。

〈難物詩人〉ハルフレッドは、オラーブ・トリグヴェソン王の大の親友で、王に対する愛の故にキリスト教を受容れた。しかし、彼は生涯を通じて心の中では古い習慣に執着した。ノルウェーからアイスランドに帰る最後の旅の途中で、彼は病気になった。船の仲間は彼のために身分にふさわしい寝床をしつらえた。そこに横たわっている間に、彼は一人の堂々とした鎧《よろい》をきた女が、まるで乾いた陸の上でも渡るようにして、波の上を歩いてくるのを見た。もっと近づいてきたのを見ると、彼には女がわかって、それが彼のフュルギエであるのを知った。彼は女に向って言った。「いまはおれはすっかりお前と離れたんだな」女は彼の傍らを通りすぎて、彼の兄弟のトルワルドの所へ行き、自分を引受けてくれるかと訊《たず》ねたが、彼はだめだと答えた。そのとき、ハルフレッドの若い息子が言った。「おれがきみを引受けよう」と。同時に、女の姿は消えた。息子が彼のフュルギエを歓迎した言葉を耳にするとすぐ、瀕死《ひんし》のハルフレッドは息子に言った。「お前にあの王から拝領したわしの剣をやる。ほかの持物は、わしがこの船の上で死んだら、わしと一緒に柩《ひつぎ》に入れてくれ」

アイスランド人のグルムは、古くからノルウェーのヴォスに住して大きな尊敬をうけていた家柄の出で、ノルウェーの王家と近い親戚関係にあった。成人するやいなや、彼は身内の者を訪ねてノルウェーに行き、まずヴォスに母親の父のヴィグフスを訪ねた。ヴィグフスは最初少しく冷やかに彼を迎えて、ベンチのずっと下の方の座を彼に与えた。

ある日、皆の者が広間でそれぞれの席についている時、一族のビョルンが仲間と共にやって来た。彼は付近の村々をまわり歩いて百姓達を苦しめるのを栄誉としている慢心した男だった。招かれざる客は広間を通りぬけて一人一人の人間に訊ねた——誰かおれと力くらべをしてみようという奴はいないかと。しかし、この言葉にあえて答える勇気をもつ人間はいなかったのである。最後に彼はグルムの席にもやってきた。グルムはそこにころがって、ベンチぞいに身をよじっただけで、眼をあけもしなければ、答えもしなかった。

「なぜこの男はちゃんとした人間らしく座って、物をきかれたら答えることができんのか」と、ビョルンは言った。すると周りにいた人々が、こんな馬鹿者にはかまわぬがいいと言った。ビョルンは彼を蹴とばして言った——男らしくちゃんと座って、お前に話しかけている人間と力くらべをするかどうか、返事をしろと。グルムは答えた——自分は決してあんたと対等だとしたくないのだ。なにしろ向うのアイスランドでは、他人の家へ来てこういう振舞いをする者は、愚か者とされるのだからな。同時に彼はとび起きると、炉の火かき棒をビョルンの頭に叩《たた》きつけた。こちらは仲間の上にころげ落ちて、全部の者を床の上に転倒させた。即座にグルムは皆の上に乗りかかって、火かき棒で全員を叩きのめして広間の外へ追い出した。

この仕事を終えて帰ってくると、ヴィグフスは床に下りて、彼を出迎えて言った。「今こそお前はたしかに一族の者だということを証明した。こういうことをわしは今までずっと待っていたのだ。今こそお前はわしと並んで高座につくがいい」

今やグルムは自分の母の父の家で、高い尊敬をうけて座った。そして帰国する時になると、老人は彼に立派な船を用意してやり、別れにあたっては多くの贈物をして言った。「われわれは二度と逢うことはあるまい。ここに若干の貴重な品がある――一本の剣と、槍の穂先と、一枚の皮衣だ。これはわれらの一族がいつも大きな価値をおいて、また頼りにしてきた先祖の遺品だ。いまこれらをお前に進呈する。これらを持っているかぎり、お前の名誉と地位はたしかなものだと、わしは信じる。しかし、これらを手放したなら、お前はきっとそれを後悔するようになろうよ」

グルムはいまやアイスランドに帰って、高く尊敬され、恐れられる人間になった。

一夜、彼は夢をみた。彼が屋敷の前に立ってフィヨルドの方を眺めていると、一人の女が村の方へ歩いてくるのが見えたが、彼女はとても大きくて、その両肩は谷全体をみたして両側の山までとどくほどだった。彼は女を出迎えて、屋敷に招待するとみて、そこで目がさめた。横になったままその夢を繰返し考えているうちに、彼は外祖父のヴィグフスが死んで、いまや一族のフュルギエが、一族の中の第二の人物としての自分のところに来たのだと悟った。そしてノルウェーから来た次の船便は、まさしくヴィグフスの死を報じたのである。

グルムは決して寛容の人物ではなく、その一生は戦いと争いでみたされた。しかし、外祖父の忠告に従って一族の相続品を尊重していた間は、すべての争いを通じて地区の第一人者にまで自分を高めた。ところがある時、危ない事件において友人の俠気《きょうき》に助けられたことがあり、その友の奉仕に報いようとすると、一族の宝をすべて贈るよりもよいことは思いつかなかった。この日以来、彼の幸運は傾いて、ついには家も屋敷も手放して新しい家を建てるしかなくなった。こうしてグルムは、何かの不幸によって破滅させられるにはあまりに強い人間だったけれど、もはや二度と以前のような首領にはなれなかったのである。

フュルギエは動物の姿をとることが稀ではない。アイスランドにトルステインと呼ばれる若者があって、〈雄牛の足〉と仇名《あだな》されていた。父方も母方も立派な家系だった。父はエイナル・タンバースケルヴェの一族だったし、母のオルニイはアイスランドの裕福な豪農から来ていた。ところがトルステインは不幸な生れ落ちをした。というのは、父は交易の旅に出て彼女の兄弟の家に客として滞在していた間にオルニイを誘惑したのであり、子供が生れる直前に彼女を打ちすてて、別れに際しては嘲《あざけ》りの言葉しか女に与えなかったからである。オルニイの縁者はその子のことを口にするのを嫌って、捨て子にすることを望み、子供を下男の一人に渡した。下男は子供を屋敷から連れて出たが、それを捨てる前に着物でくるみ、口にベーコンの一片を押し込んでから、一本の木の根もとの安全に守られた場所に置いたのであった。通りかかった百姓が、子供の泣き声をきいて声のする方に行き、ころがっていた小さい男の子を見つけた——ベーコンのおしゃぶりが口から落ちたからであった。百姓はその子を家に連れていって育てるうち、夫妻は共に彼を愛するようになって、よく教育した。

ある日トルステインは母の屋敷に走りこんできた。そこには母の父の老ゲイテルが座っていて、髯《ひげ》の中で何やら呟《つぶや》いた。少年は急いで走り戻ろうとしたが、自分の足につまずいてたおれ、しばらく床の上にころがっていた。ゲイテルはそれを見て笑い声をあげたが、オルニイは床の真中に立ちどまってわっと泣きだした。トルステインは祖父のところへ行くと、何がおかしくて笑うのかときいた。老人は答えた。「お前がはいってきた時に、わしにはお前の前を一頭の白熊が走っているのが見えたのだ。ところが白熊はわしを見ると、急に立ちどまった。そこでお前はそいつの上にたおれたのだ。わしの思うに、お前はきっと、お前がそう思われているよりも、もちっと立派な家柄の出なのだろうよ」

トルステインはゲイテルのそばに座った。すると老人は、そのまま夜まで少年とお喋《しゃべ》りを続けた。やがてトルステインが立ち上って、もう家に帰らなくてはと言うと、老人は言った。「これからはちょいちょいおいで。この屋敷にはお前の訪ねたい人が、たしかにあるはずだからな」

少年が外に出ると、そこにオルニイが、彼に着せる新しい着物をもって立っていた。やがてオルニイの兄弟はトルステインの養父の様子を問いただささせたが、彼らが仲よくしていると知って、大いに満足した。彼はトルステインを手許《てもと》に引取り、下男の配慮に対しては十分に報いた。トルステインは尊敬される人物になり、オラーブ・トリグヴェソン王がスヴォルドで戦った時には、この王の許に仕えていた。そうして長蛇号の上で、王と共にたおれたのであった。

またある時アイスランドに、仲違《なかたが》いをしていた二人の百姓があって、ついにはそれがあまりにひどくなり、両方とも夜も平和に眠れぬまでになった。ある夜、人々は見た――一方の屋敷からは一頭の雄牛が、他方からは一頭の熊が出てくるのを。二頭は長い夜じゅうを互いに格闘したため、その場所の土はまるで耕されたようになった。ところが、朝になって人々が来てみると、どちらの家でも主人は床についていて、二人とも体を動かすこともできぬほどに疲れはてて呻《うめ》いていたのである。

人が他人のフュルギエを夢に見る時は、善《よ》い意図をもってか悪い意図をもってか、その男の考えが、自分のいる場所をめぐり歩いているのだと思ってよい。感じの鋭い人は、他の人々のフュルギエが自分の周囲にいるのを感じて、その訪問を期待したり、自分に対して陰謀をたくらんでいる敵がいることを知ったりする。

このようにしてオラーブ・トリグヴェソン王は、その幼年時代において〈王母〉グンヒルドの追跡を、母の父なるエリクの機敏によって逃れたのであった。父のトリグヴェ王が血斧《ちおの》のエリクの息子たちによって殺害された時、寡婦のアストリッドは生れたばかりの息子をつれて、彼女の父親の許に逃れ、その子を世間から隠して育てた。ところが一日、エリクは娘に言った――逞しいフュルギエがこの家にやって来たことで知ったのだが、グンヒルドはトリグヴェ王に息子が生れたのを察知して、これを片づけてしまうべく信頼する部下を送りつけようとしている、と。そして彼は娘に、子供をつれてスウェーデンにいる自分の友人の許に逃れて、その助けを求めるようにすすめたのである。

後にオラーブは九歳でホルムガルド（北欧人のノブゴロドに対する呼び名）なる母の兄弟の許につれて行かれたが、彼の到来に少しく先立って、賢い人々は見知らぬ首領のフュルギエが自分たちの国にやって来たのを認めた。そして彼らは、このフュルギエが稀に見るほど力強くまた賢いのを感じて、遠からずして有力な家系の出身者がその国に来るのだと判断したのであった。

他人のフュルギエが近くにくると、人はしばしば睡気に襲われるのに気がつく。そこで眠るために寝床につくと、彼はしばしば狼《おおかみ》か熊がキラキラした眼でこちらに向ってくるのを見るか、或いは守護女神《ディシール》が広間に入ってくるのを見る。人が死ぬ直前に、フュルギエが姿を見せることも稀ではない。そういうことが、あるとき、大グドムンドのメドルヴェリールの屋敷で起った。

あるとき、グドムンドは馬で地区の役所に出かけて、夜になってようやく帰宅するはずだったのだが、その間に兄弟のエイナルがはっきりと夢にみた。一頭の逞しい角をもった雄牛が、村を通りぬけてメドルヴェリールにやって来た。牛は厩《うまや》から納屋へ食糧倉へと回って、屋敷内のあらゆる建物をのぞきこんでいたが、最後に広間に入ってくると、高座をめがけたが、そこでたおれて死んだのであった。

しばらくしてグドムンドは帰ってきたが、家に入ってくる前に、いつものようにぐるっと回ってすべての建物をのぞいた。それから高座につくと、食事を持って来させた。ところが、ミルクが温かくないと文句をいう。そこで幾度か温め直したが、いつまでたっても凍っていると言った。そしてそう言ったなり、彼はあおのけざまに高座の上でたおれて、死んだのである。

注

（1）これではオーディンら三兄弟はブリの子供のように取れやすいが、ブリの子がボルで、ボルが巨人族の女との間に三兄弟を生んだわけ。またこの三兄弟は、人間創造の場面ではオーディン、ヘニール、ロドゥルの名で現われていて、両者の関係にはわからぬところがある。

トール神と巨人たち

人類がミッドガルドでふえている間に、巨人の子たちもまたウトガルド（外の国）のいたるところで成長した。巨人の国は大地の一番はてにあって、ミッドガルドをかこんで波うっている大海に面しているが、それはまた長くのびて、人間の国ふかく入りこんでいる。ミッドガルドはほほえましく美しい。どちらを見ても豊かな耕地が広がり、そこには黄金の穂をした穀物が立ち、緑の牧場《まきば》には家畜が歩み、乳房をたれた羊がいることで、人間の国だと知られるのだ。ところが、その平和な村々のすぐそばまで、いたるところでウトガルドは、その荒涼とした山や、通りぬけがたい森で迫っている。山では金の砂礫《されき》が切立った裂目だらけの斜面と入りまじり、そこを身を切るように冷たい谷川が流れ下って、出あったすべてのものを引裂いて一緒に持って行く。他の場所には森に囲まれて村々があるが、森はとても大きく荒涼としていて、その中へあえて入ってゆくには勇気を要するが、それを生きたまま通りぬけて外へ出るには、なおさら多くの知恵と決断がいる。旅人は足にしっかりとまつわりつくからみあった根の間や、倒れて腐りかけている木の幹を越え、密生した草や茨《いばら》をぬけて、辛《かろ》うじて道を切りひらいて行かなければならない。樹々の下に長くのびているのは、湿地のつづきや深い沼だ。林の下はいたるところうす気味わるい薄暗がりが支配していて、腐れた土や枯れた茂みの酸っぱい匂いがする。このような荒地や山や伐採地や曠野《こうや》や森やらが、巨人や魔物の住む土地なのだ。しばしば巨人どもは人間の姿をしてあらわれる——といっても四肢はずっと大きく醜いが。

山へ入って行くと、たちまち雨雲や吹雪に襲われて、あたりがすっかり暗くなることがある。それでもかまわず進んでゆくと、目の前に巨人の女が立っているのを見、女の鼻の穴から嵐がとび出してくるのを発見するのであった。女の顔色は黒褐色で、人間なら色のあるところは禿《は》げ、さわればすべすべしているところに毛が生えていて、耳は大きくて垂れ、手の先は鷲《わし》の爪になっている。彼女は旅人を——友情でか暴力でか——山の自分の洞穴につれてゆく。生きてそこから帰れたとしたら、彼はわが身の強さと幸運とを祝福しなければならないというものだ。

こういう巨人から荒廃が起る——ただの息吹きや、その一瞥《いちべつ》でさえが、死を惹《ひ》き起しうるのだ。原始林の中へ迷いこんだ家畜を百姓がふたたび見出した時は、なにか悪い存在がその動物に毒気を吹きかけたかのような、ふしぎな病気にかかっているのに気づく。巨人の国ヨツンハイムは不快なものやまどわしで埋まっている。人間がその中へはいると、気が変になって、性質がすっかりちがってしまう。彼は何もかもが見かけとはちがっているので、混乱してしまうのである。ヨツンハイムに迷いこんで、多くの困難の後にようやく逃れ出てきた人の話は、いろいろとある。

あるとき、デンマークのある王が、自分の眼で巨人たちの住居をたしかめ、そのさまざまの危険を知るために、ウトガルドへの旅を企てたことがあった。王は広く旅をしたアイスランド人のトルケルという者を見出して、道案内として彼を雇った。彼らは一団の伴をつれてノルウェーの極北まで行き、そこから山地に入りこんだ。

やがて一行が、大きな岩塊の上から泡となって流れ落ちている一つの谷川に出あうと、トルケルは巨人たちの国がもうすぐだといって、同伴者たちに忠告を与えた——あなた方の命は、彼の警《いまし》めをよく守るかどうかにかかっているというのであった。彼のいうには、この土地の住人に出あっても、口をきいてはいけない。というのは巨人たちは、人間の言葉をつかまえて、もし人が自分を守るすべを心得ない時は、それを用いて彼を害することができるからである。また食べ物が出された時は、それを食べることに十分用心しなくてはいけない。というのは、食べたものなら巨人に山へ連れ去られるからで、そうなったら自分の家も思い出さないし、自分が誰であるかもわからなくなり、それのみか完全に理性を失ってしまうかも知れない。彼はまた教えた——彼らが出あうものは見かけとは違っているのだから、道の上で見かけた品物を摑《つか》むのは危険だ。手がしっかりとくっついて、二度と振りはなすことができなくなったり、その品物が手の中で何かの危険なものに変ったりするから、と。

一行がさらに山深くすすんで行くと、彼らは一人の堂々とした男にあったが、彼はみなに挨拶して、巨人のゲイルロッドの兄弟のグドムンドという者だと名のった。彼は一行を自分の家に招いて、広間に座らせた。王と王の従者たちは、家族の者と少しはなれたところに、自分たちだけで席を占めた。グドムンドはトルケルにきいた——どうしてきみの同伴者はそんなに口をつぐんでいるのかと。トルケルは答えた——みんなはこの国で語られている言葉を知らないために、恥ずかしがっているのだと。ついでグドムンドは、客人たちが自分の弁当を取出して、テーブルの上に出された食べ物には手をふれないのに気づいて、彼らの礼儀知らずをトルケルに訴えた。しかしトルケルは言った——たしかに王はグドムンドが示した歓待に大いに感謝しているのだが、彼が自分の弁当を食べているとすれば、それはもっぱら健康を顧慮してのことで、慣れない食事をとるとたやすく病気になることを知っているからにすぎないと。

一行はグドムンドの許でその夜を過すことになった。すると彼は最後に、王と王の従者たちを自分の娘や女中たちに誘惑させようとした。従者の四人は情欲に負けて、すっかり理性を失い、自分たちが誰であり、自分たちの故郷がどこであるかを忘れてしまったのである。

あくる朝、一行は人間の世界と巨人たちの本来の国とを分ける川を越えてすすんで、ゲイルロッドの住む大きな岩穴まで来た。扉の前にはすさまじい犬がいて吠《ほ》えたが、トルケルは脂をぬりこんだ一本の角を投げてやって、それが吠えたけるのをしずめた。ゲイルロッドの住家へ通じる門は高い所にあって、中へ入ってゆくには長い梯子《はしご》をよじ上らなくてはならなかった。岩窟《がんくつ》の天井は槍の穂先で覆われ、床には蛇や草蛇がはい回ってい、すべてが煤《すす》だらけ、土だらけだった。穴の一番奥に、鉄の棒でつらぬかれた途方もない巨人が、数人の背中をたち割られた女を傍らにして座っているのが見えた。トルケルは王に言った——あそこに座っている連中は、トール神の力の証拠なのですと。

さらに奥へ進むと、腕輪その他の宝物がころがっていた。従者の一人が、一つの腕輪をつかんだ。とたんにそれは蛇となって、その男に毒のある歯を立てた。もう一人の男は、すばらしい角杯《かくはい》を盗もうとした。しかし、即座にそれは竜になって彼に巻きつき、男を絞め殺した。トルケル自身も隅にあった高価なマントに目がくらんだが、彼がそちらに手をのばすのを見た他の者たちが、一斉にその宝の上に身を投げた。

とたんに家はすさまじい物音で揺れて、四隅から怪物が躍り出てきた。人々は矢や投槍で防いだが、わずかに二十人が逃れ出ることができただけで、あとの者たちは巨人らに引裂かれたのである。

このほかにもウトガルドはまた、獣の姿をした巨人や怪物で埋まっている。森や荒野には狼どもが咆《ほ》えている。彼らは死屍《しし》を食べる貪欲《どんよく》な荒々しい獣で、それが口からはみ出すほどになりながら、決して満足せず、いつでもより多くを求めて咆えた。もし食べものが足りぬと、互いに相手にとびかかって引裂きあうのだ。彼らは敵に対しても友に対しても同じく奸《かん》智《ち》にたけて残忍で、巨人の仲間や、人間の間の怪物どもに似ている。彼らは身内と他人の、或いは名誉と不名誉の間の差別も知らない、みじめな卑劣漢だ。

向うの鉄の森、あの密生した荒々しい森には、巨人の女が座って、あの灰色の死屍の貪食者を次から次へとこの世に生み落している。そのあるものはおそろしく狂暴で貪欲で、天にまで駆け上って輝く天体を呑みこもうとする。モーネガルムは夜の光を追いかける。彼は死人の屍を口につめこんでいる。そして彼の顎《あご》が月の上で噛み合わされると、太陽は光を失

トールと巨人

い、天の全体が、彼の口から空に地に迸《ほとばし》り出る血で、ぶきみな赤い色に染まる。べつの二匹の狼スコルとハティは、太陽をその軌道の上で追いかけるので、太陽は慄《ふる》えながら道を急ぐ。遠い世界の北のはずれには、屍食いの巨人レスヴェルグが、鷲の姿でとまっている。彼が翼を動かすと、切りつけるような風が大地の上を吹く。

向うのヨツンハイムには、またもう一人のトロールがいた。不幸を招きよせるアングルボダだ。彼女は三人の子供を生んだが、これらが神々と人間の両方に大きな危害を加えたばかりか、世界の終末が来る前にさらに大きい災厄を加えようとしているのであった。一人の息子はフェンリルという巨大な狼で、これが地上と天上のすべての灰色脚（狼のこと）の父親なのだ。もう一人の息子はミッドガルド蛇といい、娘はヘルという。神々はミッドガルド蛇をつかまえて、大地を取巻いてどよめいている大海の深みに投げこんだが、彼は逞しく成長して自分で自分の尾をくわえられるようになり、いまは深淵の底にいて大地を取巻いてしめつけている。ヘルは神々がニフルハイムに投げこんだが、彼女はそこで、老年や病気のために生きる望みを失ったり、不幸で不名誉な死に方をした死人を支配している。その暗い棲家《すみか》に、彼女は一つの大広間を建て、その広間の外側には、岩乗《がんじょう》な門を鎖《とざ》した高い垣根をめぐらした。ヘル自身は、体の片側は腐れた屍のように黒く、片側はあざやかな肉の色をしていて、彼女自身も彼女の住居のすべてと同様におぞましかった。彼女が客にあてがう寝床は病の床といい、そのまわりには不安な予感がカーテンとしてかかっている。その広間にはいるには躓《つまず》きの木の関を越えなければならない。彼女の奴隷はガングラッドといい、女奴隷はガングレッドというが、二人とも足がのろくて、客人に飢えの皿と渇きのナイフをだらだらと配って歩くのだ。

人がよい一族に属して、力強い、油断のない身内を持つということは、死においても生においてと同様に、幸いなことだ。身内の者たちはいつも自分たちの兄弟が、背中に不名誉を負ったつまらぬ屑《くず》として死の国へ行くのを見張っている。もし彼が敵の手でたおれるなら、彼らはその死が復讐《ふくしゅう》されて、彼が自由な人間として死の国に行けるように配慮する。彼らはすばらしい法事（文字通りには「葬式の酒」）で死者に名誉を与え、彼を塚の中に横たえる。そこで彼は彼の昔の身内に出あい、よき交際を営むことができる。そして彼らは大がかりな祭りを行って彼の名前を思い出すことで彼を忘却から救い、彼の幸福を生者のそれと共に祈って飲む。こうやってまた死者の思い出を新鮮に、彼の思いを生き生きと保たせて、彼が自分の出てきた環を忘れず、一族の過去の偉大と、その未来への大胆な計画に参加できるようにする。

しかし彼が忘れられてほったらかされるなら、或いは彼の一族が死に絶えるなら、彼は太陽の光の下で起る一切のことに共感をもたなくなり、彼の考えはすべて血迷ってゆき、邪悪な巨人族と似たものにまでずり落ちてしまう。

この地上においては孤立した人間はならず者であって、彼の手は万人に手向い、万人は彼に手向うし、彼の考えは自分で病んで、憎しみでねじ曲るのだ。そしてもし人が孤独で死の国に行くなら、彼は邪悪な亡霊《ヴェッテ》に変るか、毒蛇となって、自分の黄金の上に座りこんでいるファフニール（シグルドが退治した毒竜）さながら、黄金の上に座りこんで、妬《ねた》み深く自分の富にこがれているのだ。この世での卑劣漢もあの世での卑劣漢も、ただ憎しみだけで誰に対しても善意をもたず、病的な所有欲だけを知って、分ちまた与えるという生の喜びを知らない。彼らは名誉も約束を守ることも知らず、最も確実なものを求めて最も狡猾で下劣な計画をたくらむのである。ベオウルフの命をとった毒竜は、かつては高貴な一族に属していたが、自分の身内をすべて没落させて、この世にただ一人で残った男だという。そうやって彼は自分の財産を地下に隠して、その上に喜びもなく、とぐろを巻いているのだ。頑《かたく》なに一族から離れたり、卑劣な行為で一族の神聖さを傷つけた者は、死後に同様の運命を受けて、平和なき者（追放者）として逐《お》い立てられるのだが、そのような悪党は巨人の心を与えられて、狼どもと一緒に一族の中へやってくる。だから彼らは、胴体の上に狼の頭をつけていると言うことができる。しかし、不名誉な死もまた幸福を危険に陥れることがある。みじめな奴隷とかならず者に落ちることは悲しむべき運命だ。というのは、そのような卑しい者には何の栄誉もないため、彼の復讐をしても何の名誉回復にもならないからである。

インゴルフは、アイスランドの最初の植民者の一人だが、ヒョルレイフという義兄弟をもっていた。ヒョルレイフは富んだ高貴な一族の出で、その男らしさと西への遠征行によって大きな名声を獲得した。彼はアイルランドで数人の奴隷を奪って、一緒にアイスランドに連れてきた。あるとき、彼は単身彼らを連れて土地を探しに出たが、奴隷たちはこの機をつかんで彼に襲いかかって殺したのである。インゴルフは義兄弟を探しに出て、友の屍が野に放置されているのを見つけ、かくも高貴な人物が卑しい奴隷たちの手にかかって虐殺されるようなみじめな死に方をしたのを、悲しみ嘆いた。そして彼は、かつてヒョルレイフが神々を軽んじて犠牲祭に加わろうとせず、自分の力にだけ頼っているのを見た時に感じた、不安な予感を思いだしたのであった。

インゴルフは人の住まぬ岩礁《がんしょう》に隠れていた奴隷たちを探しだして、その全員を殺し、それからヒョルレイフの屍を丁重に地に埋めた。しかし彼のしたことも、ヒョルレイフを不名誉から解放しはしなかった。彼が埋められた場所は、決して気持よく通れる場所にはならなかった。そして人々は、彼が邪悪な亡霊として徘徊《はいかい》していると信じる理由をもっていたのである。

人がおとしめられた名誉をもって身内のただ中で死んだ時は、事情はまったく異なる。ヘルガフェルの豪農〈鱈《たら》くい〉トルステインは、魚釣りに出てフィヨルドで溺死《できし》した。(1)彼が死んだその夜、彼の屋敷の牧童の一人が遅くなって外出して、ヘルガフェル山のそばを通りかかった。そこは一族にとって神聖な山で、屋敷はその名をとったのである。いま彼がそちらを見ると、山の扉があいていて、中からはトルスティンを仲間に迎える身内の者たちの歓迎の声がした。牧童はその戸口を通して山の内部を覗くことができたが、そこには両側に並んだベンチの間の床に長い炉を切った広間があり、また酒杯をあげるお祭りめいた物音と、にぎやかな人声が聞えたのであった。

彼は屋敷に帰ると、自分の見てきたことを話した。するとすべての者が、主人が死んで一族の聖所に迎えられた知らせが、まもなく来るものと知ったのであった。

敵意をもつ力に、また小人族がある。彼らはかつて神々が巨人イミールの体で大地を創った時に、地中にもぐって、肉の中に巣くう蛆《うじ》のようなものとなったのだった。小人族は勤勉な鍛冶で、限りないほどの黄金や粗金の宝をもち、それですばらしい宝物を作るのだ。人々はいつでも地の底で作られた指輪や腕輪や武器をほしがっている。そしてこの世で最も有名な宝物の多くは、土や岩の中に住んでいる小人から奪い取ったものなのだ。

このように、巨人の国ウトガルドは、人間の町や村をかこんでいたるところにあり、ヘルの国を中につつんでいる。夜になると、それは穹窿《きゆうりゆう》のように闇としてミッドガルドの上にかかる。そこで夜の道を行くのは日中のようには気持がよくない。夕暮になると死人どもが忍び出てきて、人間の戸口に押しこもうとする。しかも彼らは、太陽が輝いている時にもっているよりも、闇の中ではより大きな力をもっているのだ。巨人や怪物どもは確固たるものとなり、人間の命をつけねらったり、その仕事の邪魔をしようとして待伏せている。もし人間の守護者なる豪勇トールが彼らを防ぎ、そのハンマーを思うさまトロールどもの間でふり回すのでなければ、大地はただの石ころや荒野になってしまうだろう。
トールと巨人どもの戦いについては、いろいろの物語がある。

注

（1）一七五ページ（写真）に出ているトール岬の聖山がこの山。

トールのヒミール訪問

あるときトール神が、車にも乗らず、山羊もつれず、また同伴者もなしで、旅に出たことがあった。彼は若者のようにヨツンハイムが見たくなって、そちらに道をとり、夕方おそくヒミールという巨人の家の戸口をたたいて、一夜の宿を乞《こ》うた。夜が明けると、ヒミールは起き出て、釣りに出かける用意をした。トールもはね起きると、いそいで着物を着て、自分も一緒にボートに乗せてくれと頼んだ。ヒミールは、こんな青二才の助けは必要としない、なにしろこいつは、まるで小さい結びっこぶだからなと思って、こう言った。「おれはいつでもずっと遠くまで漕《こ》いで行くんだぜ。そんなとこまで行ったら、お前なんか凍えてしまいやしないかと心配だよ」

しかし、トールは答えた。「お前さんは好きなだけ沖まで漕いで行くがいいさ。最初に陸地へ戻ろうといいだすのがわしだかどうだか、それはわからんぜ」

彼はひどく腹を立てていたので、もう少しで巨人の頭にハンマーを打ちおろすところだった。しかし、もっと別の場所で力を使おうと思っていたので、自分をおさえると、「餌《えさ》には何を使うのかね」と聞いただけだった。ヒミールは、餌は自分で探せといった。そこでトールは、ヒミールが飼っている牛の群れのところへ行くと、群れの中で一番大きな雄牛の頭をねじり切って、それを持って浜辺へ下りて行った。

その間にヒミールは、ボートを水に浮べていた。トールはそこへ飛びのると、二本のオールをとって、船尾に座って漕ぎだした。ヒミールにも、ボートはすばやく進むように見えた。彼自身も舳《へさき》に座って漕いだ。船はぐんぐん進んだ。やがてヒミールがいつもフリンダー（地獄ひらめ）を釣る漁場まで来ると、彼はオールをおこうとした。しかしトールは、「もっと遠くまで行かなくちゃ」と言った。そこで二人はまた、せっせと漕いだ。とうとうヒミールが言った。「これ以上遠くまで行っては、よくないぞ。じきに、ミッドガルド蛇のいるところへ出てしまうんだ」

牛の頭を餌に、トールが釣ろうとしているミッドガルド蛇
（エッダの古写本から）

それでもトールは漕ぎつづけた。その間じゅうヒミールは、浮かない顔つきで、じっと座っていた。ようやくトールもオールをおいて、釣糸を取りだした。それは太い丈夫な綱で、鉤《はり》もそれに応じたものだった。その鉤に例の

牛の頭をくっつけて、海に投げこんだ。頭は水底に寝ていたミッドガルド蛇のところまで沈んでいった。すぐさま蛇が餌をのみこむと、鉤が顎に食いこんだ。痛みを感じた蛇は、猛烈にあばれて右に左に綱を引く。おかげで綱をにぎったトールの拳《こぶし》が、船の手すりに食いこんだ。彼が船底に両脚を突っぱってこらえたとたんに、脚は船の底をつきぬけて、海の底にとどいた。こうやって、彼はとうとうミッドガルド蛇を船縁まで引っぱり上げたのである。トールがキッと蛇を睨《にら》みつけると、蛇ももうもうと毒気を吹きながら、下からこちらを睨みつけた。彼はたしかに言うことができたろう――いまこそどうにも嫌らしい奴を見たのだと。ところがヒミールは、蛇を見、海の波が膝のところに戯れるのを見ると、死人のように青くなった。そしてトールがハンマーをとって振り上げたのと同時に、巨人は慄える手で自分のナイフを取って、手すりの上のところでトールの釣綱を切ったのである。たちまち蛇は、海の深みに沈んだ。トールはうしろからハンマーを投げつけた。人のいうところでは、たしかに槌《つち》はミッドガルド蛇が水にもぐるとたんに、その頭にぶつかったという。しかし、もっと確実なのは、蛇がまだ海の底で生きているということだ。

トールは怒って、ヒミールの横っ面を張りとばした。巨人は足の裏を空に突っ立てて、船の外にけし飛んだ。トールはバシャバシャ海を足で渡って、陸地にもどった。

以上のようなのが、たいていの人の語るトール神とヒミールの物語だ。しかし、若干の人はそれは違うといって、以下のような話をする。

　あるとき神々が大きな酒盛りをすることになり、海神エイギルにビールをかもして一同を接待させることにした。そこでトールがエイギルを訪ねていって言った。「近くわれわれはきみのところへ客に来るが、よく接待してくれたまえ。もう大釜を火にかけて、酒をかもしはじめるといいね」

　腹を立てたエイギルは、くるりと背中を向けると、どうやったら神々の出すぎた振舞いをこらしてやれるかと熟考してから、トールに答えた。「そんなに大勢の客に出すだけの酒をかもせる大釜があったら、お前がじぶんで見つけてこいよ」

　神々は、どこへ行ったらそんな大きい容《い》れものが手にはいるだろうかと、考えに考えた。そのときチュル神がトールの袖を引っぱって、ささやいた。「エリヴォゲル川の東の、天と地が出あっているあたりに、奸智にたけたヒミールという巨人が住んでいる。あいつはわしのおふくろのおやじだが、あつらえ向きの大釜を持ってるぜ。なにしろあの釜は、深さがたっぷり一マイルはあるからな」

「そいつを手に入れられると思うかね?」とトールは言った。

「力ずくではだめだが、ペテンにかけたらだいじょうぶだろう」とチュルは答えた。

　そこでトールは、例の山羊を車につないで、朝早くアスガルドを出発し、夕方、客として巨人の屋敷にやって来た。チュルはそこで自分の母の母にあったが、彼女のことは自慢にするわけにいかなかった。なにしろ彼女は頭が九百もあったからである。それでも、黄金の飾りをつけた光りかがやくような彼の母親が出て来て、「よく来たね」と言って息子に酒をすすめた時は、まんざらでもなかった。チュルは母親に言った——自分たちはあの老巨人と話して、釜を借りるつもりで来たのだ、と。すると、母親は言った。

「そんならお前さんたちは、あそこの大きな釜のうしろに隠れているのが一番いいだろうよ。なにしろおじいさんは、よく客人に対して、意地のわるいことや、卑しいことをするからね」

ヒミールが帰ってくるまでに、神々は長いことそこに座っていた。巨人の髯からはつららが下っていて、歩くたびにカランカランと音がした。その音をきくと、娘は迎えに出ていって「おかえりなさい」を言ってから、いいニュースがありますと言った。「よろこんで下さい、わたしの息子が訪ねて来たんですよ。あの子はとても遠くに住んでるもので、わたしたち、滅多に逢えないんです。それからあの子は、ヴェウルルとかいう友達をひとりつれて来ましたが、一体にあの子はわたしたちとよりは人間と仲がいいんですよ。そら、二人で柱のかげの破風《はふ》のはじっこに座ってるでしょ」

巨人が鋭い眼を破風の方に向けると、太い梁《はり》も二つに砕けて落ちた。神々はすすみ出て挨拶したが、老巨人はキッと敵を睨みつけただけで、ちっとも好意を見せなかった。そこへ夕食が運ばれてきた。三頭の雄牛が屠《ほふ》られて、鍋に入れられていた。トールはその肉をうまがって食べたが、寝床につく前に、その二頭を自分の分だといって生き返らせた。するとヒミールが言った。「お前さんを食わせるのは楽じゃないな。明日の晩の食事には、海へ出かけて何か取って来なくてはなるまい」トールは言った——魚釣りの餌さえくれるなら、自分が船を漕いでもいい、と。しかし巨人は、こう答えただけだった。「行きたけりゃ、自分で家畜のところへ行って探せ。あそこにゃたっぷり牛の餌があるから」

あくる朝、トールが森へ行ってみると、一頭の真黒な雄牛がいたので、その頭をねじ切って来た。この餌を引きずって彼がやって来るのを見て、巨人は言った。「お前がやったことは、とんだ悪いことだ。だが、これからまだまだ悪くなるんだろうな。しかし、すんだことはすんだことだ」

それから二人は浜へ行って、船を出した。トールは、ヒミールが適当と考えたのよりずっと遠くまで船をすすめた。それでも最後にオールを水からあげると、ヒミールはさっそく釣りにかかって、みるみる鯨を釣上げだした——一頭のときも、一度に二頭のときもあった。その間にトールはじっと座って、釣糸の用意をしていた。それから雄牛の頭のついた鉤を投げこんだが、それが水底にとどくより早く、ミッドガルド蛇は、このめずらしい餌にがっぷりと食いついた。トールは綱を引っぱって、毒気を吐く頭が水の上まで突き出たとき、ハンマーをその額にたたきつけた。怪物たちは咆え、岩は裂け、大地全体が震動して、蛇は波の下に沈んだ。二人が船で漕ぎもどる間、巨人はむっつりと不機嫌に座ったままで、浜辺につくまで一語も言わなかった。それから彼は言った。「仕事はまだ半分すんだだけだ。お前さんは船を浜へ上げるか、それとも獲物を家まで持って行くかね？」

トールはボートを引っつかむと、オールや水桶《みずおけ》や獲物ごと肩にひっかついで、底にたまった水をバシャバシャいわせながら、家まで運んだ。

家に帰りつくと、巨人はトールに食ってかかりはじめた。「ボートが漕げたからって、自慢にゃならんわい。お前がわしの杯《さかずき》を割ることができたら、まあ、ひとかどの者に数えてもいいがね」

トールは杯をとると、前かがみになって、一本の柱めがけてそれをたたきつけた。杯は柱をつらぬいたが、傷ひとつつかなかった。そのときチュルの母親が、彼にささやいた。「巨人の額でためしてごらん。あれはあの杯より堅いんだから」

トールは席の上に半立ちになって、神の力を集中すると、ヒミールの額に狙いをつけた。頭蓋骨はなんともなかったが、杯は割れた。ヒミールは嘆いて言った。「あの杯が砕け去って、おれはもうあわれな者になっちまった。二度とおれはあれを抱きしめて、昔のように、あまい酒よ、なんとお前はあたたかいのだ、ということはないのだ。さあ、お前たちはあの大釜を持ってってもいいよ――もし家から持ち出せるものならね」

チュルが一、二度やってみたが、動きもしなかった。そこでトールが縁をつかんで、床板をふみぬいて足をふんばって、頭からすっぽりと釜をかぶると、走りだした――首のまわりで釜の環をカラカラ鳴らしながら。

こうして神々は家路についたが、遠くも行かぬうちに、いくつも頭のある巨人どもが、山道にひしめいているのに気がついた。みんなはこちらを目がけて走ってきて、その先頭にはヒミールが立っている。そこでトールは釜を傍らにおくと、ハンマーを取り出して、片っぱしから叩き殺した。こうやってトールは、ヒミールの大釜を持ち帰り、いまや神々は愉快にエイギルの館で、酒を飲むことができるようになったのである。

トールとウトガルド＝ロキ

あるとき、トール神も自分を守ろうとする巨人たちのわざとまどわしにかかって、身を屈したことがある。

ある日トールは、自分の山羊を車につないで、ロキと一緒にのって出かけた。夕方、ある屋敷に来たので、その百姓のところで宿をとった。夕食の時になると、トールは自分の山羊たちを殺して、肉を火にかけ、それが煮えるとテーブルについて、主人や細君や子供たちを食事に招いた。しかし、いよいよ食べはじめる前に、彼は炉のそばに殺した山羊の皮をひろげて、骨はしゃぶってしまったら、みんなここに置いてくれと言った。ところが、食事のあいだに、百姓の息子のチアルフというのが、ナイフをとって、腿《もも》の骨を切り裂いて髄を食べた。

翌朝早く、トールは起き上って着つけをすますと、彼のハンマーをとって、例の皮の上で振ってそれを祝福した。同時に山羊たちは立ち上った。しかし、トールはすぐに気がついた——一頭が足をひいているではないか。手でさわってみると、大腿骨が割れている。

「だれか骨に無茶なことをした奴があるな」こういって眉をしかめると、骨が白く浮き出すほどきつくハンマーを握りしめた。目蓋の下で火を吹いているその目を見ただけで、百姓もる。

細君も、もう地の底に沈むような気がした。彼らはいつくばって哀願して、もしお慈悲を賜わるなら、自分たちの財産は残らず償いとして差出しますと申し出た。トールは彼らが怯《おび》えきっているのを見て、気持をやわらげ、息子のチアルフと娘のロスクヴァを召使とすることで、百姓をゆるしてやった。以来、この二人は、トールのお伴をすることになったのである。

トールは山羊はそのままにして、ロキやチアルフやロスクヴァと一緒に、歩いて東のヨツンハイムを目ざした。彼らは遠く海まで行って、それを歩いて越えて向う岸に上陸した。それから多くも行かぬうちに、道は大きな森の中に入り、一日歩きに歩いたが、森をぬけることはできなかった。チアルフは旅の食糧をかついでいたが、それはほんのわずかだった。暗くなってきたので、一行は夜の宿を探した。まもなく、一端に床いっぱいの広い戸口のついた大きな家が見つかったので、そこで泊ることにした。ところが、真夜中に大きな地震が起って、大地は上へ下へと波うち、家は震動した。トールは立ち上って、手探りするうち、家の中央の右手に、小さい部屋があるのを見つけたので、仲間を呼んでそこへ移った。みなはそこに一列に座って慄えていたが、トールは一番外側の戸口にハンマーを持って突立って、どんな敵に対しても身を護《まも》る覚悟をしていた。

一晩じゅう、物凄《ものすご》い物音がまわりで続いた。夜が白んでくるが早いか、トールが外へ出てみると、森の中に一人の男が眠っているのが見えた。——あんまり小さい奴ではなかったが、凄いいびきをかいているのである。それでトールには、昨夜きいたあやしい物音が、何であったかがわかった。

彼は力帯をしめ直して、全身の力をあつめた。ところが、いよいよハンマーを打ちおろそうとしたとたんに、男が跳ね起きた。ギョッとしたトールは、それが打ちおろせなかった。代りに彼は、相手の名前をきいた。

「わしはスクリミールという者さ。だが、お前さんの名前は、聞く必要がないね。目の前にいるのがアサ＝トール（アサは神々の一族の名）だとは、聞かんでもわかるよ。――ところで、お前さんはわしの手袋をどこへ引きずっていったんだね！」

こういって男は手をのばすと、手袋を取りあげたが、見るとそれはトールたちが家と思って、その中で一夜をあかしたものだったではないか。

スクリミールは、これから道伴《みちづ》れにならないかといい、トールもそれに賛成だった。最初にスクリミールは自分のリュックをあけて、朝食を食べた。トールも少しはなれたところに座りこんで、仲間と一緒に弁当を食べた。するとスクリミールが、食糧も一緒にしようじゃないかというので、トールもよかろうと答えた。するとスクリミールは、みんなの食糧を自分のリュックに入れて縛り、それを背中にかつぐと、一日じゅう皆の先に立って進んだが、その歩きっぷりときたら、けちなものではなかった。

夕方おそくなって、スクリミールは夜の寝場所を一本の樫の巨木の下にとると、トールに言った。「わしはもう横になって寝る。だからきみたちは、勝手にリュックから出して、夕食を少し取りたまえ」

そのまま彼は眠りに落ちて、高くいびきをかきだした。トールはリュックを引寄せて、紐《ひも》をほどきにかかった。しかし、信じられないことか知れないが、ただ一つの結びこぶもゆるめることができず、紐のはじを取り出すことさえできなかったのである。彼は腹を立てて両手でハンマーを握りしめると、スクリミールの頭をなぐりつけた。相手は目をさまして聞いた。「木の葉っぱが、おれの頭に落ちたのかな？　お前さんたち、食事はすんだろうに、まだ寝ないのか？」

「うん、これから寝るところだ」とトールは答えて、別の木の下へ行ったが、いまいましくて、よく眠れなかった。夜中になると、森を鳴りひびかすほどにスクリミールがいびきをかいているのが聞えた。彼は起き上って近づいて行くと、ハンマーを高く振りあげて、巨人の脳天に打ちおろした。ハンマーはたしかに頭蓋骨深くめりこんだと見えた。ところがその瞬間にスクリミールは、目をさまして言った。「おや！　頭にぶつかったのは、たしかにドン栗だったらしいな。ところで、トール、お前さんはそこで何をしてるんだ？」

トールは急いでもどって、おれはいまちょっと目がさめたんだが、まだほんの夜中をすぎたばかりだから、まだ眠る時間はたっぷりあるさと答えた。そうやって横になって、彼はもう一度スクリミールが眠りに落ちるのを待った——三度目になぐりつけて、二度と巨人が目をあけられぬようにしてやろうと考えて。

夜明けの少し前になると、たしかにスクリミールはぐっすりと眠りこんだらしかった。そこで起き上ると、ハンマーをビュンビュン振り回してから、ちょうど上向きになっていた眉《み》間《けん》めがけて、力いっぱいに打ちおろした。ハンマーは柄のところまで頭蓋骨に食いこんだ。スクリミールははね起きると、頬をなでて言った。「たしかに鳥が木の上にいるんだ。おれの頭の上に、なにか堅いものを落しやがったんで、眼がさめちゃったわい。だが、トール、お前はもう起きたのか？　いや、もう起きて着がえをする時間だな。ところで、ウトガルドの城はもう遠くないぜ。おれはお前さんたちがおれのことを、こいつはあんまり小さくないなと噂《うわさ》しているのを耳にしたが、もっと先へ行ったら、もっともっと大きいやつにお目にかかるだろうよ。まあ、お前さんたちにいい忠告をしてあげよう——大きなホラは吹かんこっちゃ。あんたたちのようなそんなチビさんがうぬぼれたものなら、ウトガルド＝ロキの部下たちが腹を立てんともかぎらんからな。でなけりゃ、お前さんたちは、もと来た道を引返すがいいね。それが一番賢いことだと思うよ。それでもきみたちが、あくまで行こうというんなら、どこまでも東に進んで行きなさい。おれは北に道をとって、向うに見える山の方へ行かなくちゃならんが」

トール神らしき岩壁画（青銅時代）

　こういってスクリミールは、リュックを肩に投げ上げると、道を曲っていった。神々がその後姿に向って何か叫んだかどうかは、私は知らない。

トールの一行もまた出発して、正午まで歩いた。するとある原っぱの真中に、太い柱を立てならべた一つの垣根が見えた。垣根はひどく高くて、その頂上を見るには、そっくり返らなくてはならぬほどだった。みなはその垣のところまで行ってみたが、門はしまっていた。トールはかんぬきに手をかけていろいろとやってみたが、持ち上げることはできなかった。そこで一行は、横木の間をくぐりぬけて中へはいらなくてはならなかった。目の前には大きな広間があって、扉は開け放されていた。一行が中へはいって行くと、壁にそって二列のベンチがあって、そこに多勢の者が座っていたが、たいていの者が途方もなく大きかった。

彼らは王の前にすすみ出て挨拶したが、相手は彼らに目をとめると機嫌をそこねて、口の端をひきつらせながら言った。「長い道のりをやってくるには長い時間がかかるな。わしはぜんぜん別のように考えていたよ。おや、そこにいる小さい小僧がトールかね？　だが、お前さんも見かけよりは大きいのかも知れない。ところで客人たち、お前さんたちはどういうわざを持っているかな？　少しは普通以上のわざを持っている者でなくては、この国の客にはしたくないんじゃ」

これを聞いて、一番うしろにいたのが答えた。それはロキだった。「わしはすぐにもお目にかけられるわざを持っている。わしはここにいる誰よりもすばやく食い物を片づけることができますぜ」

するとウトガルド＝ロキは言った。「きみにそういうことができるとすりゃ、自慢しても無理はない。さっそくためしてみようか」

　こういって王は、下のベンチに呼びかけると、ロゲという男に真中へ出てきてロキと腕くらべをするように命じた。肉を山盛りにした大桶が広間に運ばれてきた。ロキがその一端に、ロゲが他の端に座って、二人は猛烈な勢いで食べはじめ、桶のちょうど真中で出あった。ところが、ロキは肉だけを食べて骨を残したのに、ロゲは肉も骨も食べ、最後に桶まで食べてしまった。誰が見ても、この競技はロキの負けであることが明らかだった。

　そのときウトガルド＝ロキがきいた。「そこにいる若い男には何ができるかな？」

　チアルフは答えた――わたしはあなたの指名する誰とでも走りくらべをしてみたいと。

「それはいい遊びだ。そう言いだすからには、きっとすばやい足をもっているにちがいない。さっそく拝見しよう」

　ウトガルド＝ロキはこういって立ち上ると、外へ出た。そこの平らな原っぱには、すばらしい競走場があった。王はフギという小さい男を呼び出すと、チアルフと競走してみるように言った。二人は最初同じコースを走っていたが、フギはすばらしく早くて、チアルフがまだそこを走っているうちに、もはや目標のところまで行って引返してきた。

「勝とうというんなら、お前はもっと頑張らなくちゃな。しかし、正直にいって、お前より足の早い客をここに迎えたことがないのはたしかだ」

　こう、ウトガルド＝ロキは言った。そこで二人は、もう一度そのコースを走った。しかしフギは、チアルフがまだ矢を射てようやく届くほどの距離を残しているうちに、もはや決勝点に達していた。

ウトガルド＝ロキは言った。「チアルフはたしかに、なかなかよく走る。しかし、こうなっては彼が走りっこに勝てるとは、どうも思えんわい。でも、とにかく三度目を走らせてみよう」

そこで二人はもう一度走ったが、今度はチアルフがまだ半分までも行かぬうちに、フギは目標のところから引返してきたのである。みなは言った――競技はもう十分だ、もう走らなくてもよいと。

そのとき、ウトガルド＝ロキがトールに言った。「あんたはどういうわざをわれわれに見せてくれるかね？　あんたの英雄的行為については、さんざ噂をきいているが」

トールは答えた――酒の飲みくらべをしたいと。

「そいつはおもしろい」こうウトガルド＝ロキは言って、広間にもどると食卓係を呼んで、部下の戦士たちがいつもそれで飲む角杯を持って来いと命じた。まもなく若者がそれを持って来て、トールにさし出した。

ウトガルド＝ロキは言った。「われわれは、この杯を一飲みで乾《ほ》す者を、よい飲み手とする。そりゃ、二口で飲む者もあるが、三度飲んでも飲み乾せんようなケチな飲み手は、ここには一人もおらんぞ」

トールはその角杯を見た。そう大きいとは思わなかったが、少しばかり長かった。彼はひどく喉《のど》が渇いていたので、ぐうっと大きく飲みはじめて、この分なら杯の中へ二度まで鼻を突っこむ必要はないだろうと思った。しまいに息が切れてきたので、杯を口からはなして、酒がどうなったかをのぞいてみた。残念なことに、酒はまるきり減っていないように見えた。

「これはよく飲んだ。だが、到底すごいとは言えんな。もし誰かが、アサ＝トールにはこれ以上は飲めんのだと言ったとしても、実際にこの眼で見たのでなくてはわしには信じられなかったろうよ。でも、もちろんきみは、残りは一息で飲むのだろう？」と、ウトガルド＝ロキは言った。

トールは何とも言わずに杯を口にあてると、もっと勢いよく飲まなくてはだめだと思い、息のつづくかぎり、飲みに飲んだ。しかし、自分の望んだほどには、杯の先端を高くもち上げることができなかったのを認めた。そこで彼は杯を口からはなすと、中をのぞいてみたが、最初の時ほどにも中身は減っていないように見えた。いまはただ、酒をこぼす心配なしに、杯を持っていられるだけのことだったのだ。

それを見て、ウトガルド＝ロキが言った。「どうした、トール？　お前さんは実際にはもっと飲めるくせに、力を少し隠しているんじゃないのか？　三度目で飲み乾そうというのなら、今度は一番頑張らなくてはだめだぜ。ほかのわざででも、いまよりもっとすごいところを見せるのでなくては、お前さんはわれわれのところでは、神々のところでほど大きな顔はできんよ」

こう言われて怒ったトールは、もう一度杯を口にあてると、やけっぱちになって飲んで、力のつきるまで杯をはなさなかった。しかし、杯の中をのぞきこんでみると、辛うじて飲んだあとが見えるだけのことで、それ以上ではなかった。それきり彼は杯をおしのけて、二度と飲んでみようとはしなかった。

「お前の力は、われわれが考えたほど大きくはないんだ。しかし、酒飲みでは名誉がえられなかったとなると、お前さんはたぶん、ほかの競技をしてみたいだろうな？」と、ウトガルド＝ロキは言った。

「うん、ほかの競技をしてみたいんだ。それにしても、アスガルドで神々と一緒にいた時には、これだけ飲んでケチな飲みっぷりだといわれようとは、思わなかったなあ。で、つぎにはどういう遊びをおれにやれというんかね？」と、トールは言った。

ウトガルド＝ロキは答えた。「大したことではないんだが、ここの小さい連中がやる遊びがあるんだ。わしの猫を床から持ち上げることとさ。お前さんがわれわれの考えていたほどの豪傑ではないことを実地に見たのでなかったら、アサ＝トールともあろう人に、こんなことは到底いい出せんのだがね」

それと同時に、一匹の灰色の猫が、広間の真中にとび出してきた。見ると、まったく大きかった。トールはつかつかと猫に近づくと、そいつの腹の下に手をさしこんで、持ち上げにかかった。しかし猫は、彼がどんなに手を高くさし上げても、背中を丸めて背のびをするだけだった。それでもトールがありったけに持ち上げると、猫の片足が浮きあがったが、それ以上のことはトールにもできなかった。

「思ってた通りだ。猫はかなり大きいのに、トールはわれわれのところの巨人たちにまじったら、まるで小さくて背《せ》ひくだからな」と、ウトガルド＝ロキは言った。

トールは答えた。「お前はおれを小さいというんだな。じゃあ、誰か出てきておれと相撲をとれ。おれはもうほんとうに怒ったぞ」

ウトガルド＝ロキはベンチの上を見まわしていたが、こう言った。「ここにはお前と相撲をとらせられるような者は見あたらん。そうだな、わしの乳母のエレばあさんを呼んで来い。そしたらトールは、好きなだけ彼女と相撲がとれるだろう。あのばあさんは、トールに負けない力をもっていそうな連中をも、膝をつかせたからなあ」

そこへ一人の年とった婆さんが出てくると、ウトガルド＝ロキは言った――ばあさん、トールと相撲をとってみろ、と。話をはしょって言えば、結果はこうだった。トールが猛然と攻めたてれば攻めたてるほど、婆さんはいよいよしっかりと突立っていた。しまいに彼女がしめつけだすと、トールの足はふらついてきて、二、三度ぐいぐい押されると、彼は片膝をついてしまったのである。そこへウトガルド＝ロキが割りこんできて、言った――もう止《や》めるがいい、トールはもはやわしの部下の誰とも力くらべをする必要はない、と。もはや夕方おそくなってもいた。ウトガルド＝ロキはトールと彼の仲間を、テーブルに招じた。そうして夜おそくまで、手あついもてなしをしたのであった。

夜があけると、トールと彼の仲間は起き上って、着物を着かえた。ウトガルド＝ロキは一行のために食卓をしつらえたが、食べ物にも飲み物にも欠けるところはなかった。満腹すると、一行は別れをつげた。ウトガルド＝ロキは門を出て、しばらくのあいだ一行を送ってきたが、いよいよ別れるにのぞんで、トールにたずねた――お前さんは今度の旅に満足したか、また自分よりすぐれた人間に出あったと思うか、と。

トールは答えた。「わしはあんたのところで大きな名誉をえたとは言えない。あんたはきっと、わしを取るにたらぬ奴に数えることだろう。このことがおもしろくないんだ」

すると、ウトガルド＝ロキは言った。「いま、きみは幸いに垣の外へ出ているんだから、ほんとうのところを話すが、わしが生きていて手がうてるかぎり、二度とお前さんを城の中へ入れはしないよ。それにまた、お前さんがあれだけの力をもち、あんなにわれわれを不幸に突き落しそうになると知ってたら、正直にいって、決してきみを中へ入れはしなかったんだ。わしはきみと森の中で出あった最初の時から、術をつかってきみの眼をまどわしてきたんだよ。ほら、きみは食糧ぶくろをほどこうとしたが、わしが魔法結びにしておいたため、どうやってみてもほどきかたがわからなかったろう。つぎにはきみは、きみのハンマーで、三度わしをなぐりつけた。最初のやつが一番軽かったが、それでもわしの頭にあたったものなら、わしはてっきりお陀仏《だぶつ》だったぜ。きみはわしの屋敷の外にある大きな岩山に気がつかなかったかね――三つの四角な谷間が切れこんでるんだが。あれがお前さんのハンマーの跡さ。わしはお前さんに見えないようにして、あの岩山をわしとハンマーの間に置いたんだ。それからの腕くらべも、みんな同じことさ。ロキは腹をすかしていて、勢いよく食べた。だが、ロゲはほかでもない火だもの、桶だって肉と同じにさっさと食っちまったに、ふしぎはないよ。フギはまたわしの考えだもの、チアルフよりも早いのはあたりまえ。それからきみが角杯から飲んだのは、ほんの少しのように見えたね。しかし、正直をいえば、あんなことが起ろうとは信じられんかったね。あの杯は海まで続いていたんだ。きみはそのことに気がつかなかったが、海ばたへ行って杙《くい》をみたらわかるだろうよ――どんなにきみが海の水を飲んでしまったかが。あの猫をもち上げたのだって、それにおとらない仕わざだったね。正直にいって、きみがあいつの片足を地から持ちあげた時は、われわれはみんなギョッとしたものさ。なにしろあの猫は、きみは信じまいが、大地をひと巻きにしてるミッドガルド蛇だったんだからね。そしてあれが、頭と尻尾を地につけたまま、彼ののび上る限度だったんだ。きみはあれを高く高くさし上げて、天までとどきそうにしたじゃないか。それからまた、きみがエレと取っくんで、あれだけ長くもちこたえ、ただ片膝をついただけなのも、大きなおどろきだったよ。というのは、きみが取っくんだのは年そのものだからね。なにしろ、年というやつと取組まなきゃならんほど老人になって、あいつに床へおしつけられずにすむ人間なんて、いままで一人もなかったし、これからもないだろうからな。

さあ、これでお別れとしよう。そして、きみは二度とここへ訪ねて来ないのが、わしら両方にとって、一番いいね。もう一度やって来たって、わしはわしの屋敷を同じ術か、似たようなほかの術で守って、きみなんかに力をふるわせやしないからな」

トールはこの言葉をきくと、ハンマーを握りしめて振りかざした。ところが、それを打ちおろそうとすると、ウトガルド＝ロキの姿はどこにも見えなかった。彼は向き直って、巨人の城をたたき壊してやろうとした。しかし、広々とした美しい野のほかには、何ひとつ見えなかったのである。そこでまた向き直ると、歩きに歩いて、トルードヴァング（トールの屋敷）の家に帰ったのであった。

トールとルングニールの戦い

あるとき、ちょうどトールが東の方へ魔物どもを征伐に行った留守に、オーディンがスレイプニール（オーディンの八本脚の乗馬）に乗って、ヨツンハイムに行ったことがあった。彼がルングニールという巨人のところまで来ると、ルングニールが叫んだ。

「金の兜《かぶと》をかぶって、空でも海でも飛びこえて来るのは、どういう奴だ。お前の持ってるのは、すばらしい馬じゃないか」

オーディンは叫びかえした。「これだけの馬はヨツンハイムにもおるまいが」

ルングニールは答えた。「なるほどその馬は上等だ。しかし、わしはもっと早く走れるやつを持ってるぞ。グルファクス（黄金のたてがみ）という馬だ」

彼はひどく腹を立てていて、そのグルファクスにとび乗ると、オーディンの大言壮語をこらしめてやろうと、後を追いかけた。オーディンはひどく馬を急がせて、いつでも背中を見せて先に立っていたが、ルングニールは巨人らしい怒りのままに、前後を見回すことも忘れて、気がついた時には、アスガルドの門をぬけて中へとびこんでいた。巨人が戸口までやってくると、神々は中へはいって渇きをしずめないかといって、招待した。相手はその招待に応じて、酒を持って来いと言った。そこで神々がトール神の酒樽《さかだる》をもってくると、巨人はそれが運ばれてくるより早く、片っぱしから飲みほした。すると酒が頭に来て、大きなホラをふきはじめ、おれはワルハル（ワルハラ）を奪ってヨツンハイムに移してやるだの、アスガルドをたたきつぶして、シフ（トールの妻）とフレイヤをのぞいた神々はみんなひねりつぶし、この二人の女神は自分の家へつれて行くのだと言った。

いまでは、彼に酒をついでやれるのは、フレイヤひとりだけだった。巨人は飲みに飲んで、神々のところにある酒を飲みつくすまでは止めないと豪語した。

とうとう神々は、彼のホラをきくのにうんざりして、トールを呼んだ。トールはすぐさま、例のハンマーをふりかざしてやって来た。怒っていた彼は、いったい誰がルングニールをワルハルに入れることを許したのか、また、どうしてフレイヤが神々の宴会の時のように、こんな男に酒をつがなくてはならないのかと、問いただした。

天上のワルハル宮と門番のヘイムイダル
（エッダ古写本の挿絵）

ルングニールは憎々しげにトールを

眺めて言った――一杯やらないかとおれを招待したのはオーディン自身だ。だからおれは、客として平和に座っていることを保証されているのだ、と。「ここを立ち去る前に、きさまはそのお客様ぶりを後悔するだろうよ」と、トールは言った。

しかし、ルングニールは答えた。「武器を持たん人間を殺したって、ちっともアサ＝トールの名誉にはならんよ。お前がもし国境いのグリョッツナガルドでおれと戦ってみせたら、お前さんももっとよくお前さんの勇気を示せるだろうさ。おれがおれの楯と火打石を家に忘れてきたのは、ばかなことだった。ここへおれの武器を持ってきていたら、すぐにも島の上で運だめしをするんだがな。だが、もしいまお前が武器を持たんおれを殺したら、おれはお前を卑怯者《ひきょうもの》と呼ぶぞ」

トールは、たとえどんなにそれが高くつこうとも、決闘を申しこまれては、嫌とは言いたくなかった。なにしろ、これまでにそんなことを彼に対して申しこんだ者はなかったから。

やがてルングニールは帰途につくと、まっしぐらに家に帰った。彼の旅の噂は、巨人のあいだに広がった――彼がしてきた旅のことやら、また彼がトールに決闘を申しこんだことやらが。どちらが勝つかは、巨人族にとっては生死にかかわる問題だった。というのは、ルングニールは彼らの中では一番強い巨人だったから、もし彼が草を嚙むようなら、彼らはトールからろくなことを期待できないからである。

そこで巨人たちは、粘土でもってグリョッツナガルドに一人の男をこしらえた。高さ九マイル、胸はば三マイルの巨人だった。ところが、この男に入れるにふさわしい大きさの心臓が見つからなかったので、彼らは一頭の雄馬のそれを取り出して彼の胸に入れたが、トールがやって来た時には、それはまだ慄えていた。ルングニールの心臓は石でできていて、しかも、人々がいま正当にもルングニールの心臓型と呼んで用いている三角形をしていた。彼の頭も、また途方もなく大きい彼の楯も、石だった。グリョッツナガルドに立った時は、彼はこの楯を前に突き出して、トールの来るのを待ちかまえたのである。彼の武器は砥石《といし》であって、それを肩の上に持ち上げていた。全体としてその姿は、見よいものではなかった。かたわらには粘土の巨人メックルカルフェが立っていたが、彼は恐怖でぶるぶる慄えていた。ひとのいうところでは、彼はトールの姿を見ると、思わず垂れ流したということだ。

いまやトールは、一騎討ちにすすみ出た――チアルフをお伴にして。チアルフは先に走って行くと、ルングニールに向って叫んだ。「そうやって楯を前にして突立ってるとは、ばかなやつだな。トールさまはお前を見ると、地下の道を通って、下からお前を攻撃することになさったんだぞ」

すぐさま巨人は楯を足の下に敷くと、両手で砥石をつかんだ。とたんに稲妻が光り、すさまじい雷鳴がきこえて、トールが神々しく近づいてくるのが見えた。彼はハンマーを振り上げて、遠くからルングニールめがけて投げつけた。こちらは両手で砥石を高くもち上げると、ハンマーめがけて投げつけた。両者は空中で発止《はっし》とぶつかり、砥石はいくつかに砕け散った。そのいく片かは大地に落ちて砂岩の岩山になったが、一片は飛んできてトールの額に食いこんだ。トールはうつぶせにぶったおれた。ミョルニールの槌は巨人の額の真中にぶつかって、頭蓋骨をこなごなにくだいた。巨人はトールの方に向ってたおれてきて、その片脚が、トールの首根っこを斜めにおさえつけた。

チアルフはメックルカルフェにとびかかったが、粘土の巨人は意気地なくぶったおれた。それからチアルフは、主人のところへ行ってルングニールの脚をもちあげようとしたが、動かすことができなかった。トール神がたおれたときいて、神々もみんな出てきて、巨人の脚をどけようとかかったが、どうにもならなかった。

そこへマグニが走ってきた。彼はトールとイェルンサクサの間の息子で、この時は生れてたった三日だった。彼はヒョイと父親の上にのっかっていた脚をどけて言った。

「おとう、坊がこんなに遅れてきたのは悪かったね。坊が相手をしたら、こんな巨人は拳骨《げんこつ》でたたき殺してやったのに!」

トールは起き上ると、快く息子を迎えて言った。「大きくなったら、お前はたしかにひとかどの者になるぞ。ルングニールの乗ってたグルファクスは、お前にやるよ」

しかしオーディンは、トールがあのすばらしい馬を、父親にでなく、ばけものの息子にやったというので、ぶつくさ言った。

さてトールは、トルードヴァングの家に帰ったが、例の石は、しっかりと頭に食いこんでいた。神々はグロアという巫女《みこ》をつれてきた。彼女は〈不敵な〉アウルヴァンディルという男と結婚していた。彼女が魔法の歌をうたうと、トールの額の石がゆるんできた。トールはこれに気がつくと、まもなく石がぬけ落ちるものと思い、彼女の療治に対するお礼として、グロアを喜ばしてやりたくなった。そこで彼は、最近のニュースを女に話してやった——彼が南の国でエリヴォゲルの川を渡ったとき、彼女の夫を籠《かご》に入れて背負って、ヨツンハイムから救い出したというのである。そして自分のいうことが嘘でない証拠に、彼はこんなことを話した——あの男の足指の一本が、籠の外につき出していたため、凍傷にかかってしまった。それをトールはちぎり取って、天に投げ上げた。空高くに見えるアウルヴァンディルの星がそれだ。だからお前は、もうじき夫が帰ってくるものと思っていいよ。こういってトールは、話を結んだのである。

ところがグロアは、あんまりうれしがったあまりに、おまじないの歌をすっかり忘れてしまった。そこで、石はぜんぜん出て来なくなってしまい、今でもまだトールの額に残っているのだ。

そんなわけで、仲間から砥石を貸してくれと言われた時は、ひとは乱暴に投げてやったりしないで、かならず丁寧に手渡してやらなくてはいけない。でないと、トールの頭の中で石が動いて疼《うず》くからである。

ゲイルロッドの許で

あるとき、ロキがフリッグ女神の鷹《たか》の羽衣をぬすみ出して、遊び半分に世界を飛びあるいた。そのうちに、巨人のゲイルロッドの屋敷に来たので、好奇心にかられて、覗き穴から中をのぞきにかかった。ところがゲイルロッドは、鳥に目をとめると、手下をやって、あの鳥をつかまえて来いといった。切立った壁をよじ登るのは、その男にとってはつらいことだった。ロキはそこにじっととまったまま、おもしろがって、その苦労を見ていた。男がそばまで来たとたんに、さっと飛び立てばいいと思っていたのだ。

ところが、男が手をのばしたので、いよいよロキが羽を広げて壁から飛び立とうとした時になって、彼は自分の足が壁にぴったりとはりついているのに気がついた。こうして彼は捕えられて、ゲイルロッドの前につれて行かれた。

巨人は、鳥の目を見るとすぐ、これは人間が姿をかえたものだと見ぬいた。「お前はだれだ」と巨人はきいた。しかし、ロキは返事をしない。そこでゲイルロッドは、彼を箱の中に入れて、三ヵ月のあいだ、食べ物をやらないで飢えさせた。それから最後に彼を引っぱり出すと、ロキはとうとう名を名のった。

こうなるとゲイルロッドは、ロキがこういう約束をするまで、はなさなかった——それはロキがトールを誘いだして、ハンマーも手袋ももたずに、ゲイルロッドの屋敷までつれてくることであった。

やがてロキはアスガルドに帰ると、ある計略にかけて、トールが武器ももたずに、ロキと一緒にヨツンハイムに出かけるようにした。途中で二人は、グリッドという女巨人のところに立寄った。彼女は、ヴィダルという口をきかない神の母親である。グリッドはトールに言

雲を紡いでいるオーディンの妻フリッグ

った――ゲイルロッドは悪知恵のある巨人で、なかなか手に負えないやつだから、「わたしの帯と、鉄の手袋と、グリダヴォルの杖《つえ》を持って行くのがいい」と。
トールはそれらの品を借り受けて、先へすすんだ。やがてヴィムールという広い川のところに来た。彼はグリッドの帯を腹にしめると、杖を流れの中に突き立て突き立て、渡りはじめた。ロキはその帯にしっかりとつかまっていた。ところが、トールが川の真中まで来たとき、急に水かさがひどく増して、肩の上から滝のように落ちた。目をあげて見ると、上手の狭間《はざま》にゲイルロッドの娘のギャルプが、川を跨《また》いで立っていた（小便をしていた意味）。どうしてこんなに急に水がふえたかが、それでわかった。

　彼は川の中から大きな石をもち上げると、女に投げつけて言った。「川を源でふさいでしまえ！」

　トールの狙いは、いつでも適中する。だから、石を投げるとすぐ、水はひきはじめた。それからまもなく、彼は一本のナナカマドの枝につかまって、岸にとび上ることができた。これであなたがたにはわかるだろう――人々がナナカマドをほめて〈トールの救い〉というのは、正しいことが。

　やがてトールはゲイルロッドの屋敷に来たが、人々は彼に大して敬意をしめさず、馬小舎《うまごや》に入れて、彼の前に一つの椅子を突きだした。彼がその椅子にかけるが早いか、椅子がぐんぐん空中に浮き上るのに気がついたので、彼は屋根のうつばりに杖をあてがって、ぐいぐい椅子を押しさげた。とたんにめりめりと音がした。というのは、椅子の下にゲイルロッドの娘のギャルプとグレイプが座っていたのだが、その二人の背骨をトールが折ってしまったからである。

そこでとうとうゲイルロッドも、トールを広間に請《しよう》じ入れて、巨人の仲間と力くらべをさせることにした。広間には火が燃えていた。

トールがゲイルロッドの前にすすみ出ると、巨人は真赤に焼けた鉄のボルトを火ばさみでつかんで、トールに投げつけた。しかし、こちらはそれを鉄の手袋でさっと捕えて、投げかえすべく振りあげた。ゲイルロッドはいそいで鉄の柱のかげに走りこんで、身を隠した。トールが鉄のボルトを投げつけると、それは鉄の柱をつきぬけ、ゲイルロッドのからだと壁をつきぬけて、深く大地に突きささった。

このようにして、ゲイルロッドとトールの会見は終った。ロキの助けでトールを巨人の国へ誘い出しはしたものの、彼がえた喜びはこれだけのものだったのだ。

トールのハンマー奪回

ある朝、トールが目をさましてみると、ハンマーがなくなっていた。彼は鬚をふるわせ、髪をかきむしって、身の回りをしきりに手でさぐってみたが、ハンマーはどこにも見つからなかった。彼は激怒してロキを呼ぶと、苦境を相手にうちあけた。

「わしは地上の者も天上の者も、いや、いかなる場所のいかなる人間もまだ知らないことを、君にうちあけよう。きいてくれ、わしのハンマーがなくなったんだ」

ロキは自分に何が求められているかを、即座に理解した。というのは、いつも神々がどうしていいかわからない時に、その手だてを見つけなければならぬのは、彼だったのだから。

彼は直ちにフレイヤ女神の許に行くと、彼女の羽衣を貸してくれと頼んで、ミョルニールの槌を探しに出かけるのだと言った。こうして羽衣を借りうけると、ヨツンハイムに飛んでいった。彼はそこで巨人のトリムにあった。トリムは自分の屋敷の外の丘の上に座って、退屈しのぎに自分の犬に金の首輪を編んでやったり、馬のたてがみをなでたりしながら、ときどきあたりを眺めまわしていた。

トリムはロキを見るとたずねた。「神々や妖精たちはどうしているね？　お前さんはなぜまた一人でヨツンハイムにやって来たのだ？」

ロキは答えた。「神々と妖精族のあいだでは、たしかにうまく行ってないよ。正直に言ってくれ、トールのハンマーを隠したのは君じゃないのか？」

「隠したのはおれさ。あいつは地下八マイルの下にあるよ。お前たちがフレイヤをおれの花嫁としてつれてきてくれるんでなくちゃ、あれは二度とお前さんらの手には戻らんよ」と、トリムは答えた。

そこでロキは神々の国に舞い戻った。アスガルドでトールに出あうと、彼はロキの姿を見るなり叫んだ。「探しに行ったものは見つかったかね？　そのままですぐに言ってくれ、下へ降りて言うことを忘れっちまわんうちに」

ロキは答えた。「探しに行ったものは見つかったよ。きみのハンマーを盗んだのは巨人のトリムさ。だが、きみはフレイヤを奴の花嫁につれて行かんうちは、あれを取戻すことはできんぜ」

トールはすぐさまフレイヤの所へ行って言った。「いそいで花嫁の布を頭につけてくれ。二人でヨツンハイムに行くんだ」

フレイヤがあまり怒ったため、彼女の宝石やブリシンガメンの首輪が、胸から砕けて飛んだ。「わたしはまだ巨人の花嫁になりたいと思うほど気まぐれじゃありませんよ」と、彼女はどなった。

そこでトールは、なすすべなく悄然《しょうぜん》と引下るほかなかった。彼は自分の苦境をすべての神々に訴えた。そこで神々は集まって、どうしたらヨツンハイムからトールのハンマーを取戻すことができるかを相談したが、その手だては誰にも見つからなかった。

そのときヘイムダルが口を切った。というのは、彼はヴァニール族の一員で、この神々の知恵をもっていたからだった。彼は言った――みなでトールを白い布で装わせて、トリムの許へつれて行って花嫁のベンチに座らせたらいい。そしたらたぶん、トールがハンマーを取戻す手だてが見つかるのではないか、と。

トールは言った。「そんなことをしておれを花嫁の座につけたら、神々がみなおれのことを〈女〉と呼んで、笑いものにするに決ってる」

しかし、ロキは言った。「ばかなことを言わんで、口をつぐめよ、トール。お前がハンマーを取戻さなかったら、じきに巨人どもがアスガルドの主人になってしまうぞ」

こうなっては、トールも反対はできなかったし、ほかの神々も同様だった。こうしてトールをヨツンハイムに花嫁として送りこむことにきまった。

そこで神々は、トールの髪をかき上げて結び、その上に花嫁の布をかぶせた。胸の上にはブリシンガメンの飾りをたらし、帯にはジャラジャラと鍵束《かぎたば》を下げさせた。仕度がすむと、ロキが言った。

「では二人でヨツンハイムへ出かけよう。きみが花嫁で、おれは花嫁つきの召使としてついて行くんだ」

彼らは野から山羊をつれてきて、車の前につないだ。トールは、岩が裂け、火が大地から飛び散るほどに車を走らせた。

その車の音をききつけて、トリムは叫んだ。「さあ、巨人たち、ベンチの上に

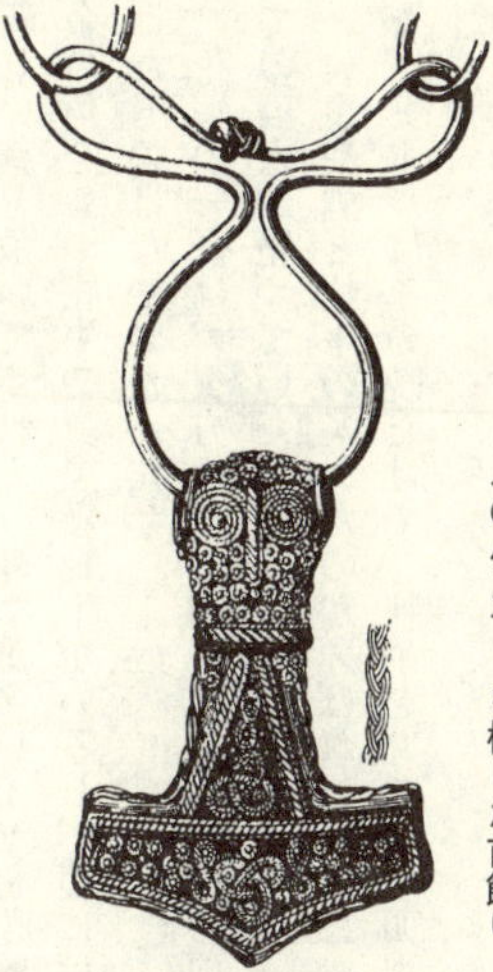

トールのハンマーを模した首飾り

新しい藁を敷いてくれ！　神々がフレイヤを花嫁としてつれてくるんだ。おれの屋敷には、金の角をもつ牝牛《めうし》や真黒な牡牛《おうし》がいるし、箱には宝がいっぱいある。フレイヤのほかには欠けたものはなかったんだ」

花嫁の一行は、夕方はやく到着して、広間の扉を音高くたたいた。広間の両側には、すべての巨人が座っていた。

いまや酒と牡牛の炙《あぶ》ったのが運ばれ、そのほか鮭《さけ》その他のものが、女たちのために出された。トールはその晩だけで、牡牛を丸ごと一頭と、鮭八匹を食べ、おまけに蜜酒《みつざけ》を三樽飲んだ。

トリムはフレイヤがそんなに大食いなのにおどろいて言った。「こんなに大食いで、こんなによく飲む女は、わしも見たことがないな」

しかし、花嫁についてきた召使は口達者で、すぐに答えを見出して言った。「なにしろフレイヤさまは、ヨツンハイムにひどくこがれて、八日も食事をされなかったもので」

するとトリムはそばへ寄っていって、花嫁にキッスしようと、身をかがめてかつぎの下をのぞきこんだ。ところが、トールの鋭い眼光にぶつかって、思わずとびしさってきいた。

「どうしてフレイヤはこんなにきつい眼をしてるんだ？　まるで火をふいてるみたいじゃないか？」

しかしロキは、即座にまた答えた。「なにしろフレイヤさまは、ヨツンハイムに早く来たくて来たくて、八夜もお目をとじられなかったもので」

二人が花嫁の床にはいる前に、巨人の姉妹が贈物をもらいにやって来たが、彼女は若くもないし、見るのが楽しい姿でもなかった。彼女は花嫁に言った。

「あんたの腕にしている腕輪をおくれ。そうしたら、わたしゃお前さんをひいきにしてやるよ」

しかし、トリムは言った。「ミョルニールの槌を持って来いよ。あれでフレイヤを祝福して、巨人の屋敷の主婦にするんだから」

そこでミョルニールの槌が持って来られて、トールの膝にのせられた。自分のハンマーを見ると、トールの胸には笑いがこみあげた。彼は即座にそれをつかむと、高く振り上げた。まずトリムを一撃でたおしたのをはじめに、彼の一味を片っぱしから打ちたおした。それから花嫁の引出物を要求した、あの巨人の姉妹をもやっつけた。彼女は腕輪の代りに、ハンマーの一撃を受けたわけだ。こうして彼はハンマーを取戻したのであった。

神々の神話

今度は、アスガルドの城が作られたあとで神々に起ったことを、残らず語ることにしよう。それは大きな運命的な出来事で、時がたつにつれていよいよ重大になってゆき、ついには神々を、人間もろとも、没落に導くのである。

しかも、神々自身にその罪はあった。というのは、彼らは自らの誓いを守らず、小手先細工や曖昧《あいまい》な言葉で、敵に対して力を獲得して自分たちを解放することを、先へのばしていたからだった。しかし、どんな誓いでもそれを破ることは、つねに彼らの前途に長い影を投げることになる。なぜなら、一つの悪はより以上の悪で自己を防御するかも知れず、かくて誓いを破る者は、遅かれ早かれ神聖な血を流すにいたるのだから。

中でも一番いけなかったのは、神々が以後つねに奸計《かんけい》をまじえなければならなかったこと、しばしば果敢に振舞うのを避けたことだった——そうでなくてもすべての善きものを荒廃させようとする彼らの最悪の敵巨人たちに対して、自己と人間とを護らねばならぬ場合にあって。このようにして神々は、彼ら自身の没落を、その見かけの勝利を通じて準備したのであった。そして彼らの最大の呪《のろ》いは、人間の心がついにこの地上において錯乱してしまい、黄金と権力への欲望が心の深くに根をはった時は、一族の間の神聖な絆を破り、約束を足の下に踏みにじったことだった。こうして最後の日々には、大胆な人々が互いに力を競ったとき、人々はもはやそのこと自体に伴う喜びと光栄と、相手のあらゆる財産を奪うことの喜びとの間の、区別を見失ったのである。

このようにしてヘルの国のさらに深くに一つの世界が成長した——卑劣漢のためのみじめな国だ。死者の浜辺の下深く、一つの館が立っているが、その戸口は冷たく暗い北に面し、家は隅から隅まですべて醜い。屋根は怒った蛇の背で編んであり、蛇の頭が垂木《たるき》の間から垂れ下って毒を吐いて、それが床一面を覆っている。そして誓いを破ったり、卑劣な人殺しをして自らをおとしめた死者、または黒い魔術によって隣人の若い妻を誘惑した者たちは、すべてこの毒の川をかち渡っているのだ。

しかし、ラグナロクに向って進んでいるこの最悪の時期にも、人生と遊び戯れる喜びをもち、おのれの敵と戦うことによって相手に敬意を表し、勝利するにせよ、たおれて不滅の名誉をうるにせよ、ともどもに朽ちざる光栄を獲得する人々に欠けることはないだろう。そしてこの種の人々のゆえに、神々の最後の戦いは栄光と復活になるのである。なぜなら、神々は彼らの死において巨人らを克服することになり、その悪意と毒とでこの美しい世界を荒廃させるもろもろの力を、死の中へ伴い去るのだから。

アサ神族とヴァナ神族の戦い

アサ神たちがアスガルドを作って、黄金や宝石類でそれを美しく飾った太古の時には、生活は明るくまた壮麗だった。神々自身も彼らの女神とともに、リング（指輪、首飾り、腕輪などの類）や装飾品をつけて、まことに美々しく歩き回っていた。それらの飾りのために、彼らの明るい髪は光り輝いて、全世界を照らした。彼らはまた将棋盤を前に座って笑い興じたが、すると空も海も陸も喜びであふれたのである。

ところが、そこへ一人の女がやって来た。どこからやって来たのかは誰も知らなかったが、女はグルヴェイグ（黄金の道）と自ら名のった。彼女はいろんな技術にたけていて、魔法を用いて空を通して秘密の力を送ることができた。こうして人々の心を迷わせたので、人々は黄金や悪しき願望への欲に駆られるようになった。

彼女は屋敷から屋敷を回って、もし誰か未来にどういう運命が隠れているか知りたい者があったら、占ってあげると申し出た。そして彼女に依頼する者があると、誰に対してでも暗闇の中で魔法を使ったのである――中庭や広間の中に魔呪の椅子を立てて、人々が火の上に小枝をおき、やがて部屋には煙がもうもうと立ちこめるようになるのを待って。

彼女が道をやってくるのを見ると、すべて貪欲な女たちの眼はキラキラと輝いた。彼女はまたアスガルドにも行ったが、神々は彼女を捕えて槍で突き刺した。そして槍の穂先の上にのせ、その体の下に薪《まき》をつんで火を点じて、彼女の骨も皮もその魔法ごと滅ぼしてしまおうとした。しかし、すべての労力は無駄だった。彼女の魔法の力はあまりに大きくて、幾度燃やされても彼女は新しく甦《よみがえ》ったからだ。彼女は三度ミッドガルドに現われて、そこからまたアスガルドに向ったのである。

ところで、アサ神たちはグルヴェイグが誰だか知らなかったとはいえ、彼女は一つの民を持っていたのであり、これはヴァニール（ヴァナ神族）と呼ばれた。そして彼らは、アサ神たちが彼女に何をしたかを知ると、群れをなしてアスガルドに押し寄せて、賠償を要求した。

アサ神たちは会議を開いて、賠償金を支払うべきか、それともヴァニールたちと和平を結んですべてを共有にするかを論議した。討議の結果は、グルヴェイグ殺しの賠償金は決して払わぬこととなって、オーディンは自分の槍をとると、ヴァニールたちの真中に投げつけた。

このようにして、グルヴェイグが槍で刺されて火刑の薪の上に置かれた時に、この世界に暴力による死というものは始まり、オーディンが群衆の中に槍を投げた時に、王侯たちの戦いは出現したのであった。かくて以後、首領たちが対陣するごとに、軍隊の指揮者は敵陣の中へ槍を投げて、「余は汝らをすべてオーディンにささげる」と叫ぶのが、民の慣《なら》わしとなったのである。そしてこれが勝利の予兆であり、首領の槍にあたった男と同じ運命に、敵の全軍が陥るべきしるしだとされたのであった。

しかし、オーディンの手から槍がとんだ時、ヴァニールたちは力ずくでアスガルドに殺到しようとした。当時はまだアスガルドは木柵をめぐらしてあっただけなのだ。彼らは木柵を破って攻めこみ、叫びと鬨《とき》の声をあげて、神聖な土地になだれこんだ。

そのときアサ神族とヴァナ神族の最も賢い人々が間に入って和平の仲だちをし、両神族は互いに約束を取りかわして、人質を交換した。神々は一族のヘニールをヴァニールの国へ送り、反対にニヨルドがアスガルドに来た。それ以来、アサ神族とヴァナ神族の間には、つねに平和が保たれたのである。

ニヨルドと彼の子供フレイとフレイヤは、アスガルドの真中に住んで、アサ族と同一の種族に数えられた。そして両者は、巨人や怪物とのあらゆる行動において共同してあたり、またラグナロクが来る時は、ウィグリッドの野に共にたおれるのである。

アスガルドの城壁づくり

神々がミッドガルドの基礎をおき、ワルハル（ワルハラ）の館を建てた、遠い昔のことだ。ある日、建築師だと名のる一人の男がやってきて、ワルハルの館のまわりに城壁を作ってあげようと申し出た。

それは大変堅固なもので、いかなる山のトロールや霜の巨人にも、それを越えてアスガルドに侵入することはできない。その城壁は、三年で完成する。謝礼としては、城壁が約束の期日までに出来あがった場合、太陽と月にそえて女神フレイヤが欲しい、というのであった。

トールはトロールたちを防ぐために東方に出かけていて、留守だった。ほかの神々で相談すると、もし建築師が一冬で城壁をつくるなら、彼の望みのものをやってもいい、しかし、いよいよ夏がはじまるという日に、もし石ひとつでもまだ城壁に足りなかったら、約束は御破算にすることに、みなの意見は一致した。それからまた、仕事は誰にも手伝わせないことを、条件にしたのである。

男は、それで結構といったが、石を引っぱるのに、牡馬《おま》のスワディルファリだけは使わしてもらいたいと言った。神々はロキの意見で、それを承知した。しかし巨人は、トールが帰ってきても、彼が神々の間で不安なく働けるようにと、神々がこの契約に保証人を立てることと、しっかりした誓いを立てることを要求して、それが容れられた。

冬の第一日から彼は仕事にかかった。昼の間は彼は石を積み、夜になると馬をつないで石を引張ってきたが、神々は馬が引張ってくる岩の大きいことにおどろいた。この男と馬とでは、馬の方がむしろ剛力のように見えたのである。

こうして冬が進んでゆく間に、城壁はどんどん積み上げられてゆき、どんな攻撃にも対抗できるほど、高くまた岩乗《がんじょう》になっていった。そして夏に入る三日前には、もうほとんど完成に近づいて、残すところは門だけになってしまった。

さあ、神々は怖くなってきて、いったい誰がフレイヤをヨツンハイムに嫁にやることや、太陽と月を空から奪って世界を荒廃させるような意見を出したのかと、口々にたずねあった。すると、それはただ一人の者が原因であること、そしてそれはたいていの悪の元兇《げんきょう》であるロキその人であることが明らかになった。

そこで彼らはロキのところへ押しかけると、もし彼が建築師を欺いてあの謝礼を払わずにすます道を見つけない時は、この上なくひどい死に様をさせると脅かした。ロキはひどくおびえて、どんな犠牲を払ってもあの建築師の手に謝礼が渡らぬようにすることを、厳粛に誓った。

その夜、男が石を採りに行くと、一頭の牝馬《めま》が森から躍り出てきて、牡馬に向っていないた。こちらは牝馬を認めると、荒れ狂って馬具を引きちぎり、牝馬を追って森の中に駆けこんだ。男は自分の馬をつかまえようと後を追いかけたが、馬たちは一晩じゅう走り回っていて、近づくことができなかった。こうしてその夜もあくる日も、城壁は築かれることなくして過ぎた。

仕事が仕上げられないのを見るや、建築師はすさまじい狂乱に陥った。そしてそれによって神々は、彼らの間にまじっていたのが山の巨人であることを知ったのである。そこで誓いは誓い、約束は約束として、彼らはトールを呼んだ。と、たちまち彼はその場に現われて、そのハンマーを振り上げた。彼は建築師に謝礼を払ったのである。ただし、それは太陽と月ではなかった。建築師はもはや、ここにおいてにせよヨツンハイムにおいてにせよ、建築することはなかったのだ。最初の一撃が彼の頭蓋骨を粉砕したのだから。

その間に牡馬と牝馬は、互いに戯れあった。そして一日、八本脚の灰色の仔馬《こうま》が走ってきたが、これほどすばらしい馬は、神も人間もついぞ目にしなかったのである。

この馬にオーディンが乗ると、彼は空でも海でも堅い大地と変らずに走った。この馬を神々はスレイプニールと呼んだ。

縛られた巨狼フェンリル

前に述べたように、鉄の森にはアングルボダという一人の女巨人がいた。彼女はこの世界に三人の怪物を生んだ。ヘルと、ミッドガルド蛇と、巨狼《きょろう》フェンリルである。

この狼を神々はつれてきて、よく看視できるように、自分たちの屋敷で育てた。狼はひどく狂暴になって、チュル以外の者は食物をやりに近づくことができなかった。神々は彼が一日ごとに大きくなって、力もましてくるのを見て、これがいつの日か彼らの破滅を来たすのではないかと怖れた。

巨狼フェンリルの画像石　下はバイキング船

そこで神々は会議を開いて、この乱暴な獣を縛るに足るだけの強い鎖がないかと相談した末、自分たちにできるかぎりの丈夫な綱を編んだ。そしてそれを狼の前において言った。

「これが切れるかどうかためして見てくれ」

狼はこの綱を見て、神々の思うがままにさせた。しかし、彼が力をこめるやいなや、綱は切れてとんだ。もう一度神々は、苦心して綱をつくったが、今度のは前のよりも倍も丈夫なものだった。神々は狼をおだてて、もしこれほどみごとに出来た綱を断ち切ったら、これはお前の力のたいへんな名誉になるのだと言った。最初の綱を切って以来、狼は自分の力が増したのを感じていたので、考えた——人々の思いの中で偉大なものになるためには、なにかしら冒険をしなければならぬ、と。そこで彼は、この綱で自分を縛らせたのである。そして神々がもうよいと言うやいなや、彼はぶるっと身を慄わして、綱を地にこすりつけ、身をもがいた。とたんに綱は幾片にもなって、遠く飛び散ったのだ。

これを見て神々は、まじめになって心配した。奸計を用いるのでなくては、この狼を縛《ばく》することができないことを悟ったからだ。そこで神々は、地下深くに住む小人たちの許に使いをやって、その技術を借りることにしたのである。

やがて小人たちは一つの紐を作ってくれたが、それはまるで絹紐のようにすべすべとして柔らかだったが、しかしどんな鉄よりも頑丈であった。彼らは誰にも見つからず、誰にもどうしようもないもの——猫の足音と、女の髭《ひげ》と、山の根と、魚の魂と、鳥の唾液《だえき》を取って来て、それらを熊の腱のまわりによじり合せたのであった。

神々はこの小人の製品を手にすると、狼をある島の上に誘いだして、その絹紐を見せた。神々は手から手に回して、みなでためしてみたが、誰にも切ることができなかった。

「これは大したものには見えないが、その太さから想像するよりもずっと丈夫なのだ。それにしたって、きみなら前の綱と同様に、こんなものは切れると思うな」

こう神々が言うと、狼は何か尋常でないものが潜んでいるのを感じて、答えた。

「この綱がたいしたものに見えないのは、本当です。だから、これを切ったって大した名誉にはならないでしょう。しかし、これが偽りと狡智で作られたものでなかったら、まさかこんな細いもので、私の体を縛ろうとすることもないでしょうね」

神々は答えた。「こんな華奢《きゃしゃ》な絹紐が、鉄の鎖でも断ち切る者を縛っていられるわけはないさ。だが、もしきみがこれを切れないとしたら、われわれはきみを怖れなくともすむわけだ。だからきみを自由にしてやるよ」

しかし、狼は言った。「あなたがたが私を縛って、それで私がこれを断ち切れないとしたら、きっと私は長いことあなたがたの助けを待ちくたびれることになるでしょうよ。だからこんなものをためしてみるのは、気がすすみませんね。しかし、あなたがたに卑怯者だと呼ばせるのは心外だから、さあ縛ってみて下さい。ただ、これがペテンでない証拠に、紐で縛る間は、誰か一人が私の口の中に手をさしこんでいるんですよ」

こう言われて神々は、互いに顔を見合せて、どちらの悪もいずれ劣らずだと考え、一人として手をさし出すものがなかった。そのときチュルが、つと右手を突き出して、狼の口に入れた。

狼は足を突張って力んだが、紐は丈夫だった。そして彼が地に身を投げつけてもがけばもがくほど、紐はいよいよ堅く鋭く肌に食いこんだ。

それを見て神々はドッと笑ったが、笑わない者が一人あった。それはチュルだった。なぜなら彼の片手は狼の口の中にあったからである。

さて神々は、その紐の一端を持つと、大きな断崖をつきぬいて大地の底ふかく押しこみ、それから大きな岩を地中に沈めて、綱の先をおさえつけさせた。狼は大きく口をあけてあばれて神々に食いつこうとしたが、彼らは一本の剣をとると、この柄《つか》が下顎《したあご》に、先端が上顎にあたるようにして、口の中に立てた。

こんな姿で狼フェンリルは立って、物すごい声で咆えてい、その口からは泡が小川となって流れ出ている。彼はそのようにしてラグナロクの日まで立っていることだろう。

ロキと小人たちの賭

ある時、ロキが例の気まぐれから、トールの妻シフの髪を剃《そ》ってしまったことがあった。トールはこれに気がつくと、ロキをつかまえて、貴様の骨を一本のこらず握りつぶしてやると断言した。とうとうロキは、シフのために黄金の髪——それも髪というもののつねとして、ちゃんと伸びる髪を、手に入れてやることを約束した。

ロキは地下にもぐって、イヴァルドの息子たちと呼ばれる小人の許を訪ね、三つの宝物を作ってもらうことに成功した。一つは金髪であり、二つはスキッドブラドニールという船、三番目はグングニールの槍である。

ロキはこれらの品を手に入れると、それを別の小人ブロックに見せて言った。

「おれは賭《かけ》をしてもいいが、お前の兄弟のシンドリでも、これほどすばらしい三つの品物は作れまい。そのためには、おれはこの頭を賭けてもいいぜ」

こうして二人が鍛冶場に行くと、シンドリはまず一枚の豚の皮を火床に入れておいて、ブロックに言った。「さあ、おれが戻ってきてこれを火床から取り出すまで、休まずにふいごを押していてくれ」

シンドリが鍛冶場を出るより早く、一匹のアブが入ってきて、ブロックの手に止って刺した。しかしブロックは、まるで何事もなかったように、鍛冶屋が戻ってきて火床から品物を取り出すまで、平気でふいごを押し続けたのであった。出来た品物は一頭の猪《いのしし》だったが、毛は純金に輝いていた。

次に彼は若干の黄金を火床に入れると、また兄弟に言った——おれが帰ってくるまで決してふいごを押す手を休めてはいけないよ、と。しかし、鍛冶屋が出てゆくのと同時に、またアブが入ってきてブロックの首筋に止り、前の時よりも二倍も強く刺したのである。しかしブロックはふいごを押し続けて、兄弟が戻ってきて火床から細工物を取り出すまで、止めなかった。出来たのはドラウプニールの指輪だった。

最後にシンドリは若干の鉄を火床に置くと、またブロックにふいごを押すように言い、もし一瞬でもふいごが止ったら仕事はまるきり駄目になるのだと、つけ加えた。彼が出て行くやいなや、すぐにまたアブが飛んできて、ブロックの眼と眼の間にとまってはげしくまぶたを刺したため、血が目に流れこんで、ブロックは目が見えなくなった。そこで彼は手をあげてアブを追いはらったのだが、その間はふいごは静止していた。その瞬間に鍛冶屋が入ってきて、もう少しで火床の中のものがすっかり駄目になるところだったと言った。彼は一つのハンマーを火床から取り出すと、前の二つの品とともに兄弟に与えて、これを持ってアスガルドに出かけて、賭の審《さば》きをつけてもらうがいいと言ったのである。

そこでブロックはそれらの宝をもつと、ロキと一緒にアスガルドにやってきて、オーディンとトールとフレイを審判官に選び、三人の判定にかたく従うことを約束した。

それからロキは、オーディンにはグングニールの槍を、トールにはシフのための金髪を、フレイにはスキッドブラドニールの船をやって、これらの品々がどんな性能をもつかを説明した。――グングニールは何物にも妨げられることなく狙った相手に命中するし、この金髪はシフの頭にのせられるやいなやぐんぐん成長し、またスキッドブラドニールは、どちらを目ざそうと、帆を張りしだいつねに順風をうける上に、そうしようと思うなら、一枚のハンケチのように折りたたんでポケットに入れることもできるのだ、と。

次にはブロックが、その贈物をもって進み出た。彼はオーディンにドラウプニールの指輪をやって、これは九夜目ごとにこれと同じ重さの指輪を八つ生み落すのだと言った。フレイには猪をやって、これは空中でも海の上でもどんな馬よりも早く走ることができ、しかもそのたてがみは光り輝いて、彼の行くところ、闇の国でも漆黒《しっこく》の夜でも、周囲を昼のように明るくするのだと言った。ついでトールにはハンマーを与えて言った。「このハンマーは、それが何物であれ狙ったものをみごとに打ち砕くし、投げた場合は決して狙いをはずれることがなく、またひとりでにあなたの手に飛び戻って来ないほど遠くに飛ぶこともありません。しかも、もしそうしたいなら、あなたのズボンの中に隠せるほどに小さくもなります。ただ、一つだけ欠点がありますね。柄が少し短いのです」と。――それはわれわれの見てきた通り、ロキの仕業にほかならなかった。

　すると三人の神は、口をそろえて言った――このハンマーが一番の宝で、巨人たちに対する大きな護りになると。そして賭は小人の勝ちとしたのであった。

オーディンと思われるレリーフ

　ロキは自分の頭の代りに弁償金を払いたいと言ったが、ブロックはそれを拒否して、約束のものを貰《もら》うのだと言った。

「じゃあ、取れよ！」と、ロキが言った。

　しかし、小人が彼を捕えようとすると、彼はもうずっと遠くに行っていた。空でも水の上でも自由に走る靴をもっていたのだ。

　小人はトールにロキをつかまえてくれと頼んだ。

彼はそうしてやった。そこでブロックが彼の頭を切り落そうとすると、相手は言った。

「頭はたしかにお前のものだ。だが、頸《くび》に傷をつけたら承知しないぞ」

小人はロキの賭を取りそこなったのを見ると、ナイフと糸を取り出して、ロキの唇に穴をあけて口を縫い合せようとした。ところが、生憎《あいにく》とナイフを持って来ていなかった。

「おれの兄弟のフクロウなら喰い破ってくれるんだがな」

彼がこういうと、とたんにフクロウが彼の手にとまって、ロキの唇に穴をあけた。そこで小人はロキの唇をとじ合せた。こうしてロキは、その出まかせの口をもう一度取り戻す前に、両唇を穴だらけにされたのであった。

巨人にさらわれたイドゥン

あるとき三人の神、オーディンとヘニールとロキが、アスガルドを出て、山や野を遠くまでぶらついたところで、食糧がつきてしまった。とうとう彼らは、山と山にはさまれた一つの谷間に来たが、そこには牛の群れが草を食べていた。

神々はその一頭をつかまえて殺すと、土に穴を掘り、その中で火を焚《た》いて幾つかの石を熱くした。やがて石が真赤に焼け、火が消えると、その石の上に肉をおいてその上を覆った。

それからかなり長いあいだ待った後で、もう肉は焼けたはずと思い、ふたを取ってみたが、肉はまだ生のままで石の上に載っていた。神々はもう一度、しばらく待ってみてから中をのぞいたが、肉は依然として最初に石の上にのせた時のままだったので、これはいったいどうしたことかと、互いに話しあった。

そのとき、彼らの頭上の枝の上から、一つの声が聞えてきた。その声は言った。

「肉を生のままにしておくのはおれさまだよ」

声のした方を見上げてみると、枝の上にとまっている一羽の鷲《わし》が目にとまった。物すごく大きいやつだった。鷲は言った——おれに食べられるだけ肉を分けてくれるなら、肉はすぐに焼けるようにしてやろう、と。神々はそれを承知した。

すると鷲は枝から下りてきて、穴のそばに座ったが、いきなり両方の腿と両方の肩肉をむしり取った。そこでロキは怒って、そこに落ちていた長い枝をひっつかむと、満身の力で鷲になぐりかかった。鷲はさっと舞い上ったが、枝は彼にぶつかるとしっかりと羽にくっついてしまい、しかもロキは、枝から手をはなすことができなかった。

鷲は野の上を低く飛んだので、ロキの足は岩や木にぶつかるし、両腕はいまにも肩からもぎれそうになった。そこでロキは、一所懸命にはなしてくれと懇願したが、鷲はこういって答えるだけだった——お前が女神のイドゥンを林檎を手にしたままアスガルドから誘い出してくると、誓いを立てて約束するまでは、決してはなしてやらないよ、と。

苦しさのあまり、ロキは鷲の要求を全部いれて、ようやくのことで放してもらい、神々の許に帰ったのである。

さて、鷲と約束した日がくると、ロキはイドゥンの所へ行って、私は森の中である林檎を見つけたが、それはすばらしく見事なやつだったと言い、だからその林檎とくらべてみられるように、あなたの林檎を持って、一緒に来てくれませんか、と頼んだ。イドゥンは底意があるとも気づかずに、ロキの言う通りにした。こうして二人は、アスガルドの外の森の中へはいって行ったのである。

するとそこへ一羽の鷲が飛んできたが、それは鷲の姿に身をかえた巨人チアシに他ならなかった。彼はイドゥンをつかむと、自分の屋敷のあるトリムハイムに舞い戻った。

イドゥンがいなくなると、神々は具合が悪くなった。じきに年をとり、髪が白くなってきたのだ。みなは会議を開いて、イドゥンの姿を最後に見たのは誰かと、たずねあった。するとまもなくわかったのは、彼女がロキと一緒にアスガルドを出て行くのを誰かが見かけたのが、最後だということだった。

そこで神々はロキをみなの真中に据えて、死かもっと悪いもので彼をおどかした。ロキは神々の脅かしの言葉をきいて心配になり、もしフレイヤさえ〈鷹《たか》の羽衣〉を貸してくれるなら、ヨツンハイムに行ってイドゥンを探してくることを約束した。フレイヤがそれを貸し与えたので、彼はヨツンハイムに飛んでいって、チアシの屋敷に来た。

イドゥンはそこにいたが、巨人は海へ魚釣りに行っていて、家の中にいたのは彼女ただ一人だった。

ロキは彼女を、鷹の爪の中にはいるようにくるみの実に変えると、それをつかんで全速力でアスガルドに舞い戻ろうとした。ところがチアシは家に帰ってイドゥンがいなくなったのを知ると、自分の〈鷲の衣〉をつけて、ロキの後を追いかけた。鷲の翼はビュービューと風を切って、すばらしい早さで飛んだ。しかもチアシは、ふつうの鷲よりもずっと大きかったのである。

アスガルドにいた神々は見た――一羽の鷹が爪の間にくるみを摑んで飛んでくるのを、鷲が風を切って追いかけて来るのを。そこで彼らは防柵のそばに木切れを高く積みあげた。そして鷹が柵を飛び越えて、さっと地に舞い下りてくると同時に、その薪の山に火を点じたのである。

鷲は鷹が舞い下りてくるのと同時に飛びかかったが、鷹がたくみに急降下したので、鷲の狙いははずれてしまった。しかも、彼は全速力で飛んできたために、空中で立ちどまることができず、羽に火が燃えうつって、地に墜落した。待ちかまえていた神々は、そこに駆けつけると、アスガルドの野のすぐ手前で巨人を殺してしまったのである。この行為は大変に評判になったものだ。

ところでチアシには、スカデという娘があった。彼女はアサ神たちが自分の父を殺したと聞くと、父の仇《あだ》をうつべく、鎧《よろい》冑《かぶと》をつけてアスガルドに乗りつけた。

神々は和解を申し出て、もし彼女がその怨恨《えんこん》を放棄してくれるなら、大きな代償を払おうといった。スカデは言った――もし彼女が神々の一人を夫にすること、それも自分で相手を択んでもいいなら、怒りを鎮めてもいいと。神々はそれを承知したが、彼女が結婚したい相手を択ぶ際には、足よりほかは見てはならないという条件を付した。

こうして神々は並んで座って、顔は布で隠した。スカデはみなの足を見て回ったが、中に彼女には完全と思われた足をみつけて言った。「わたしはこの人を択びます。バルデルが頭のてっぺんから足の裏まで完全無欠なことは知っていますからね」

ところが、神々が顔の布を取り除いてみると、彼女が択んだ相手はバルデルではなくて、ニヨルドだった。スカデは機嫌をそこねて言った——あなた方がわたしに悲しみを忘れて笑い声を立てさせるようにしないなら、わたしは決して譲歩しない、と。彼女は、どんな神にしても、彼女に父親のことを忘れさせることはできないものと思っていたのである。

しかしロキは、一頭の牡山羊《おやぎ》をつれてくると、その髯に紐を結びつけて、紐の他の一端を彼自身の一番秘密の場所に結びつけ、こうして綱引きをはじめた。山羊はロキを引張り、ロキは山羊を引張って、ひと引きごとに天までとどく叫びをあげた。そしてこの遊戯の間に、ロキはスカデに近づいてくると、ドスンとばかりにスカデの膝の間にたおれこんだ。これでとうとう彼女も笑いだしたのであった。

こうしてスカデは、神々と和解しなくてはならなかった。そこでオーディンは、父親の死を嘆く彼女を慰めるために、チアシの両眼を取って天に投げ上げた。すると、それが輝く二つの星となったのである。

ところでニヨルドとスカデの間柄は、うまくいかなかった。スカデは住居を遠い山地の巨人族の領地にもちたがった。というのは、彼女はスキーで野山を走るのや、弓矢で狩りをするのが好きだったから。しかしニヨルドは、海の近くの自分の屋敷ノアツンに住みたかった。彼はいつも船や貿易の旅が好きだったから。最後に二人は、九夜は山で、つぎの九夜は海辺でというふうに、住居を交互に変えることにした。

しかしニヨルドは、山から帰ってくると、こう言って嘆いた。「わしは山がきらいだ。山にいた九夜は、ひどく長く思われた。白鳥の歌を知っている者にとっては、狼の咆える声はいかにも聞きぐるしい」

ところがスカデは、山に登ってくると言った。「海辺ではわたしは、鳥どもがあんまり騒ぐので眠れなかった。毎朝毎朝、わたしは森から飛んでくる鷗《かもめ》どもの声で、目をさまされてしまった」と。

スッツングの蜜酒

アサ神たちがヴァニールと戦った後で平和を結んだ時、彼らは一つの契約をした。両者は真中に据えた一つの容器の両側に並んで、厳粛に誓いの言葉を述べてから、その中に唾《つば》を吐きこんだのである。こうして和解がなされた時、神々はこの契約のしるしを永遠に記念として保存しようと考え、それに生命を与えた。すると容器の中から一人の男が立ち現われたのであった。

彼はクヴァシールと呼ばれたが、大層賢くて、どんな問いに対しても答えられぬということはなかった。彼は広い世界に出ていって、人々にさまざまの技術を教えた。あるとき、彼は小人のフヤラールとガラールという者を訪ねていった。

小人たちは彼と大いに話したいが、彼らの話を誰にも聞かれないようにしたいといって、あるさびしい場所に彼を誘い出して殺し、その血をソンとボドンという二つの桶に受け、桶に入りきらなかったのは、オドレリールという鍋に入れた。彼らはその血に蜜をまぜて、蜜酒をこしらえたが、この酒を人が飲むと、彼は詩をつくる才能をえられたのである。

神々がやってきて、クヴァシールはどうしたかと訊ねると、小人たちは答えた――彼の知恵の何程かが彼から溢れ出すように、彼を問いつめるだけに賢い人間が一人もいなかったため、彼は自分の知識に窒息してしまったのだ、と。

ある日、小人たちの許に、ギリングという巨人が、妻をつれて訪ねてきた。小人たちは巨人を魚釣りに誘いだしたが、帰路に舟を暗礁の上に乗り上げさせたため、舟は転覆した。ギリングは泳ぐことができなくて溺死したが、小人たちは舟をまた正しく直して、陸に漕ぎ戻った。

家に帰って、巨人の妻にその不幸を話すと、女は悲しみで取乱してしまい、一日そこに座って号泣していた。小人たちは彼女が一日じゅうそこに座って咆えているのを聞いて、堪《た》えられなく思った。フヤラールは家の中にはいって行くと、彼女にきいた――あなたの夫が沈んだ場所を見たら、少しは悲しみがしずまりはしないかと。それは大きな慰めになりますと言って、彼女は戸口へ海上を見に出てきた。ところが、彼女が外へ出てきたとたんに、石臼をもって屋根に上っていたガラールが、女の頭の上にその臼を落した。彼女は臼におしつぶされた死んだ。

ギリングにはスッツングという息子があった。彼は父母の死をきくと、小人たちをつかまえて海に漕ぎ出し、二人を潮が満ちてくると水の下に沈む岩礁の上にのせた。小人たちは泣きわめいて命乞《ご》いをし、ギリング殺しの償いに、彼らのつくった貴い酒をさし上げますと言った。スッツングはそれを承諾して、蜜酒をとって家に帰ると、それをフニット山に隠して、娘のグンロッドにその宝物の見張りをさせた。

オーディンはその貴重な飲み物のことを聞くと、さっそくアスガルドを出て、それを探しにかかった。

途中で彼はある牧草地に来たが、そこでは九人の農奴が乾草を刈っていた。その仕事は、鎌《かま》がなまくらだったために、ずいぶんつらそうだった。オーディンは立ちどまると、その鎌を砥《と》いでやろうかときいた。

農奴たちがぜひそうしてくれという。オーディンは帯革から砥石をぬきとって、鎌を砥いでやった。ところが農奴たちは、鎌がすばらしく切れるようになったのを見ると、こぞって熱心にその砥石を買いたがった。オーディンが、この石はそれにふさわしいだけの値打を払う者にやるのだというと、みなはこぞって、あなたのいうだけの値段を払うと言った。

そこでオーディンは、砥石を高く空に投げ上げた。農奴たちは争ってそれを摑もうとして、ついには大鎌で互いに相手の首を切ってしまい、こうして砥石の値段を払ったのであった。

その晩オーディンは、スッツングの兄弟のバウギの許に宿をとったが、巨人が名前をきくと、彼はボルウェルクと名のった。バウギは自分の家で起ったふしぎな事件を嘆いて言った――「うちの九人の農奴が互いに殺しあってしまったが、どこへ行って新しい下男を探していいかわからなくて困っている」と。

そこでオーディンは申し出た――自分が下男になって、九人分の仕事を引受けてやるが、その返礼にスッツングの酒を一口飲ましてくれないか、と。

バウギは言った――「わしにもあの蜜酒はどうにもならんのだ。なにしろスッツングがこっそりと隠しているのだから。しかし、わしが一緒にいって、なんとか一口飲めるように工夫してみよう」と。

オーディンは夏じゅうバウギのために働いて九人分の仕事をしたが、冬の第一日になると、例の謝礼を求めた。バウギは断わるわけにいかず、一緒にスッツングを訪ねることになった。

やがて兄弟の所にくると、バウギはボルウェルクとした約束のことを話したが、スッツングはにべもなく言った――あの貴重な蜜酒をたとえ誰にでも一口でも飲ませるなどは、とんでもないことだと。

外に出ると、ボルウェルクはバウギに言った。「あんたはわしに負い目ができたわけですよ。じゃあ今度は計略であの蜜酒を手に入れようじゃないですか」

こうなってはバウギも、いやとは言えなかった。ボルウェルクは帯革から一本の錐《きり》をぬき出すと、バウギに言った――これで岩山に穴をあけてみてくれ、と。

バウギは錐を受けとって、山に穴をあけにかかったが、一時間ほど錐をもむと、もう穴があいたと言った。ところが、ボルウェルクが穴に息をふきこんでみると、削り屑がみな眼の中にとびこんだ。

「わしの働いてやった代金を、ペテンで払っちゃこまるね」

こうボルウェルクはバウギに言って、今度は向うへ突きぬけるまで掘ってくれと言った。やがてバウギが掘れたというので、ボルウェルクが息をふきこんでみると、屑は向うへ吹きぬけた。すぐさま彼は蛇に身を変えると、穴の中へもぐりこんだ。とたんにバウギは、彼の後から錐を突き立てたが、蛇を突き刺すには遅すぎた。

オーディンらしき神の岩壁画
(青銅時代, 南スウェーデン)

オーディンはグンロッドの許に行くと、甘い言葉で彼女の愛情をかちえて、その寝床で三夜眠った。彼女はすっかり彼が好きになってしまい、金の椅子に座らせ、自分の持っている最上のもので彼を飾りたてた。それからまた例の貴重な蜜酒を取り出してくると、誰もがかって味わったことのない幸福をあなたにあげるのだと言ったが、それはスッツングの蜜酒を三口味わうことであった。オーディンは最初の一口でオドレリールを空にし、ついでボドンとソンをも飲みほしたので、スッツングの蜜酒は残らずオーディンの腹にはいってしまった。

そこでオーディンは〈鷲の羽衣〉をつけると、そこに茫然《ぼうぜん》と突立って泣いている娘の方を見返りもせずに、アスガルドに向って飛び立った。しかしスッツングは、鷲が飛び立つのを見ると、自分も鷲の姿になって後を追いかけた。

神々はオーディンが風を切って飛んでくるのを見ると、いそいで持っているかぎりの桶を中庭に持ち出した。こちらは城壁を飛び越えてアスガルドに入ると、飛びながら蜜酒を桶の中に吐きだした。

しかしスッツングがすぐうしろに迫って来て、いまにも爪をオーディンにかけそうだったため、蜜酒の若干は桶の外にこぼれてしまったのである。

オーディンはその蜜酒を神々と、詩を解することのできる人々に与えた。これからのち、彼らは言葉を組合せて、人々の耳にこころよい詩をつくる技術をえたのであった。そこでスッツングの蜜酒のことを〈スカルドの蜜酒〉ともいうのである。

ところで、桶の外にこぼれた酒などには、誰も注意を払わなかったので、けちな人間でも勝手に飲むことができた。それを〈へボ詩人の飲みもの〉という。

その後巨人たちはアスガルドにやって来て、神々にボルウェルクを見たかどうかと聞いた。そういう男がスッツングの館に来て巨人の蜜酒を盗んだのだが、それきり彼がどこに行ったか知っている者がない、というのであった。しかし神々は答えた――アスガルドの者は、誰ひとりボルウェルクなどという者は知らない、と。そこで巨人たちは、そんな答えで満足するしかなかったのである。

こうしてオーディンは貴重な飲みものを手に入れたのだが、しかし彼はそのために高価な誓いを立て、しかもそれを破ったのであった。彼はスッツングを欺き、グンロッドの愛を奪って、代りに彼女に涙を与えたのだから。

フレイの恋人

ある日のこと、フレイはオーディンの玉座に座って、世界を見渡していた。すると、はるか遠くに巨人ギュミールの屋敷が見えたが、そちらを眺めているうちに、一人の若い女が、屋敷の建物の間を歩いているのが目についた。彼女が戸口をあけるために手をあげると、その腕があまりに美しく輝いたため、空も海も大地全体もが、そのために光り輝いたほどだった。

フレイはフリッドスキャルフを去って家に帰ったが、ひどいあこがれに捉えられて、何日もの間、飲み食いすることも眠ることもできなかった。彼がむっつりとして物も言わないので、一体どうしたのですかと、あえて訊ねる勇気のある者もなかったのである。

こうしてフレイが、幾日もおし黙って寝床についたまま、眠りもせずにいるので、父親のニヨルドは、召使のスキルニールを呼んで言いつけた――フレイのところへ行って、何日ものあいだ彼が誰とも口をきかずにいるのは、いったい何をひどく怒っているのか、探ってきてくれと。

スキルニールは、そんな使いに行って返礼として悪態をつかれるのは気がすすまないと言ったが、それでもやっぱり出かけていって、主人にきいた――どうしてあなたはそんなにむっつりとして、暗い部屋の中に座っているのかと。

すると、フレイは言った。「悩みがあまりに大きいため、僕はそれを口に出して言うことができないのだ。毎日太陽は昇ってくるけれど、その光も僕の悩みの中までは射しこまないのだ」

スキルニールは言った。「わたしに言えないほどの重たい悩みは、あなたにはないはずです。ぼくたちは子供の時から友達で、何もかも知りあっている仲ですもの」

すると、フレイは言った。「僕は一人の娘がギュミールの屋敷にはいって行くのを見たんだ。彼女の腕は、海をも陸をも照らしたよ。その姿を見てからというもの、彼女が若い時からの友達の誰よりもいとしいものになったのだ。それなのに、神々の中にも妖精の中にも、二人を逢わせてくれる者はないんだからな。

さあ、どうかギュミールの所へいって、僕のために求婚してくれ。そして、娘の父親がよしと言おうとだめだと言おうと、あの娘をつれないで帰って来てはいけないよ」

スキルニールは答えた――もしあなたが巨人の屋敷のまわりに広がる魔の野を怖れぬ馬を

用意してくれ、またひとりでに巨人の肉を切る剣を与えるなら、喜んで出かけて求婚しましょう、と。

フレイは彼の望むものを、何ひとつ拒まなかった。そこでスキルニールは、じくじくと湿った冷たい野山を越えて、ギュミールの屋敷に向った。やがて向うへ着くと、彼は門のそばに馬をとめたが、そこには巨人の飼っている猛犬が、鎖を引きずって吠えたてていた。

そこの丘の上に、屋敷の見張番が座って四方を見張っていたので、スキルニールは彼に向って叫んだ。

「どうやったらギュミールの目をかすめて、彼の若い娘さんと話せますか？」

番人は答え返した。「ここへやって来るとは、いったいお前は死人か、それとも幽霊か？ギュミールの娘には絶対に逢えんぞ」

スキルニールは言った。「いずれわれらはすべて死ぬ運命にあるのだ。何かの使命をはたそうという者は、めそめそと目標に近づくことはせんわい」

そのとき館の外で騒がしい音がするのを〔ギュミールの娘の〕ゲルドが聞いて、客が誰であり、どういう使いで来たかを聞きたく思って、中に請じ入れた。

スキルニールは彼女に言った。「わたしはあなたに贈物を持ってきました。十一個の金の林檎です。あなたがもしフレイに好意を寄せ、あの人を好きだといってくれるなら、それをあなたに進呈しましょう」

彼女は答えた。「いいえ、わたしは誰にも金の林檎のためだとて、愛情を贈りはしません。わたしたちの生きている限り、フレイとわたしとは、決して愛しあうことはないでしょうよ」

次にはスキルニールは、バルデルと一緒に火葬の薪の上におかれたあの高価な腕輪をさし出し、またこの願いをきいてくれない時はといって、剣で脅かしたが、娘は昂然《こうぜん》と首をそらして答えた——ギュミールの館では黄金に不足はないし、そんな愛の押しつけに対して、自分を守ってくれる者だって欠けはしないと。

そこでスキルニールは声を高めて、強い呪いの言葉を娘にあびせた。

「そんなに高慢にしているんなら、お前は誰よりも醜悪な巨人女となって、あらゆる生きものに背をむけられるようになるがいい。嫌らしい巨人のあとを追い回して、そのお情けを乞おうとも、お前の受取るのは喜びではなくて涙なのだ。そしてお前の食物は、お前の口の中で嫌らしいものに変るがいい」

それからスキルニールは、さらに声を高めて叫んだ。

「このことを、すべての巨人も聞いてくれ、すべての霜の巨人も、スッツングの息子たちも、神々も聞いてくれ——おれはあらゆる人間の喜びを、この娘に禁止する。おれはお前のために恥辱と苦悩にみちたルーン文字を刻んだぞ。それをたしかに刻んだぞ。しかし、お前の気持が変ったら、それを引っくり返すこともできるんだぞ」

するとゲルドは、古い蜜酒をみたした杯をとって、友情のために飲んでくれといってスキルニールにさし出した。しかしスキルニールは、それを受取って飲む前に、いつ彼女がフレイと逢ってくれるか、その返事をすることを要求した。

ゲルドは答えた。「向うに小さい森がありますが、そこは空気も穏やかでひっそりしています。わたしたち、二人とも知っているはずの、バーリの森です。今から九夜すぎたら、ゲルドはニヨルドの息子に心の喜びをささげますわ」

こうしてスキルニールはアスガルドに帰ったが、フレイは屋敷の前に立って待っていた。そしてスキルニールがまだ馬から下りぬ前に、こういって叫んだ。

「すぐ答えてくれ、馬の鞍《くら》をはずすより前に。君と僕の心にかかっていたことは、ヨツンハイムではうまくいったかね？」

スキルニールは馬の背に座ったままで、ゲルドの言葉をフレイに伝えた。すると、フレイは言った。「一晩でも長い、二晩ならなお長い、どうやって三晩を過すことができよう。どうもこのあこがれの夜々の半分よりも、一日の方がまだ短い気がするなあ」

フレイとゲルドの聖婚？
（イュデレン出土の金板）

こんなふうにしてフレイは、その愛人をえたのであった。しかし、彼はその愛情を自分の宝剣を代償にして買ったわけで、以後一度ならずこの武器を失ったことを悔いることになるのである――とりわけ神々と巨人との最後の決戦の時に。

バルデルの死

神々に起ったさまざまの不幸の中でも、バルデルの死ほど重大なものはなかったのである。

あるときバルデルは、ひどくあやしい夢を見たことがあった。そこで神々に、自分のみた夢のことを話すと、みなは会議を開いた末に、だれひとり決してバルデルに害を加えないという約束を、世界のあらゆるものと結ぶことにしたのであった。

そこで母親のフリッグが、あらゆるものにそのことを誓わせると、火と水、鉄その他のあらゆる種類の鉱物、土や石、動物や虫にいたるまでが、いかなる危害をも決してバルデルには加えないことを約束したのである。

こうして神々は安心すると、バルデルを目がけて何かを投げつけることに娯楽を見出した。バルデルをみなの真中に立たせて、ある者は矢を射るし、他の者は刀で切りつけたり、石を投げつけたりした。そうして彼らは、自分らの腕前を競うことのできる一つの新しい遊びを見つけだしたことに、気をよくしたのであった。

ところでロキは、神々が何をやっているかを見、バルデルがどんな武器にも傷つけられずに立っているのを見ると、ムシャクシャしてきた。彼は女の姿に身を変えると、フリッグの許へ訪ねていった。フリッグは彼女の姿を見ると、神々が何をしているかを訊ねた。ロキは答えた――神々はある遊びをして、みなでバルデルに何かを投げつけるのだが、すべてが滑り落ちてしまうのを面白がっているのだ、と。

するとフリッグが言った。「どんな鉱物だって木だって、バルデルに傷を負わせることはできないのだよ。わたしがみんなに誓わせたのだから」

女はたくみにおだてあげてたずねた。「バルデルには害を加えないって、ほんとにすべてのものが誓ったんですか？」

するとフリッグが言った。「そういうわけでもありません。ワルハルの西側に一本の小さい灌木《かんぼく》が生えてます、宿り木というんだがね。この木だけは、誓いを立てさせるには子供すぎると思われたので、ぬかしましたよ」

それを聞くと女は戻っていったが、ロキはその宿り木を引抜くと、神々が集まっている方へ近づいて行ったのである。

オーディンの息子のホッド（ホズル）が、神々の環の一番はずれに立っていた。それというのは、彼は盲目だったからである。ロキは彼に声をかけた。「なぜきみはほかの神々のように、バルデルに何かを投げつけないのか？」

ホッドは答えた。「ぼくにはバルデルがどこに立ってるんだか見えないんだもの。おまけに、投げつける武器もないし――」

ロキは言った。「きみだってほかの神々のようにして、バルデルに敬意を示さなくちゃね。この枝をあげるから投げてごらん。バルデルの立っている場所は、ぼくが手伝って教えてあげよう」

ホッドは宿り木を受取って、ロキの示すままにバルデルに投げつけた。木は槍となってバルデルを貫き、彼はたおれて死んだ。神々の間にせよ人間の間にせよ、かつてこれより大きな不幸が起ったことはない。

バルデルがたおれると、神々は呆然《ぼうぜん》と両手を力なく垂れて立って、無言で互いに顔を見合せるばかりだった。誰も彼も、この行為に出た者に対しては同じ思いだったが、この神聖な平和の場所では、あえて復讐を考える者はなかったのだ。それでもようやく舌がほどけたので、みなは言うべき言葉を探したが、代りに出てくるのは涙だけで、自分たちの悲しみがどれだけ大きいか、それを語りあうことさえ出来なかったのである。

しかし、わけても最も悲しみに沈んだのは、オーディンだった。それというのも、神々がいかにバルデルの死によって打撃をうけたかを、彼は一番よく知っていたのだから。

やがて神々がわれに返った時、フリッグはこう言ってきいた——誰かヘルのところまで行って、バルデルに逢い、ヘルに身代金をさし出して、彼をアスガルドに戻してくれるよう頼んでくれる者はないか、その者には彼女の最大の友情を贈るから、と。すると、オーディンの息子のヘルモードが立って、わたしが行きますと言った。

神々はオーディン自身の乗馬スレイプニールを引出して、ヘルモードのところへ連れてきた。彼はそれにとび乗って、走り去った。

その間に神々はバルデルの屍を、下の浜辺に運んだ。バルデルはリングホルンというすばらしい船を持っていたので、神々はそれを水に浮べて、それを彼の火葬台にしようとしたのだ。しかし、神々にはその船を、丸太の上を滑らせて水におろすだけの力がなかった。そこで彼らはヨツンハイムに使いをやって、ヒュロッキンという女巨人を招くことにした。女は毒蛇を手綱にして、狼に跨がってきた。彼女がその狼から下りると、オーディンは四人のベルセルカー（狂暴な戦士、もと熊の皮の意）を呼んで、その動物の番をさせた。しかしその四人にも、狼の脚を叩き折るまでは、彼をおさえつけることはできなかったのである。

ヒュロッキンは船に歩みよると、その舳《へさき》をつかんで、ぐいとばかりにただ一度引っぱったが、それで船は、丸太に火をふかせ、大地を震動させて、滑り出したのであった。

それを見たトールは激怒して、そのハンマーを振り上げた。神々がこぞって彼女のために命乞いをしなかったら、その場で額を打ち割ったことだろう。

女巨人ヒュロッキンを刻んだ画像石

バルデルの屍がいよいよ船の上に運ばれたのを見ると、妻のナンナの心臓は悲しみではり裂けた。神々は彼女の屍を夫のそれと並べて、薪に火をつけた。その間じゅう、トールはその上に彼のハンマーを振って、祝福していたが、そうやって彼が立っていた間に、リトルという小人が走ってきて、彼の脚の間にもぐりこんだ。トールが足で蹴とばすと、小人は空を飛んで火の中に落ち、バルデルと一緒に焼かれた。

この火葬には、四方八方から大変な人が集まった。オーディンはフリッグやワルキュリエや彼の二羽の大鴉《おおがらす》をつれて来たし、フレイは牡山羊をつないだ車でやって来、ヘイムダルは乗馬グルトップに跨がり、フレイヤは彼女の猫のひく車を走らせてきた。また霜の巨人や山の巨人も、やって来てこの葬式を眺めていた。

バルデルの馬が、鞍をおき手綱をつけて引いて来られて、薪の上にのせられた。一番上にはオーディンが、九夜目ごとに八つの重たい指輪を生み落す、あのドラウプニールの指輪をのせた。

さてヘルモードは、九夜のあいだ、深い暗い谷間を〔馬に〕乗っていった。ギヨッドの湖まで来てギャラールの橋を渡るまでは、暗くて何も見えなかったが、この橋は光り輝く黄金を敷きつめてあったのだ。そこにはモッドグンという娘が座って、橋の番をしていた。彼女は馬で乗りつけた者に言った。

「あなたは何という人で、どういう用事で来たのですか？　昨日は五人の死者の群れがこの橋を渡りましたけれど、橋はその五人の時よりも、あなた一人のために揺れています。それにあなたの頬は、死人のそれのように蒼白《そうはく》でもありません。それなのに、なぜあなたは地獄への道を辿るのですか？」

ヘルモードは答えた。「わたしはバルデルを探しにヘルのところへ行くのです。たぶんあなたはバルデルが通るのを見かけたでしょうね？」

モッドグンは答えた。「はい、バルデルはギャラールの橋を通りましたよ。ヘルへの道は北へ向って下りて行くのです」

そこでヘルモードはまた馬を走らせて、ついにヘルの館の門の前まで来た。そこで馬を下りると、帯革をしっかりと締め直して、また馬に跨がって拍車をあてた。馬はさっと海豚《いるか》の洲《す》を躍り越えて、蹄《ひづめ》ひとつ柵にぶつけなかった。

彼は広間の戸口で馬を下りると、中へはいって行った。と、ヘルの兄弟は高座の上に座っていたのである。

その夜はヘルモードは客として過したが、朝になると彼は、神々の間にどんなに大きな悲しみが支配しているかをヘルに話して、バルデルを自分と一緒にアスガルドに帰らせてくれと願った。

すると、ヘルは答えた。「では、人のいうほどバルデルがみなに愛されているかどうか、ためして見ましょう。生きている者も死んだ者もふくめて、世界中のすべての者が彼の死を悲しんで泣くなら、あの人はアスガルドに帰してやりましょう。しかし、誰か一人でもいやだといって彼のために泣くのを断わったなら、このヘルの手許におきますよ」

それを聞いてヘルモードは立ち上った。バルデルは広間を出て彼についてくると、ドラウプニールの指輪を彼の記念にオーディンに渡してくれるよう、彼にさし出した。ナンナはヴェールそのほかの贈物をフリッグに、一つの指輪を彼女の侍女のフラーにと托した。

ヘルモードは馬を走らせてアスガルドに戻ると、自分の見たり聞いたりしてきたことを残らず神々に話した。神々は直ちに全世界に使いを出して、生者と死者とを問わず、すべての者に、ヘルの神からバルデルを呼び戻すために泣いてくれと頼んだ。人間も動物も、土も石も、木も鉱物も、すべて神々の頼みをきいてくれた——あらゆる物が寒気の中から温かい場所へつれて来られた時に泣くのを見た人は、誰でもそのことを理解するだろう。

いたるところで使命をはたして使者たちが戻ってきた時、彼らは一人の老婆が洞穴の中に座っているのを見た。彼女はトゥクという者だと名のった。そこで皆が彼女にもバルデルのために泣いてくれと頼むと、老婆は答えた。

「トゥクはバルデルの火葬の上には乾いた涙しか流さなんだよ。あの老いぼれ息子は、生きてる時も死んでからも、ちっともよいことはしてくれなかった。ヘルには自分の手に入れたものを持たしておくことさ」

ロキの処罰

使者たちがアスガルドに帰って、この事件の報告をすると、神々はすぐに知った——その老婆というのは、すべての悪を惹き起したロキその人にほかならないことを。

ロキの方でも、神々の怒りをおそれて、アスガルドを逃げだして山の中に隠れた。そこへ彼は四方に戸口のある家を建てて、世界のどちらの方角でも見張れるようにした。日中は彼はよく鮭に身を変えて、フラナンゲル滝の中にひそんだ。家にいる時はまた、滝壺《たきつぼ》にいる自分を、神々はどうやってつかまえるだろうかと考えこんだ。

ある日、彼はいろりばたに座って、手にした麻糸で、いま漁夫たちが網をあむようにして、一つの網をあんだのである。ところが、そのときふと目をあげると、神々がこちらへやって来るのが見えた。それというのも、オーディンがフリッドスキャルフの玉座から、彼の隠れている場所を発見したからだった。ロキは網をいろりの中へ投げこむと、はね起きて外へ走り出して、谷川にとびこんだ。

神々は戸口まで来ると、クヴァシールを先頭にしてはいって来た。クヴァシールは神々の中で一番知恵のある男だった。彼はいろりの中をのぞいて、そこにキラキラ光っている白い灰を見ると、すぐにこれは魚をとるにいい道具だと察した。そこで自分の見たもののことを神々に話すと、神々は灰の中に残っていた形をまねて網を作りにかかった。そしてそれが出来あがると、谷川に行って、それを滝壺に投げこんだのである。

トールが一方の端をもち、ほかの神がぜんたいで、もう一方の端をもった。こうしてみなは流れの中を網を曳《ひ》いていったのだが、網の前を泳いでいたロキは、網をやりすごすために、二つの石の間に身をひそめた。神々は彼の頭の上を越えて網を引っぱって通りすぎたが、それでも水の下に何か生きているものがいるのに気がついた。そこでもう一度滝壺まで戻って、網を投げこんだ。しかも今度は、最初に何か重いものを網の下にしばりつけて、どんな魚も網の下をくぐりぬけられぬようにしたのであった。

ロキは今度も網に追われて泳いでいったが、もうじき自分が海の中へ追いこまれずにはいないのを見てとると、さっと躍りあがって網をはね越えて、滝まで戻ったのである。

これで神々には彼のいることがわかったので、神々はもう一度滝壺まで戻った。そして自分たちを二隊に分けて、めいめいが川の両側を網を曳いて進み、トールだけは別に川の真中を、ジャブジャブと水をわけて網について行くことにした。こうやって彼らは、上の滝壺から下の海まで、もう一度網を曳いたのである。

ロキは自分の前には二つに一つしか道がないのを見た——塩水の中へ追いこまれて死ぬか、危険ではあろうが、網をはね越えるかだった。彼は危険の小さそうな方を択んだ。しかし、彼が網をはね越えようとしたとたんに、トールがさっと手を出して彼をつかんだ。それでも魚は必死で滑りぬけようとしたので、トールは辛うじて尻尾をつかむことができたのだった——そんなわけで、鮭は尻尾のところが細くなっているのである。

もはやロキは容赦されなかった。神々は彼をある岩穴にとじこめると、三枚の平たい大石をもって来て並べ、それに穴をあけた。それからロキの息子のヴァリをつれて来て、彼を狼にかえると、狼は自分の兄弟のナルヴェに襲いかかって、これを引裂いた。ついで神々はロキを三枚の例の石の上にのせると、一枚は彼の肩の下に、もう一枚は腰の下に、三枚目のは彼の膝のくぼみの下にあてがっておいて、息子の腸でしっかりとその石にくくりつけた。と、腸は直ちに鉄に変ったのである。

それからスカデが一匹の毒蛇を持ってきて、毒液がちょうど顔の上に滴り落ちるように、それをロキの頭上に縛りつけた。妻のシギンは、ロキの傍らにつきそって、杯を蛇の口の下にあてがい、口から滴り落ちる毒液を杯に受けとめた。しかし、杯がいっぱいになるごとに、彼女が毒液を捨てに行くと、その間は毒液がロキの顔に滴り落ちた。そこでロキが苦しがって身をもがくと、大地が震えて地震が起るのであった。

こうしてロキは、ラグナロクの日まで、そこに縛されているのである。

しかし、バルデル殺しは、ロキを縛しただけですむことではなかった。なぜといって、致命的な矢をあの神に対して放ったのは、ホッドだったのだから。

さて、昔は一つ一つの殺害が復仇《ふっきゅう》を要求した。それでこそ一族が自分の同胞を失ったことで受ける名誉と幸福の喪失を取戻すことができたのである。ところで、一族を襲う最悪の不幸は、身内の一人が他の身内の者の死の原因となることであった。その時は、どんな償いも可能でなかったからだ。というのは、第一には家族は家族自身の中から賠償を取るわけにいかなかったし、第二には不幸を増大させることなしに身内の一人を殺すことはできなかったからである。

しかし、自分の一族に癒すべからざる傷害を加えるほどの、そういう恐ろしくもまた不幸な行為を犯した者は、もはや身内の輪の中に置いておくわけにはいかない。一族の者はすべて彼と縁を切ることを宣言して、彼を〈平和なき者〉として土地から追放しなければならない。

バルデルが殺された時、神々はホッドを不幸の齎《もたら》し手として、不信の眼を彼に向けたのであった。というのは、彼の一擲《いってき》が彼らすべての上に穢《けが》れと弱さを齎すことを恐れなければならなかったからである。ある物語によると、神々は身内であってしかも身内でない復讐者をこしらえ上げようとしたらしい。即ち、オーディンはリンドという女との間に、ヴァリと名づけられた一人の息子をもうけたが、この息子が生れてまだ一夜で、身を洗いも髪も梳《くしけず》りもしないうちに、バルデルの殺害者を殺して、火刑台の上にのせたというのである。それ以上のことは知ることができないため、この神話は曖昧のままだ。しかし、必要な正義回復者としてヴァリが復讐したことは、世界と神々の没落を、彼がバルデルとホッドと共に生きのびたことから、明らかなのだ。

ラグナロク（神々の没落）

神々と巨人族との決戦の時が、一年は一年といよいよ迫ってくるのを知っていたオーディンは、熱心に自分たちの仲間に勇敢な戦士を集めにかかった。そのため彼は、地上の首領たちの間に不和をつくり出すべく、しばしば旅に出かけて、首領たちに自分の屋敷に安らかに座ってはいられず、大きな領地と名誉を求めて広い世界に出て行かずにはいられぬような、大胆不敵な計画を吹きこんだのだ。

彼は遠く旅して、突然に王の館を訪ねては、若者を花々しい行為に目ざましたり、途中で彼らに出あって、戦術を教えたり不敗の武器を与えたりした。

オーディンが持っている多くの名は、戦士たちを自己の部下に補充しようとした配慮の記念なのだ。彼は〈戦いの喜び〉とか〈争いを目ざます者〉〈戦死者の父〉〈勝利の与え手〉〈戦いの恐怖〉などと呼ばれる。彼は自分について正当にこういうことができるのだ。「余は首領たちをけしかけて断じて彼らを和解せしめない」と。

彼は〈遠く旅する者〉或いは〈広く旅した者〉と言われる。しばしば大きな戦いの前に姿を見せ、また戦いの最中に登場する。すると人々は、何か大きなことが起るのや、逞しい勇士が戦場にたおれるのを知るのである。時には彼は襞《ひだ》ゆたかな外套《がいとう》をまとい、つばの広い帽子を目深にかぶって現われ、時にはまた、彼の八本脚の乗馬スレイプニールに跨がって空高くを飛んで来る。

フィリスの野でスティルビョルンとエリクが戦った時には、人々は彼がやって来て戦いに干渉するのを見た。スティルビョルンはスウェーデンの浜辺におしよせると、部下を上陸させるやいなや、自分たちの船を焼き捨てた。それからウプサラに向って兵を進めると、王座を要求して、終日休みなしにエリク王と戦った。

その夜エリク王は、勝利とその後の十年の寿命を条件に、自分をオーディンにささげた。朝になると、一人の丈高い男が王のところへやって来て、一本のアシを渡し、これをスティルビョルンの軍勢の上に投げて、「余は汝らすべてをオーディンにささげる」と叫べと言った。

王が言われた通りにアシの茎を投げると同時に、矢が唸《うな》りをあげてスティルビョルンの軍勢の中へ飛んでゆき、あらゆる戦士の眼を眩惑《げんわく》させた。そして山では雪崩《なだれ》が起って、彼の軍勢の真只中になだれ落ちた。スティルビョルンは大地にしっかりと目じるしの杖を立てさせて、一歩も退かずに戦い、全員がそこでたおれたのであった。

また若い〈戦いの歯〉のハラルド（半伝説時代のデンマーク王）が成人すると、オーディンがやって来て、戦士の配置を彼に教えた。それは敵陣を突破できるように、尖端を前に楔《くさび》形に兵を配列し、後尾は震え上っている兵団を粉砕できるように、幅広くしておくのである。これを彼はいのしし型《スヴィネフィルキング》の戦闘配置と呼んだ。

オーディンはハラルドに多くの勝利を与え、こうして彼は北欧最強の首領となった。しかし、ハラルドが老齢になり盲目になると、彼が多くのお伴をつれてワルハル宮に来られるように、オーディンはリング王を彼に対してけしかけた。かくて両王はブローヴァラの荒野に互いに大軍を進め、ここで北欧のすべての民は武器をとって会戦したのである。

盲目のハラルド王は、戦車にのって戦場につくと、リング王がどのように戦士を配置しているかを、馭者《ぎよしや》にきいた。そして、リング王がいのしし型に兵を配置していることを聞くと、王はオーディンが自分を見棄《みす》てたことを知ったのであった——この戦術をリング王に教えたのは、ワルハル宮の主人のほかではありえなかったから。

そこでハラルド王は、彼の車を乱戦のただ中に突進させた。と、車をめぐって戦いが最もたけなわだった時、馭者はその棍棒《こんぼう》を高く振り上げて、王の頭をなぐりつけ、王は真逆様に野の上に転落したのである。ところで、この日王のために車を駆っていたのはオーディンその人に他ならず、彼はこうして、その青春の日には勝利を与え、どんな鋭い武器に対しても傷つかなかったこの首領を、その棍棒でたおしたのであった。このようにしてこの神は、ハラルドが親しい従士と共にワルハルに来るように配慮したのである。

偉大で困難な企てへとオーディンがけしかけるのは、つねに第一流の人間なのだ。なぜなら、いつか巨人どもがアスガルドに攻めこむ時には、こういう人間を部下にもつのが最善だから。そういう事情について、スカルド詩人は、〈血斧〉のエリクについての大きな詩で、歌っている。

〈血斧〉のエリクがイギリスで戦死した時、妃のグンヒルドは、夫についての誇らかで力強い悼詩《とうし》を作らせた。その詩の中で詩人は、エリクが多くの戦士を伴に賑やかにワルハルへ赴くため、オーディンが眠りからさめて、彼らの騒がしい足音におどろくさまを描いている。

「余の夢みた夢は何を意味するのか？　朝が来る前に余は起き上って、戦って死んだ勇士の一団のために、場所をあけさせた。余はアインヘリエル（ワルハルにいる勇士たち）をよび起して叫んだ——起きよ、ベンチをしつらえて角杯をみたせ、ワルキュリエよ、葡萄酒を持って来い——すべてが勢威ある王侯のやって来ることを示すように見えるのだ。余の心は喜びで躍っている。地上から誇らかな客人たちが来るものと思っていいのだ。ブラギよ、聞け、あのとどろきは、千人かそれ以上の戦士の足音ではないのか？」

「ベンチがミシミシいっているのは、バルデルがオーディンの館に戻って来るのでございましょう」

「ばかを言うな、ブラギよ、お前はもっと賢いはずなのに。あのとどろきはエリクのせいなのだ。彼こそオーディンの館に乗り入れる第一人者。シグムンドとシンフィヨトリよ、すぐに起って王を出迎えに行け。それがエリクだったら、ここへ請じ入れよ。余は賓客として彼を待とう」

「なぜあなたはエリク王を、他の誰よりも待ちうけるのですか？」

「うむ、彼は彼の剣を幾多の国で血に染め、それを太陽の許で真紅に打ち振ったのじゃ」

「あなたが彼の不敵を讃えるなら、なぜまた彼に勝利を拒んだのですか？」

「あの灰色の狼めが、いつ神々の国に襲い来るやも知れぬからじゃ。――御機嫌よう、エリク、さあ男らしい足で館に登って来て、歓迎を受けたまえ。戦場からお前は、どういう首領たちをここに引きつれて来たかな？　その首領は誰々じゃ？」

戦場へ駆けつけるワルキュリエ

「五人の王を連れて参りました。彼らの名をおききあれ、それはイヴァールであり、ホーレクとグットルムと二人の息子たち。して余自身は王の群れの六番目にこそ」

すべての野心的な英雄は、かたくオーディンと結んでい、彼をあらゆる神々以上に讃えた。それは彼が勝利を贈ってくれるか、長く名声の残る死を与えるからであり、この両方の贈物は偉大にしてよきものであったのだ。首領たちの間では、武器による死は汚れた寝床の上での死よりもよきものとするのがならいとなったが、それは武器をとって死んだ者は、神々の王者のワルハル宮に喜んで迎えられたからである。そこで人は語っている――ある人々は、老齢や病気に身を屈することを恐れると、みずから槍で印をつけて、自らをオーディンにささげたと。

ワルハル宮での生活は、偉大な首領の館でのそれとまったく同様で、陽気な戦闘と楽しい酒宴に分たれ、ただすべてが地上の首領の館でよりも遥かに豪奢《ごうしや》であっただけだった。一段と高い席にはオーディンが座り、その前には二匹の狼が寝ころんでいて、彼のお気に入りたちが戦いあう時は、戦場で咆えるのである。また彼の両肩には、フギンとムニンという二羽の大鴉がとまっている。夜が白むと、彼らは世界に向って飛び立ち、夕食時には舞いもどって来て、彼らの見てきたことをオーディンの耳にささやく。

しばしば戦士たちは、大きな出来事が起らんとしている際に、オーディンの大鴉が頭上を鳴き叫びながら飛ぶのを見た。あるときホーコン公は、ゴート人と戦って利があるかどうかを知ろうとして犠牲をささげたが、その直後に公は大鴉たちが軍隊の頭上に飛んでくるのを見て、勝利をうることを知ったのであった。

オーディンにはまた、ワルキュリエと呼ばれる一団の乙女が仕えている。彼は乙女たちを戦っている戦士たちの許へ送り出す——それが戦いの神を喜ばせたり、彼の計画をおしすめるのに応じて、ある者には死の印をつけ、他の者には勝利を与えるために。

広間の側壁に沿ったベンチには、戦士たちが肩を接して座っている。オーディンの館での彼らの栄誉ある名前はアインヘリエルである。食卓には毎日酒瓶《さかびん》が運ばれるし、肉はつきることがない。ワルハルにはセーリムニールという猪がいるが、彼は日ごとに殺されて鍋に入れられるが、それでも夜ごとに生き生きとして甦るからである。蜜酒も決して宴席に欠乏することはないが、この飲みものは聖なる木にいてこの葉を食べている牝山羊の乳房から勢いよい流れをなして溢れ出るからだ。アインヘリエルがベンチの上に並んでいると、ワルキュリエが食べものを運んでき、つぎにはなみなみと満たした角杯を持ってゆく。

毎朝アインヘリエルは起き上ると中庭に出てゆき、互いに心からの喜びをもって相手に必殺の太刀を与える。夕食時になると、たおれた者もすべてまた起き上って広間に入り、笑いや咆哮《ほうこう》のうちによき友として一緒に食卓につく。戸口がこみあうということはよい。というのは、戸口は八百人の戦士が並んで通れるだけに広く、しかも扉の数は五百四十もあるとされるからだ。

神々の最後の戦いというラグナロクが目睫《もくしょう》の間《かん》に迫るのは、間に夏をはさまずに一年じゅう続くきびしい冬が、ひとつながりになって三度訪れることでわかる。その時は雪が世界の四隅から吹きつけ、風は吹き荒れ、霜はすべてのものに食い入り、太陽には少しの熱もなくなる。加えるに三年の凶作がそれに続き、世界が争いでみたされる。しかもその戦いは、勝利した側もたおれた側も同様に名誉をえるところの、以前のような仇敵《きゅうてき》同士の間の名誉ある戦いではない。

というのは、この最後の時期には人間は自己の狂暴な欲望の前に、昔の名誉と品位を忘れてしまうからだ。そこで兄弟は互いに相手の血をそそぎあうし、父は子をいたわろうともせず、子もまた父をいたわることをしない。困苦の下で巨狼フェンリルが力を蓄えて太陽を飲みこむため、地上の人間は闇の中でよろめき、狼の兄弟が月をのみこむため、天の星という星が深淵に落下する。大地もまた上に下に揺らぎはじめて、木々は根がゆるんで倒れ、山は轟音《ごうおん》をたてて裂け、怪物どもをつないでいたあらゆる紐や縄が断ち切れる。巨狼フェンリルが、上顎は天を掠《かす》め、下顎は地を掃くほどに大きくあけて、われらを目がけて走ってくる。そして彼の目と鼻の穴とからは、火花をふき出しているのだ。ミッドガルド蛇は、躍り上って陸に向って突進し、その尻尾で海を打つため、海水が陸のずっと奥まで押しよせてくる。この洪水で死人の船——それはナーグルファールといって、死人の爪でできている——が浮び上るが、その漕者席のそばには巨人フリムが高く突立って、舵を取っているのである。いまや巨人たちは四方から殺到する。ミッドガルド蛇が鎌首をもたげて進むと、毒気はもうもうとその周りに立ちこめ、大気をみたし、海の上を覆う。その傍らを、あの狼が走ってくる。それまでグニパの洞窟の前につながれていたガルム犬も、吼えながら走ってくる。フリムはナーグルファールの舳に立って舵《かじ》をとり、その船には霜の巨人のすべてが乗っている。天は裂け、その裂けめからムスペルの子らが、炎の衣をまとって乗りつける。その先頭に立っているのはスルトで、太陽よりもなお明るく燃える剣を手にしている。

彼らがビフレストの橋を馬で越える時、橋は慄えて、轟音と共に砕ける。ロキが攻め寄せてくるが、その後にはヘルから出てきたすべての死者が続く。一同はウィグリッドの野に集まるが、その野はどちらに向っても百マイルはあるほどに広いのだ。

ヘイムダルはこの一行が迫ってくるのを見ると、彼の角笛ギャラールホルンをとって、高く吹き鳴らす。すべての神々は集まって会議を開く。オーディンはミミールの泉に下っていって、ミミールから彼と彼の家族のために、何かの忠告をきき出そうとする。その間にもイグドラシルのトネリコは慄えて立ち、その上でも下でも、すべての生物の上に恐怖が広がる。小人たちさえもが、彼らの石の扉の外に立って、不安にあえいでいるのだ。

神々はいそいで武器を身につけると、すべてのアインヘリエルと共に、オーディンを先頭にして、ウィグリッドの野に出陣する。

グングニールの槍をとってオーディンは巨狼に立ち向うが、狼は神を呑みこむ。そのとたんにしかしヴィダルが狼の顎に足をかけて——このときその分厚い靴が役に立つのだが——、片方の手で狼の上顎をつかみ、バリバリとその口を引裂く。こうして巨狼はたおれて死ぬのである。

炎の巨人スルト

トールはミッドガルド蛇を全身をもって防がねばならないため、オーディンを助けることができない。彼は相手に致命傷を与えるが、その勝利のあとで九歩とは歩くことができず、怪物が吐きかけた毒のためにたおれて死ぬ。

フレイはスルトに立ち向ったが、巨人にたおされるまではよく持ちこたえた。しかし彼は、以前に自分のよい剣を手放したことを、ひどく悔まねばならなかったのである。一方、チュルはガルム犬と戦って、相討ちになり、他の場所ではロキとヘイムダルが、互いに相手に致命傷を与えるのだ。

いまやスルトはただひとり戦場に立っている。彼は炬火を大地の上に投げ、こうして全世界は火炎に包まれて燃え上るのである。

炎が消え落ちて、すべてが静まりかえったとき、海中から再生した大地が、青々と美しく浮き上って来る。そしてその野の上には、誰が種をまいたのでもなくして、麦の穂が風に揺らいでいる。山腹を滝がたぎり落ち、鷲は滝の上高く輪をえがいて飛んで、魚を狙っている。

あの狼が大きく顎をあけて太陽にとびかかっていった時、太陽は彼女自身におとらず美しい一人の娘を生み落したが、この新しい天の光は、いま神々が死ぬと、彼女の母親の軌道を回りはじめる。野の上をヴィダルとヴァリの二人の神が進んでゆく。この神たちは、大波も炎も害することがなかったのだ。そこへトールの二人の息子モディとマグニが、無傷で助かって、出て来て加わった。彼らは父親のハンマーを見つけた。バルデルとホッドは、死の国から出て来る。

みなはかつてアスガルドの立っていたイダの野に住居を建てる。彼らが草の中に腰をおろすと、芝生の中に昔の黄金の将棋盤が見つかる。彼らは共々に昔起った偉大なことどもを語りあい、大地をしめつけていたミッドガルド蛇のことや、トールの剛勇や、オーディンの深い知恵やを回想する。

そのときホッドミメスの森の中で、なにか生きものの気配が動いた。そこには二人の人間リフとリフトラシルが隠れて、朝露をなめては飢えをしずめていたのだ。この二人が、新しく地上をみたす種族の祖となるのである。

そのとき、鷲の羽をもつ竜ニドホグが、その隠れ家からとび出して来て、地の上を重たげに低く飛んで行く。その翼には屍体《したい》がぶら下り、羽毛からは青黒い火花が散っている。そして彼は遠く遠く沈んでいって、世界のはての底知れぬ深みに消えてゆくのだ。

古い神々とキリスト

白いキリストが北欧に来たとき、彼は古い神々のすべての栄光を奪ったため、彼らのあるものは彼らの昔の仇敵《きゅうてき》の巨人たちのように、心のねじけたみじめな者とされた。キリストは栄光好きな神で、彼より他の者が善く言われたり、そうでなくともいたわりをもって語られることを、辛抱できなかった。というのは、天地を創造し、悪魔と戦って人間に救いと天国を与えたのは彼だったのだから。彼は、自己の栄誉にひどく熱心で、自己の敵を死後まで追求して燃える地獄の中に投げこんだが、そこは誓いを破ったり人を暗殺したりした卑劣漢が滞留する最もひどいニフルハイムよりも、七倍も悪い場所だった。彼が男らしく生きて自分の栄誉を維持しようとも、キリストに抗するならば何の益にもならなかった。もし彼がキリスト教の神にすべての栄光を見、キリストが命じ、そして彼の召使である牧師がたくみに説く節制と祝日と祈りの命令を守るのでなかったら、彼は悪魔の力に委《ゆだ》ねられるからである。こういう力をもつ主に対して、泰然と立つことのできる人は多くはなかった――まして彼はどんな神や女神よりも勝利することのたしかな天使の群れをもつのだと聞いては。また民衆は、オラーブ・トリグヴェソンや聖オラーブのような、偉大な戦士であり善き王であった人たちが、キリストに帰依《きえ》して、平和につけ戦争につけ、彼から幸運をえたことに目をとめた。

この二人の王はいたく敬虔でキリスト教の神に献身するあまり、彼らの国の何ぴとだろうと、主にすべての栄光を帰して、古い神々を誹謗《ひぼう》することで正しい心証を示すのでなければ、容赦しなかった。そこで二人は、もし民が古い信仰を固守しているときくと、彼らに洗礼を受けさせるか、彼らを抹殺するために、どんな手段をも辞さなかったのである。

エイヴィンド・キンリヴァの場合

ところで、多くの人々にとって、自分たちが最近まで高くあがめていたものを罵倒《ばとう》するのは、容易なことではなかった。そこでノルウェーには、自分らが少年時代からその祝福をうけて来た神々を棄てるよりは、むしろ両オラーブ王がキリストの栄光を高めようとする熱狂から彼の敵の上に加える拷問《ごうもん》を、甘んじて受けようとする、さまざまの人が存在した。そういうキリストへの反抗者に、エイヴィンド・キンリヴァという首領がいた。

あの動乱期に、彼が一日友のティヨッタのホーレクを訪ねた時、オラーブ・トリグヴェソン王は、彼を襲って捕えさせた。王は最初は友情をもって相手に話しかけて、やさしい言葉で洗礼を受けるように彼にすすめたが、それが効果がないのを見ると、次にはエイヴィンドに大きな贈物をすることを約束し、最後には拷問と死をもって脅かしたが、エイヴィンドは断固として「否」を変えなかった。

すると王は、一枚の皿に真赤に焼けた炭火をとって彼の腹の上にのせさせたので、それが裂けた。王はこれを最後にたずねた――お前は死ぬ前にキリストに帰依してはどうかと。しかし、エイヴィンドは答えた――

「いや、私は洗礼を受けることは断じて出来ません。両親が私をまだ子供の時に神々にささげたのであり、私は生涯を通じてこの神々に献身的に仕えて来、そして彼らは私を助けて私を力強い首領にしてくれたのです。今では私は彼らと、私の魂と幸福の全部をあげて固く結ばれていますので、縁を切るというわけには参りませぬ」

こう言うと共にエイヴィンドは死んだのであった。

詩人ハルフレッドの場合

〈難物詩人〉ハルフレッドはオラーブ・トリグヴェソン王をこの世の誰よりも愛して、この王に対する愛の故に受洗した。しかし、彼の心情はつねにひそかに古い慣わしに執着していて、神々が罵《ののし》られるのを聞くのを決して好まなかった。彼は言った――人々が神々を信じないからといって、その悪口をいう必要はない、と。そしてある日、広間の中で古い習慣が罵られた時、彼はほぼ次のような小詩を口ずさんだ。

「以前には余は喜んでフリッドスキャルフの主人（オーディン）を礼拝し、彼はまた遅滞なく余に答えてくれた。ところが今は、人々は別の習慣をもち、別の幸福をもっている」

王はこの詩を耳にすると、怒ってハルフレッドに要求した――この悪い詩を償うような他の詩を作ることを。すると、ハルフレッドは歌った――

「オーディンを喜ばすために人々は全世界で歌った。われらの古い兄弟の歌は美しく響く。愛情を憎しみに変えるのは困難だ——オーディンの導きは余にとって貴重で善かったから。しかし今は、われらは、そう、キリストに仕えている」

しかし王は、ハルフレッドが強く神々に執着しているのをきびしく咎《とが》めて、もっとよい詩をつくって彼の怒りをなだめるべきを要求した。そこでハルフレッドは歌った——

「余はオーディンの名を否定した——異教時代にあっては人は勝利を与える彼の聖なる大鴉に挨拶してその名を呼び、神はずる賢くも座って彼自身のプランを戦士らの讃頌《さんしょう》で逞しく鍛えていたのに」

しかし、オラーブ王はまだまだ満足せず、もっとよい詩を作れと言った。そこでハルフレッドはけわしい顔をして歌った——

「フレイとフレイヤが余に対して怒るなら怒るがいい。ニヨルドの聖なる林が余から遠のくがいい。オーディンとトールが魔法をかけるがいい。そしたら余はただキリストと神の慈悲を乞うだけだ。神の子の怒りは余には重くて荷なえない。なぜなら彼は彼の父から地上のすべての力を託されたのだから」

「それはよい詩だ、ともあれ無いのよりはよい。しかし、もう一篇作るがよいぞ」と、王は言った。そこでハルフレッドは歌った——

「われらの王は人々が犠牲をささげるのを禁ずる慣わしをもつ。すべてのノルンらの言葉は、以前は尊くまた神聖なものだったが、いまは何物にも数えられぬ。万人がオーディンの一族を見殺しにする。余はまたキリストに祈るために、ニヨルドの一味を見捨てなくてはならぬ」

王がハルフレッドの最後の告白に満足したかどうかは、われわれは知ることができない。ハルフレッドは彼の父祖たちのように果敢に生きまた戦って、波瀾万丈《はらんばんじょう》の生涯を送った。しかし、受洗以来彼の中にはつねにある秘密の不安があった。そしてこの不安は、次のように歌ったその臨終の時に際して、半ば魂の悩みとして迸り出ている――

「もし余の魂が救われてあることを知るならば、いまや余は嘆くことなしにこの瞬間に死にうるものを。若き日に余は鋭き舌を持てりき。余は万人が死すべきを知る。また余は一事を除いて余の何物をも怖れざるを知る。その一事とは地獄なり。されど神は、余が何処《いずこ》に生涯を終えんも、その場所を支配し給うべし」

〈お痩せ〉のヘルゲの場合

そこにはキリストに愛着しながらもよく古い神々と和解することのできた少数の豪族もいた――ちょうどアサ神族がこの世には他の神々がいることを見出してもよしとし、それぞれの民は父祖から受けついだ神々で満足していたように。

この種の男の一人が、ゴートの王家の血をひく首領〈お痩《や》せ〉のヘルゲだった。彼の父親はアイルランドで一つの王国を戦い取り、ヘルゲは西方で育てられて、キリスト教の神を崇《あが》めることを学んだ。こうしてヘルゲはキリストを信じたのだが、航海その他の重大事に際しては、彼はトール神に呼びかけたのである。キリスト教徒は、彼や彼の同類たちを呼んで、ごたまぜの信仰をもつ者とした。

しかし大多数の者は、古い神々と新しい神の間に選択をしなければならなくなるや否や、キリストの方が強いということ、また聖ミカエルを先頭にした彼の天使たちはディシールと比べものにならないことを、捉えあやまらなかった。

犠牲祭のこと

遠い昔から人間は神々の前で酒宴を開いてきた。こういうブロット或いは犠牲祭では、まず縁まで満たした角杯が、高い座についた首領のもとへ運ばれるのが慣わしだった。彼は飲み物の上で祝福をとなえ、国に豊作と平和が恵まれるように祈ってから、まず杯を飲み乾す。こうして角杯は、ベンチにそって人から人へと広間の全体に回され、各人は隣人の健康のために、また首領の部下に対する恩恵を謝して飲んで、それから杯を傍らにいる人にさし出す。時に相集まって、和合のうちにこういう祝祭を全員の幸福と健康のために催すのが、すべての一族の義務だったのだ。

ところでキリスト教がこの国にやって来ると、酒宴はキリストと聖母マリヤと、オラーブその他の聖者にささげられることとなって、民は昔ながらに豊作と平和を祈って飲んだのだが、ただこう言い添えたのである――キリストと彼の聖者たちよ、讃えられてあれ。われらにはこの地上でもあの世でも、神の慈悲のあらんことを、と。

王と僧正《そうじょう》とは共に、いかなるキリスト教徒もキリストにこの栄光を、自分ら自身には祝福を与えることを怠らぬよう、熱心に見守った。そして新しい法律の中では、なんぴとにもあえて古い神々に犠牲をささげたり、自己の財産の一部をその保護下に奉納することをきびしく禁じて、人々はキリストと彼の聖者たちの栄光を讃えて、麦酒をかもして祝宴を開くべし、それを正しく行わない者は、神なきならず者として国土から追放するという、きびしい掟《おきて》があったのである。

こうしてキリストは古い神々からすべての権力を奪い、その信徒たちがキリスト教徒と事を構えた場合には、その神々の無力さを信徒たちに痛感させたのであった。

オラーブ・トリグヴェソン王は、スヴォルドの戦いを前に、エリク公が舳にトールの像をかかげて進んでくるのを見て言った。「船に乗っているのはわれわれと同じ北欧人だから、これはきびしい戦いになると思っていいぞ。しかし、あの公がつまらぬ偶像をかかげて進んでくる限り、われわれを破るおそれはないな」

しかし、その日のうちにトールはたおれ、代りに十字架が掲げられるにいたった。オラーブ王はそれを見、戦いが彼にとって重大になってくるのを見て、言った——「神はあの公がノルウェーの国を手に入れるのを望まれるのだろうか。いまや彼が船の舳を守ることを他の者に委ねたのだから、それもそう不思議ではないな」と。

聖オラーブ王がスティックレスタッズでその最後の戦いをした時には、部下を十字架の下に集めて「進め、王の軍よ、十字架の人々、キリストの徒よ！」を合言葉にしたが、キリストはその力を逆向きに示して、彼を聖者として打ち立てることになった。そこで彼は彼に祈願する者に豊作と平和の両方を与えることのできる、ノルウェーの天上の王となった。彼はトロンハイムの霊廟《れいびょう》に納められたが、そこでは彼の遺骨に年々さまざまの奇跡が起った。

オラーブ・トリグヴェソン王の逸事

最初のうち、古い神々は南方からきた新しい神に対抗しようと試みたが、彼らはもはやひどく力ない弱いものとなっていたため、キリスト教徒をからかって、わずかな気慰みをうる以上のことは、ほとんど望むべくもなかった。しかも、このわずかの喜びさえも、しばしば聖職者の用心によってうち壊され、その努力に対してただ恥辱をうるに止まったのである。

アイスランド，サガの古写本の一枚　聖オラーブ王の場面

あるときオラーブ・トリグヴェソン王は、エグワルド岬の集会に臨んで、そこで復活祭の祝宴を開いた。一夜、片

眼の老人が館にやって来て、王とお喋りをはじめた。オラーブ王は彼の話をきくことに大きな興味を抱いたが、それは老人が昔の英雄やその事業について語ることができたからで、彼の物語の種はいつまでたっても尽きなかった。

王は話の途中できいてみた――エグワルド岬という名は何に基づくのか、と。すると老人は直ちにこの岬はエグワルド王にちなんでそう呼ばれるのだと言い、この王の物語を残らず列挙することができたのである。そして彼は言った――

「この王については、わしはまだちょっと奇妙なことを知っている。このエグワルドはすばらしい戦士だったが、一頭の牝牛を持っていて、これを神聖だとしてもっぱら犠牲の血を飲ませて強くしていたのじゃ。王はこの牛が自分に幸運をもたらすものだとして、いつでも連れて歩き、その乳を大いに健康にいいものとしていたのじゃ。このことから、あんたもきっと知っている、そしてたぶん自分でも幾度も用いたことのある格言、〈百姓と牝牛は道づれ〉が生れたのだよ。やがて王が死ぬと、彼は一つの塚に葬られ、牝牛はその傍らに葬られて、墓の上にはあんたがあそこに見るバウタ石が立てられたのじゃ」

オラーブ王は、この客と一緒にいることがいよいよ面白くなって、いくら話を聞いても、なお多く聞きたくなるのだった。王が一つの質問をして、その返事を聞くまもなく、また新しい質問をしたくなるといったふうで、彼はいつか夜がすっかりふけているのにも、少しも気がつかなかった。僧正は時どき、もう寝床におつきになる時間だと注意したが、それでも王はいつまでも座っていたのである。

それでもとうとう王は寝床についたが、彼は老人を手ばなすことができず、自分のベッドの端に腰かけさせて、なお話を続けた。僧正は寝床について、しばらく二人の会話をきいていたが、やがてきっぱりと言った。「もうおやすみになる時間ですぞ」

王は吐息をついて老人に別れをつげ、やがて眠りに落ちたが、その夜はおそろしいほどのいびきをかいたのである。

翌朝目がさめると、王はすぐに昨夜の老人のことをたずねたが、どこにも姿が見えぬという返事だった。王は僧正が着替えをしているのを見て、もはや朝の祈禱《きとう》の時かとたずねた。

「はい、朝課の時間です」と僧正は答えた。

少しして料理番がやって来て、一人の老人が彼らの許へやって来たことを告げた。老人はそこにあった肉を見ると、「こういう祝日に王の食卓にのせるには、貧弱な肉ではないか。わしが王者にふさわしい肉を調達してあげよう」と言って、二つのよく肥えた牡牛の肩肉を取出して与えた。それを料理番は、他の肉と共に焼いているのだという。

王はその老人というのが、昨夜自分を訪ねてきたのと同じ人物であることを悟った。彼は直ちに料理番に、出ていってすべての肉を焼き捨て、残りは海に投ずべきを命じた。悪魔の食べものが少しでも食卓にのってはならないと信じたからであった。

「われらを訪ねてきたのは、決して人間ではなく、オーディンの姿をかりた悪魔なのだ」

王はこういって、教会へ急いだのである。

またあるときオラーブ王は、頑固な異教徒ラウドを訪ねるために、ハロガランドもずっと北部のサルト谷に出かけた。彼はそんな極北に住んでいたのだ。

彼に近づくのは困難なことだった。というのはラウドは、その悪魔的な知恵によって、王がやって来ることを知ったからだった。そこでフィヨルドの上には、昼も夜もすさまじい嵐が吹き荒れた。オラーブ王は彼の中に神が射こんだ知恵によって、悪魔的技術で嵐に彼の屋敷の周囲を見張らせているのが、ラウド自身であることを認識することができた。しかしその瞬間に、僧正が盛装して杖をとって進み出ると、舳に座を占めて、聖水をふりまき、香を焚いて、鎮まれと命じた。と、神の力が嵐の中に一つの穴をあけたので、オラーブの船は先に進むことができ、彼の船はその航跡に続いて、王の用意してくれた筋道の上を滑らかにすべったのであった——その間にも両側では海水が霧となって流れて、右舷《うげん》にも左舷にも山ひとつ見えなかったのだが。

このようにしてオラーブ王は魔法を打ち破って進み、夜中にラウドの屋敷を囲んで、彼が手配する間もなくこれを圧倒したのである。王は寛大に申し出た——もしお前がこの信仰を受容れて受洗するなら、お前の財産を保持することは許してやろう、と。しかし、ラウドは頑固に善に移ることを拒否した。かくてオラーブ王は、彼が当然受くべき正当な死を彼に与えて、その口から毒蛇を押しこんだのであった。

ラウドが息を吹きかけると、蛇は最初は入って行こうとしなかった。彼はトロールだったので、その息には少なからぬ力があったのだ。しかし王は、蛇をルール（長いラッパ状の楽器）に入れて一端から熱させたので、蛇はトロールにとびついていって、体中ふかく食いこんだのである。

ラウドは黄金や宝石類や武器を夥《おびただ》しく持っていたが、それが今やオラーブ王の手に帰した。また王は彼の竜首船を奪って、自らそれを操縦してフィヨルドを出たのであった。

やがて王が順風をうけて岸ぞいに航海してきた時、彼はある断崖の先端に一人の男が立っているのを見かけた。男は大声をあげて呼んで、お慈悲だから自分を船に乗せて南へつれて行ってくれという。オラーブは陸地のすぐそばまで船を寄せて、男が船に飛び乗れるようにしてやった。

彼は若い岩乗づくりの男で、赤い髯を生やしていた。船に乗るが早いか、彼は人々とふざけはじめ、力くらべをしようと言いだした。そうやって取組みあっている間、彼は陽気さと面白い思いつきと当意即妙の返答であふれていたため、舳から船尾までが笑いと浮き浮きした気分で埋まった。みなが彼と相撲をとってみなくてはならなかった。そして彼がすばらしい力を持っていたので、それだけ大きな娯《たの》しみになったのである。

さて乗組員全部を試み終ると、彼は一同を見渡して言った。「君たちはどうもこんなよい船に乗組むには少し貧弱だね——こんなすばらしい王様に仕えることはさておいて。ラウドがこの竜首船をここへ操縦してきた時には、もっと別の男たちが乗っていて、わしのようなけちな野郎は何の役にも立たず、ただ他の連中を楽しませて、時たまよい忠告をするだけだった。ところが、いま君たちの間にいると、まるでわしは大した豪傑のようじゃないか」

王は男に、何か新しいことや古いことの話ができるかと聞いた。すると男は、王様のききたいと思われることなら、なんでも知らないことはないつもりだと言って、すぐさま語りだしたが、王にはあたかも時が舞踏のように過ぎてゆくように思われた。

「では、今度はなにか昔のことを話してくれ」と、オラーブ王は言った。

男はすぐさまそれに応じて言った。「では、いま船が通りすぎている国のことから話しはじめてもいいですよ。ここには昔は巨人族が住んでいました。ところが、何かの理由で連中はみな他所へ出ていってしまい、ただ二人の巨人の婆さんだけが残ったのです。すると人々がこの荒野にはいりこんで来て、土地を耕しはじめました。ところが、連中はその二人の巨人族の女のためにひどく苦しめられたんですよ――この赤髯とこの立派なハンマーの助けをうるまではね」

こういうと同時に、男は王に向ってにが笑いをすると、たちまち船の手すりを躍り越えて海中に身を投じたのであった。

オラーブ王は、あの嫌らしい悪魔が明るい日の下に姿を見せるとは、なんと大胆不敵な奴かと驚いた。そしてこのことから、キリスト教徒たる者はつねに悪魔の狡智に気をつけ、絶えず十字を切って、自分を神のものと印しづけることを学ぶがいいのだと言った。

後にオラーブ王は、これまでノルウェーに見られたいかなる船よりも大きい竜首船を作りたく思い、彼の最上の船大工と指物師《さしものし》たちを仕事にかからせた。彼らは材木や板を集めて来たり、釘《くぎ》や鋲《びょう》を鍛えたりした。ところが、いよいよ肋材《ろくざい》を組立てる時になって、仕事が行詰った――いくら探しても竜骨にするほど大きい材木が見つからなかったからだ。

ところがある日、彼らが材木や金具類の間に立って思案していた時、そこへ一人の片眼の老人がやって来て、船づくりはうまく行っているかと訊ねた。彼らは答えた――こんな大きな船の竜骨に使う木が見つからないため、思うように仕事がはかどらないのだ、と。

「あんた方はたしかにすっかり困っているようだね。だが、とにかくこっちへ来て、わしの引張ってきた小さい柱を、使いものになるかどうか、見てみないか？」と、老人は言った。

みながあなたは何という人かときくと、老人は答えた。

「わしはトロンデラーグのフォルネという者だが、王様はよく知っておられるよ。わしらはよい友達なんだからな」

そこで彼らは男について水際まで行った。するとそこには、途方もなく大きな材木を引張った小船があった。それを港の杙《くい》のところまで転がし上げてみると、ちょうど彼らに必要な材木だとわかったので、この老人を役に立つ人物だと思った。

彼らはその柱に対してどれだけ支払ったらいいかときいたが、老人は答えた――王様が必要とするものに値段を要求しようとは思わない。あんた方にそれが入要なら、ただ取ればいいのだ。自分はいつでもそれが必要になった時に、支払いを受けることができるのだから、と。そう言って彼は満足して漕ぎ戻っていった。

食事の時に大工たちはオラーブ王に、自分たちの経験したうれしい驚きについて話した。と、王はその男は何と名のったかと聞いた。そして彼がフォルネといったことを聞くと、王は言った。

「そんな男は全然知らんな。その材木を余に見せてくれ」

王は材木のまわりを回ってよく見ていたが、突然その一個所に足をかけると、言った。

「斧《おの》を持ってきて、ここを切って見よ」

そこでみながそうすると、一匹の毒蛇が幹からはい出したのである。

「そのフォルネとやらは、あの厭《いや》らしいオーディンに他ならんぞ。彼奴《きやっ》はわれわれがこぞって海の底に沈むことを願っているのだ。だが、彼奴のたくらんだ悪を、いま神の助けで善に変えてやらなくては」

こういって王は、僧正にその材木を祝福させると、安心して竜骨に用いることを命じたのであった。そこで彼らは竜骨を据えて、あの長蛇号を建造したのである。

聖オラーブ王とゲストのこと

またある時、一人の見なれぬ男が聖オラーブ王の許に来て、その親衛隊に採用されんことを乞うた。男はゲストと名のった。

その晩、王は彼を寝床に招くと、お前は何か昔の話を物語れないかときいた。すると男は、賢くもあれば話もたくみで、いまは亡き王たちとその功業について、多くの語ることを持っていた。こうして二人でしばらくの間、昔の勇士や首領について語りあってから、ゲストはきいた――もしそういうことができるとしたら、王様はこれらの王のうちの誰になりたいと思うか、と。オラーブ王は答えた――それが王であろうとそうでなかろうと、余は異教徒にはなりたくない、と。

「あなたがあなた以外の誰にもなりたくないということは、よくわかります。わたしはただ、こう申し上げたのです――昔の王様のうちでは、誰に一番似たいとお思いですか、と」

「誰にも似たくないと言ったつもりだが」と、王は答えた。「それにしても、何か言わねばならぬとしたら、余はロルフ・クラキ（六世紀頃のデンマーク王、後出）の徳を持ちたいものじゃ。ただし、キリスト教を保持したままでだぞ」

すると、ゲストはきいた――なぜあなたはロルフ・クラキに似たいと思われるのですか。あの王は、戦うたびに勝利をえたばかりか、他の者にも勝利を与えることのできた他の首領に比べたら、物の数ではないではありませんか、と。

と、王は立ち上って祈禱書をつかむと、ゲストの頭を打とうとして言った。

「貴様には一番似たくないぞ、このいやらしいオーディンめ！」

しかし、オラーブ王が祈禱書を打ちおろすより早く、ゲストは出てきたもとの場所へ沈み去ったのである。

トロールたちが、いまや彼らの昔の仇敵の神々が国外に追われたので、自分たちの条件はよくなったのだと考えたとしたら、それはひどい幻滅だった。

ホーコン公がたおれた頃、北のナムダールには物すごいトロールがいて、人々はほとんど自分の屋敷にとどまれなかった。しかし、オラーブ・トリグヴェソン王と彼の僧正は、十字架と聖なる遺物を携えて熱心に村々を回って、山や森に聖水をふりかけ、神の助けによって国土を浄《きよ》めた。トロールたちは彼らの洞穴の前に座って、憐《あわ》れっぽく嘆いた。一人のトロールは、王の部下に害を加えようとして出てきて、彼らと取組んだ。しかし、中に一人彼をひどくしめつける男がいて、彼はまるで真赤に焼けた鉄を脇腹に押しつけられたように汗を流した。またもう一人のトロールは、美しい娘の姿をし、角杯をささげて王の広間に現われたが、王が飲みものを相手の上へあびせ返したので、彼は自分の毒を頭から浴びてしまった。しかもその後で、王は角杯で相手の頭をなぐりつけて、死にいたるまで回復しないほどの傷を負わせたのであった。

これらのことを人々が知ったのは、二、三の大胆な王の戦士が山へ出かけて、巨人の洞窟の前で立聞きして、トロールたちが焚火をかこんで座って、互いに苦しみを嘆きあっているのを聞いたからであった。

それ以来、巨人やトロールは、かつてトールがそうであったにおとらぬ剛勇の敵手を、聖オラーブに持つことになる。彼はその斧を彼らの上に、トールがそのハンマーを用いたと同様の力と効果をもって用いた。こうして彼らはじきに、聖オラーブの赤い鬚を、トールのそれに劣らず怖れることを学んだのであった。

ティドランデの場合

ノルウェーでは改宗の事業は、紀元一〇〇〇年の直前に、オラーブ・トリグヴェソンによって、はじめて真剣に着手され、聖オラーブの死んだ一〇三〇年のあたりで、全土がキリスト教化された。

アイスランドでは、キリスト教は一〇〇〇年のアルシング（全島会議）の決定によって採択され、それ以後もはやキリストの代りに古い神々を礼拝する者はなくなったという意味では、異教はその年に消滅した。

しかし伝道者たちがノルウェーとアイスランドに来た当時、そこには既に、彼ら自身あるいは一族の者の西方へのバイキング行や商業の旅によって、キリストについて、またその生涯や勝利の物語について、知っている者が多くいたのである。

新旧の信仰が心の中で戦いあった時代については、ディシール（守護女神）に殺されたティドランデの物語の中に一つの報告を見出す。

ハルは白鳥湾のホーブ屋敷に住むアイスランドの首領であり、彼の長男のティドランデは、非常に嘱望《しょくぼう》された若者だった。ハルは風俗や習慣を学ばせるために彼を外国にやったが、どこへ行こうと彼は、その高貴な人柄と男らしい態度とで、人々に愛された。やがて帰国すると、人々には彼が、あらゆる点で成長したものと映った。こうして彼は一段と偉大な首領になったが、それでも彼は相変らず、それが貧しい人間だろうと富める者だろうと、万人に対して友好的で愛想がよく、どこにも自分を高く持している印は認められなかった。だから両親の家でも村の中でも、みなが彼を褒めたたえたのだった。

ハルにはトルハルという信頼できる友があった。彼はその賢明さと予見の能力とで、広く尊重されていた。トルハルはハルの息子が帰ってきた時に、ちょうどハルの許に滞在していたが、ハルはティドランデのことに話が及ぶ時に、いつでもトルハルが黙しているのを少しあやしんで、うちの息子についてあなたは別様《べつよう》に考えるのかとたずねた。

トルハルは答えた。「いや、わたしは決して他人よりもティドランデを低く評価するのではない。しかし、わたしはあんたがいつまで息子さんのことを喜んでいられるか、またわたしが息子さんへの讃辞を加えなかったとしても、あなたの悩みは十分に大きくなるんじゃないかと、その点がよくわからないのです」

その夏が過ぎてゆくと、トルハルは口をつぐんで引籠りがちになった。ハルが何を悩んでいるのかときくと、トルハルは答えた——近くやってくる秋の祝宴について、悪い予感がする。「どうもその時に、未来について何かの前兆を感じている誰かが、殺されるような気がするのです」と。

「そんな夢のことで気を病む必要はないよ。わしがいい手だてを知っているから。わしは一頭の牝牛をもっているが、そいつは他の動物よりも賢いので、わしはいつもうらない師と呼んでいるんだ。これを秋の祝宴には屠るとしよう。そうすれば、いつもの秋祭りと同じに、われわれすべての名誉と喜びになるにちがいない」とハルは言った。

しかし、トルハルは答えた。「わたしが言ったのは、自分の生命を心配してではありません。ただ、その時には何かふしぎな、意味ぶかい事件が、起る予想がするからです。しかし、それがどういう事件なのかは、まだはっきりとは摑めませんが」

ハルは不安になって、祝宴を延期した方がいいのではないかと言った。しかしトルハルは言った――延期しても無駄です、「起るべきことは起るのだから」と。

いまや大がかりな準備がされて、例年のように大勢の客が招かれた。ところがその時になると、天気がひどく悪くなったため、その第一日には、ホーブ屋敷まで来られない人が多かった。その夕皆が食卓を囲んだ時、トルハルが言った――わたしは皆さんに忠告するが、今夜はどういうことが起ろうと、家の中におとなしくしていて下さい。でないと、大きな不幸が起りかねませんから、と。ハルも言葉を添えて、彼の口から出る言葉は決して空語ではないのだから、どうかトルハルの警《いまし》めを心にとめるようにと言った。

その夜、人々が眠りに落ちてから、扉を叩く音がした。しかし、内部の者たちは、眠ったふりをしていた。すると、また扉を叩く音がし、ついで三度叩く音がした。するとティドランデがはね起きて言った――人を外に立たしておくのは恥ではないか、長いつらい旅をしてきた客人かも知れないのにと。

それから彼は剣をとって出ていったが、戸口に来てみると、外には誰もいなかった。そこで彼は外へ出て、誰か来る者があるかと、道の方をうかがった。そうやってそこに立って耳をすましていると、北の方から馬の蹄《ひづめ》の音がしてきた。そちらを向いて見ると、黒衣を着た九人の女が抜身の刀を手にして屋敷に向って乗りつけてくる。同時に南からも馬の蹄がとどろいて、白馬に跨がった九人の白衣の女が走って来た。

ティドランデは向き直ると、家にはいって自分の見たところを皆に話そうと思った。しかし、彼が戸口に近づくよりも早く、黒衣の女たちが騎《の》りつけて、白刃をふるって彼に襲いかかった。彼はよく防戦したが、女たちはあまりに強かった。トルハルは騒ぎも知らずに眠っていて、ティドランデが外へ出ていったのも気づかなかった。しばらくして目がさめると、ティドランデを呼んで、眠っているのかと聞いた。しかし返事がない。トルハルはすぐに起き上って言った。「おれたちは長く眠ったぞ、たぶん長く眠りすぎたぞ」

みなは外へ出て、息子を探すことにした。外へ出てみると、凍りつくような寒さで、明るい夜だった。戸口のすぐ前に、ティドランデは重傷をうけてたおれていた。彼は息を引取る前に、辛うじて起ったことを話すことができたのであった。

ハルはこのことをどう思うかと、友にたずねた。ティドランデには敵がなかったからである。すると、トルハルは言った。

「わたしにもわかりません。しかし、思うにこれをしたのは、あなたがた一族のフュルギエではないのか。どうもこの国には新しい信仰と習慣がやって来る気がする。そこでわたしは思うのだが、あなたがたの古いディシールたちが自分たちの時が去ったのを知って、自分たちの受けた恥辱に対する償いを取ろうとしたのです。他方の新しいディシールたちはティドランデを助けようとしたんだが、来かたが遅かったのです」

ハルは昔からの慣わしに従って、塚を築いて息子を葬った。しかし、ティドランデの死であまりに打撃を受けて、もはやホーブ（神殿の意）で暮すのに堪えられなくなり、屋敷を移した。

それからまもなく、オラーブ・トリグヴェソン王の出した神父タングブランドが、アイスランドを訪れて、偉大なキリストと彼の強大な天使たちについて説教しはじめた。そしてハルは、この新しい信仰を最初に受けいれた一人だったのである。

第二部　サガと伝説篇

みずうみ谷家の人々

始祖ケティルと息子トルステイン

アイスランドのヴァッツ谷の神殿屋敷に住む有力な一族は、北ノルウェーのロムスダールから来たものであり、ケティル・ラウムを一族の祖としていた。ケティルはその男盛りの時期には剛勇で知られていたが、息子のトルステインが力においても率直さにおいても自分に似ていないのを苦にしていた。やがてトルステインが成人した頃、ロムスダールとイエムトランドを区切る荒野に、盗賊が住みついているという噂《うわさ》が立ちはじめ、同時に、人々がそこの深い森の中へさらわれて行く――大勢で一緒に行ってさえ――ということがしばしば起ったのである。

ケティルはいまは老人だったので、自分で出かけて処置をつけることができないのを嘆いた。その間に農民たちは呟《つぶや》きだした――民が隣りの郡まで自由に行けないというのは首領の恥ではないかと。

あの日ケティルは、息子と話して言った。「昔は今とは違っていたぞ。あの頃は若い者が一日火のそばに座って、ビールで腹を冷やしているなんてことはなかったものだ。お前の年頃には、みんなもう自分がどういうことができるかを示して、富と名誉を手に入れたものだ。ところがお前は、大きくも逞《たくま》しくもない。しかもお前の勇気がお前の力よりも大きいんじゃないかと期待することは、誰にも許されまいな」

トルスティンはそれを聞くと、憤《いきどお》って外へ飛び出していった。

それから数日して、トルスティンは一人で荒野へ出かけていった。大きな森まで来ると、道からそれて一本の踏みつけられた小径がついているのを見つけたので、それをどんどん辿《たど》って行くと、まもなく一軒の家の前に出た。入っていってみると、部屋は設備がよくて、きれいなテーブルクロスをかけたテーブルも、きちんと整えられたベッドもあって、四隅には大変な財宝が袋に入れてころがされていた。彼は天井まで届くほどに積み上げられたその袋のかげに身を隠して、待ち受けた。夜遅くなって馬蹄《ばてい》の音がきこえたかと思うと、じきに一人の偉丈夫《いじょうふ》が部屋に入って来た。トルスティンは、彼が美しい金髪をしていて、それが捲毛《まきげ》をなして両肩に落ちているのを認めた。

アイスランド，トール岬の聖山

男は手を洗って食卓につき、その後では火のそばに座った。そうやって座っている間に、彼は炉にいつもよりも灰が多いのに気がついて、こんなことを呟いた――「俺が外出している間に、誰かが来て火を燃したらしいぞ」

彼は燃えさしを取って、誰か人間が来ているのではないかと、家じゅうを探しにかかった。彼がトルステインの隠れていた袋の山の方へ来ると、トルステインは煙出し穴から抜け出て、彼が品物の間を回って照らしている間は、屋根の上にあがっていた。男は三度家の中を探し回ったが、何も見つからず、ついに探すのを断念した。そこでトルステインは、もう一度屋根を滑り下りてきて、袋のうしろに隠れた。

男は壁に剣をかけてから、寝床についた。トルステインには、一目でそれがすばらしい武器だとわかった。彼は見知らぬ男が睡《ねむ》りに落ちるまで、じっと動かずにいた。一度彼が身動きしたとき、袋がぎゅっと軋《きし》んだ。見知らぬ男は目をさまして、二、三度寝返りを打ったが、やがてぐっすりと眠りこんでしまった。そこでトルステインは自由に室内を歩きまわったが、寝床からは何の物音もして来なかった。それから彼は火を燃して、寝床に近づいてみた。男は仰向《あおむ》けになってよく眠っている。彼は壁の剣をとって、男の胸に突きたてた。剣は胸をさしつらぬいて下のマットまで通った。しかし、同時に彼は二本の逞しい腕で摑《つか》まれて、寝床の上に引張り上げられたまま、身動きができなかった。男はしっかりと彼を抑えつけて、貴様はどういう奴だときいた。トルステインは名前を名のった。男は、その名前はきいたことがあるから、お前のことはわかった。しかし、俺は君の父親に何も悪いことはしていないので、こんな目にあおうとは思っていなかったと言ってから、こう言った。

「いまはお前の命は俺の手の中にある。しかし、君が俺の言う通りにするなら、命は助けてやろう。俺はヨクルといって、ゴートランドのインゲムンド伯の息子だ。君はこれからこの指輪を持って俺の母親のところへ行き、母が君と俺の父親を和解させ、父が君と俺の妹を結婚させるように俺が望んだと伝えてくれ。俺は君が幸運児だと思う。そしてもし君に息子ができたら、君はその息子に俺の名前をつけてくれなくてはいけない。そうすれば俺も幸福になれるのだ」

トルステインはその使いをはたすことを誓って、指輪を受取った。するとヨクルは剣を抜くように言った。彼がそうすると、それで伯の息子は死んだ。

トルステインは家路について、ちょうどケティルが人々と一緒に彼を探しに出かけようとしている時に、村に帰った。ケティルは息子が帰ってきたのを見て喜んで、心から彼を迎えた。しかしトルステインは答えた――あんな別れ方をした後では、自分が帰って来ようとはしなくなろうと、父上はそんなことを多く気にかけまいと思った、と。しかし、二、三の手荒な言葉をかわした後では、二人はじきによき友となった。トルステインは奪ってきた財宝をすべて取出して、村人たちに言った――君たちの品物があったら取り給えと。そして残りは父にやった。こうして皆は、いまや森をぬけて旅することが安全になったのを知ったのであった。

それからしばらくすると、トルステインはゴートランドに出かけて、伯の夫人に、彼女の息子が死んだことを、直々に告げたのである。

夫人はたずねた——なぜそんな悪い知らせをはるばると告げに来たのか、と。トルステインは、それは彼自身が殺したからで、またそのことを報告することを約束したからだと答えて、一部始終を物語り、ヨクルの挨拶を伝えて、その指輪を出して見せた。夫人は顔を真赤にして言った。「あなたは不敵な男だ、それにしても息子のために殿様と話さなくては」

それから彼女は夫のところへ出かけて、つらい知らせがありますと言った。「お前が告げようとしているのは、きっと息子の死なのだな」と、伯は言った。夫人はそうだと答えた。

「彼奴《きやつ》の死はきっと病気ではあるまいな」と、伯は言った。

「そうなのです」と、夫人は答えた。「あの子は殺されたのですが、臨終の時に高貴な気持を見せて、自分の殺害者の命を助けてやり、わたしたちへの挨拶を托してこちらへ寄越し、わたしたちがその男と和解して、妹と彼を結婚させるように頼んで来たのです。そうすることがわたしたちの失ったものに対する一番いい代償だと考えて」

こう言って彼女はヨクルの指輪を取出すと、それを伯に見せた。伯は深い息をついて言った。「お前はえらいことを言うな、わしに息子を殺した男に友情の贈物をさせよというのか？」

しかし、夫人は答えた。「ヨクルは大変な高貴さを見せました。あの子の最後の願いを拒絶して、あの子よりも狭量な人間になるのは、わたしたちにふさわないことではありませんか。ヨクルは考えたのです――あなたは年をとっていられるので、老年になったら支えがいる、そしてこの男には能力と幸運があると。あの子は見あやまりませんでした、トルスティンは息子との約束を守って、自分の命を危険にさらしているのですからね。すすんでわたしたちの手の中にとびこんで来た人間に仇討《あだう》ちをしたら、永遠に恥になりますよ」

伯はその男に逢いたいと言った。そこで彼の怒りがいくらか鎮まってから、妃《きさき》はトルスティンを連れていった。トルスティンは、伯の前に進み出て言った。「わたしは進んであなたの権力に身を委《ゆだ》ねます。進んで身を委ねた者を殺すのは、貴人の慣《なら》わしではありません。わたしの用向きは御存知と思います」

伯は男をじっと見つめて言った。「お前の言う通りじゃ。わしはお前の申し出を受けよう、お前はわしの息子の代りになるのじゃ。お前の中にはたしかに幸運と力があると見える」

トルスティンはこうして伯の許《もと》に留まって、あらゆる彼の賢明さと優雅な動作を身につけた。それからまもなく伯の娘トルディスに求婚したが、これが彼の一族の名誉と幸福になるものと見た伯は、彼の願いを快く承諾した。それからしばらくして重病の床についたインゲムンド伯は、トルスティンに頼んだ――わしの名前を君の息子の中に残してくれと。トルスティンはそれを約束した。

伯の死後トルスティンは、自分の故郷と親族の許に帰った。やがて一人の息子ができた。その子が父の膝の上につれて来られると、彼は言った。「この子には母の父の名をとってインゲムンドと名づけよう。この名前にはきっと幸運がついてくると思うから」と。

インゲムンド少年は大きくなると、真正の首領に似通ってきた。怖《おそ》れ知らずで戦いを好み、武器の扱いが大胆で巧みで、友情にあつく、名誉心が強くて敵に対しては果敢だが、他人とつき合っては気やすく、態度はつねに誠実だった。彼は二人の義兄弟グリムとフロームンドと共に、夏にはいつもバイキングに出かけ、冬には父の館で大きな尊敬を受けて客となっていた。

インゲムンド、セームンドと義兄弟となる

ある夏、義兄弟たちがバルト海でのバイキング行から帰ってくると、スウェーデンの多島海（ストックホルムへの入口の峡湾）から出てくる一艘《そう》のバイキング船に出あった。インゲムンドは直ちにその船に向って漕ぎよせさせた。こうして終日戦ったが、いずれの側に勝利が帰するとも判明しなかった。夜が迫って互いに退いた時、その見知らぬ船の上に堂々たる偉丈夫が立ち上って、われわれが相手にして戦ったのは誰であるかと訊《たず》ねて言った。「ひとつお互いに話し合おうではないか。というのは、最近これほどふさわしい相手にぶつかったことはないからな」と。

インゲムンドが自分と義兄弟の名を名のると、相手の船からは返事が来た。「わしはソグンの出のセームンドという者だ。君の名前は前から知っているが、耳にはいるのはよい噂ばかりだった。われわれは同国人なのだから、お互いに仲間を射殺しあう代りに、一緒になっ

たほうがいいのではないか。こうやって一日戦った後でのことだから、わしが平和と協同を申し出ても、誰もわしを卑しめはすまいと思う」

インゲムンドは、君の申し出は誰しもがむしろ君の名誉とするだろうと答えて、自分の友情を代償にさし出そうと言った。こうして彼らは共々に故郷に向ったが、別れる前には、来春はまた逢って一緒にバイキングに行くことを約したのであった。

彼らはその約束を守って、三年続けて西の海を劫掠《ごうりゃく》して回った。そのときハラルド美髪王が東部ノルウェーを支配下において、西部の首領たちを粉砕すべく、イェダールの周辺に夥《おびただ》しい船を集めていた。義兄弟たちは三年目の秋にノルウェーに帰ってきた時、ハラルド王と、アグデの大キョトヴェ王を中心に集まった小王たちの間に、ハフルスフィヨルドで決戦が行われようとしているのを聞いた。しかしインゲムンドとセームンドは、どちらに加担すべきかを決定しかねた。というのはインゲムンドは、ハラルドのように偉大な勝運に恵まれた王に助力するのが幸運をもたらすという意見だったのに対して、セームンドはこの戦いで生命と財産をハラルドに賭けるのを望まなかったからである。そこで、彼らは別れた。

セームンドは家に帰ったが、インゲムンドはハフルスフィヨルドに行って、船をハラルド王の船の傍らにつけた。王はロムスダールの首領を喜んで迎えて、自軍の中に場所を与えた。こうしてインゲムンドはハフルスフィヨルドの戦いに参加、戦勝の後にハラルドは彼の助力を感謝して、永久の友情を彼に約束し、勝利の記念に彼に小さい銀の首飾りを与えた。これはキョトヴェ王から戦利品として奪ったもので、フレイ神の像を刻んであったために、つねに高価な飾りとして讃えられてきた品であった。

インゲムンド、アイスランドに渡る

当時ノルウェーの豪族の中には、この唯一の支配者となったハラルドに膝を屈するのを好まないで、むしろ一族のすべてと携えられる限りの財産を携え、アイスランドに移住する者が多かったのである。新しく発見されたこの島へ移った者の中に、あのセームンドもいた。そして彼とインゲムンドは、こうなってもまだ古い友情を維持していたのであった。

あるときインゲムンドは、グリムとフロームンドの父で自分の養父であるイングヤルドの許へ、客として招かれた。祝宴には一人のラップ人の女も来ていて、人々に運命判断をして上げようと申し出た。多くの者が彼女の許へ行って、自分の将来を教えてもらったが、インゲムンドと彼の義兄弟たちは自分の席に安らかに座ったまま、彼女にはかかわりあわなかった。と、突然に女が言った。

「どうしてそこにいる若い人たちは、わたしのところに来て、未来を占ってもらわないのですか？　あなたたちには、わたしは一番言いたいことがあるはずですよ」

インゲムンドが嘲笑《ちょうしょう》的に答えると、女は怒って言った。「そんならわたしは自分で言うが、お前さんはアイスランドに行って、尊敬される有力な一族の祖になるだろうよ」

インゲムンドはあざ笑って、自分が一族のよい土地を売って、大海の中の荒れはてた島に移るなどは、とんでもないことだと言った。しかし、女は自説に固執して、彼に言った。

「わたしの言葉が正しい証拠は、お前さんがハフルスフィヨルドの戦いのあとでハラルド王からもらったあの小さいフレイの像が、お前さんの財布から姿を消していることだよ。そしてあんたはアイスランドで、お前の屋敷の土を掘っている時に、わたしの言葉を思いだすのさ」

彼女は同様な運命を、グリムとフロームンドにも予言した。インゲムンドは腹を立てた。しかし、彼があの小さいフレイ神の像を探してみると、それは消えうせていたのである。

春になって、インゲムンドは義兄弟にたずねた、例年のようにバイキングに出かけないかと。しかし、グリムは答えた、運命に抵抗するのは無駄だから、自分はアイスランドに行こうと思う。自分はまた聞いている——あの島はよいところで、そこでは各人が首領として、上に王様をいただくことなく、自由気ままに自分の屋敷で暮していると。こうしてグリムと彼の兄弟は、アイスランドに行って土地を取得したのだが、インゲムンドは郷里に残って、トルステインの死後は一族の屋敷を継いだのであった。彼は富と名声をえて、メレ伯〈寡黙の〉トリールの娘ヴィグディスと結婚した。

ヴィグディスは男の子を生んだ。父親はその子が賢そうな穏やかな眼をしているのを見ると、自分の父の名をとってトルステインと名づけて、この祖父の幸福にあやかることを望んだ。やがてもう一人息子ができたが、その子は鋭い眼をしていた。その子が膝の上に置かれると、インゲムンドは言った。「この子は鋭い眼をしている。従順な人間にはとてもなるまいが、おれの見るところが正しいとすれば、友人や身内に対しては親切で忠実な人間になるだろう。この子はわれわれの身内を記念して、ヨクルと名づけよう、そうすることがわしの父親の希望だったから」と。

上の子は成人すると堂々たる偉丈夫になり、賢くて落着いていて誠実で、言葉も行為もつねに考え深かった。ヨクルの方は一個の戦士になった。寡黙でつきあいにくいが、怖れ知らずの信頼できる男だった。インゲムンドには後にまだ幾人か息子ができた。一人は母の父の名をとってトリールといい、もう一人はヘグニといった。

インゲムンドは、魔法の女の予言を、どうしても心から追払うことができなかった。とうとう彼は三人のラップ人を雇って、失われた小さい銀のフレイ像を探させることにした。彼らは自分たちだけで小舎《こや》にとじこもって、三昼夜の間は決して自分たちの邪魔をしても呼びかけてもいけないと言った。その期間が過ぎると、インゲムンドは小舎に入っていった。彼らは目をさますと、深い吐息をついて言った。自分たちは苦しい旅をして来た。彼らはある国のある場所へ行ったが、そこには三つのフィヨルドが南西へ入りこんでいて、陸上には大きな湖があった。それから深い谷間に入って行くと、荒涼とした尾根の下に一つの小さい湖があった。フレイ神の像はその尾根の中にあるのだが、彼らがそれを取ろうとすると、きまって像は滑り去って行方が知れなくなり、しかもその上にはいつも霧がかかっているため、彼らもはっきりした事態はつかめなかった。そして彼らは言うのであった――もしインゲムンドがそれを手に入れようというのなら、自分で旅に出てそれを見つけなくては、と。

インゲムンドは大がかりな祝宴を催して、すべての友人たちを招待すると、その席で客たちに、自分はアイスランドに旅するつもりだと打ちあけた。そして、彼はさらに付け加えた――これは自分が変化にあこがれるためではなく、このようにするのが自分に定められた運命であって、ほかに仕様はないのだと。百姓たちは、インゲムンドのようなえらい人間でよき首領である人が国を去るのをいたく嘆いた。そして彼を自分たちの指導者と見ることになれていた多くの人々は、新しい国まで彼について行く準備をした。移住者の中には親戚の大部分の者も加わったが、その中には彼の岳父のメレ伯の一子ヨールンドもいた。

やがて島に上陸したインゲムンドは、義兄弟のグリムに快く迎えられた。二人が逢った時、グリムは言った。「おれの思った通りになったな」インゲムンドは答えた。「君のいう通りだった。運命が定めたことは避けようがない」

最初の冬はインゲムンドはグリムの許で過したが、春になると彼は土地探しに出かけた。みずうみ谷を溯《さかのぼ》って行くと、ラップ人たちが言ったような土地があり、そこにはよい草生地も立派な森もあった。彼はみずうみ谷の大部分を取りこんで、小さな笑いさざめいている湖畔に神殿《ホーフ》をもった屋敷を建てた。そして彼が高座柱を立てる穴を掘ると、土の中に例のフレイ像が見つかったのである。

同伴者たちには、彼は自分の屋敷の周囲の土地を与えた。すべては期待以上にうまくいって、まもなく彼の土地には大きな家畜の群れが見られるようになり、彼はこの新しい故郷を喜びとした。数年たった後、彼は立派な屋敷を建てるための太い材木を求めて、ノルウェーに渡航した。ハラルド王は彼を友人として迎えて、王自身の所有する森の材木を提供すると言い、材木を伐《き》り出すことも、それを船まで運ぶことも、共に引受けたのであった。別れにあたっては、王は彼にスティガンデ、つまり疾走者という名の一艘の船を贈った。これはすばらしい船で、風に逆らっても進むことができたし、また航海にあたってはつねに幸運をもたらしたのである。

インゲムンドは家に帰ると堂々たる屋敷を建てたが、それはホーブ（神殿）と呼ばれた。屋敷に神殿があったからだ。その周囲には大きな村が成長した。そしてインゲムンドは地方一帯の首領をもって任じ、民会の主宰者となった。

ある夏、ラブンというノルウェー商人の船が、そこのフィヨルドに入港した。商人の船が来た場合は、農民たちはまずインゲムンドに船を訪れて望みの品を択《えら》ばせるというのが、当時の一般の習慣だった。そこでいま船が入港したと聞くと、インゲムンドは浜まで馬を走らせて、船長を自宅に客として招いた。ラブンは自意識の強い男で、他人に対してはつっけんどんであり、いくらか自分の存在を鼻にかけて、服装や武器を自慢にした。そしてインゲムンドはどうやら、大変いい客を迎えたものと考えたようだ。

このノルウェー人は大変いい剣を持っていて、それからインゲムンドは眼をそらすことができなかった。ある日彼はラブンにきいた――その剣を自分に売ってくれないかと。しかしノルウェー人はそっけなく答えた。おれは自分の武器を売るほど貧乏ではないし、また時どきは鋭い剣を必要とする種類の人間なのだ。それにインゲムンドは、客をもてなすにはもう少し言葉をつつしむべきではないか、と。インゲムンドは、彼が主人に対して用いた嘲笑的な口調に心を傷つけられた。

さてある日、彼は神殿に赴く時に、客人が自分について来るように配慮した。ラブンは好んで自分のした多くの旅や経験のことを語ったが、インゲムンドは彼をそそのかして、どこまでも自分についてくるようにした。そこで彼は話に熱中したあまり、至聖所の敷居をまたいだのにも気がつかなかった。とたんにインゲムンドは彼の方に振向いて言った。「至聖所に武器を帯びたまま入るとはとんでもないことだ。それは君には高くつきますぞ」

ノルウェー人は自分が犯した罪を償うにはどうしたらいいかと、インゲムンドの助言を乞《こ》うた。インゲムンドは答えた――それには神々にすばらしい贈物をして宥《ゆる》しを乞うのが一番だ。そのためには君の剣をささげるのが最も適している、と。ラブンは酸っぱい林檎《りんご》を嚙《か》んだように、剣をさし出さなければならなかった。それからまもなく彼は船出をしたが、インゲムンドの歓待に感謝することはできなかったのである。その剣はみずうみ谷の一族にエッテタンゲと呼ばれて、非常な価値をおかれたのであった。

フロルレイフのインゲムンド殺し

それから少しして、フロルレイフという男が、その母親のリョットと共に、アイスランドに旅してきた。彼はインゲムンドの義兄弟セームンドの兄弟の子だったから、さっそく親戚のところへやって来て助力を求めた。セームンドは彼の訪問を喜ばないで言った。「わしは君と親戚であることを拒みはしないが、君が母親よりも高貴な父親をもっていて、しかも君自身は母方に属しているんじゃないかと、それが心配なのだ」と。

フロルレイフは短く答えた、そんな悪い予感を心配なさることはありませんと。そして彼はその冬をセームンドの屋敷で送ることを許されたのであった。

彼は悪意にみちた喧嘩《けんか》ずきの男で、セームンドの家族とうまく行かなくなった——とりわけ息子のゲイルムンドと。

春になると、セームンドは彼に土地と家を与えたが、周囲の農民たちはすべてセームンドがあてがったこの隣人に対して、好感をもたなかった。セームンドはまじめにフロルレイフと話して、どうか他人を侵害することは止めてくれと頼んだが、フロルレイフは答えた——俺は顔をふみつけられても黙っているような乞食ではない。それにセームンドが、身内の者を擁護するどころか、こんなささいなことで騒ぎ立てるのはけちくさいではないか、と。

ある日フロルレイフは、ウニという善良で裕福な百姓の屋敷へやって来て、俺は君の娘と結婚するつもりだと言った。「こんな片隅に住んでいては、ひとりで娯《たの》しむしかないからな。それにしても、少しはつきあいがなくてはいけない。そこで俺たちが親戚関係になったら、お互いにちっとはよくなるだろうよ」

ウニは答えた——自分の娘は、フロルレイフのような性質の男には善《よ》すぎる。それにあの子はいま、最初に申込んだ者とすぐさま結婚する必要はないのだ、と。

「そんならあの娘を俺の情婦にするしかないな。それでまたあの娘には十分というものさ」と、フロルレイフは言った。そしてそれ以後、彼は絶えず屋敷を訪れはじめたのである。

ある日ウニは息子のオッドと話して、お前はフロルレイフの訪問を気にしなさすぎるぞと言った。しかしオッドは答えた。あの非道の男を片づけるのは困難だ。なにしろあいつの母親は魔法にたけていて、刃のたたないかたびらを息子に与えているからと。それからまもなくオッドは、屋敷と屋敷の中間の山地でフロルレイフに出あったので、相手に言った——君はいつも同じ道を通るが、そういうことは不要だと思うと。するとフロルレイフは答えた。「おれは九歳になった時から、自分の歩きたいように歩いているのだ。だから、おれがこの習慣をかえるということはあるまいな。お前が道のあたりをぶらついているからって、おれは回り路をする気はないよ」

彼は家に帰ると、母親に言った、百姓の息子が生意気になって邪魔立てするので、農奴の一人を仕事からさいて一緒につれて行くために来た、と。母親は言った、農奴にできる仕事としては、周りの百姓どもに敬意を持たせることを教えてやるほどいいことはないんだから、ぜひそうするがいい。それから、わたしがこしらえてやったかたびらを着ていって、あれがどういう役に立つか、見てごらんと。

オッドはセームンドの所へいって、彼が自分の喉元《のどもと》に置いた隣人について訴えた。この男が地方の人々にどれだけ不安と侮辱を与えたか、しかし彼がセームンドの身内であるために、自分はどうしてよいかわからないと。セームンドは答えた——そういう苦情をきくのは初めてではない。ああいう種類の男は、手早く片づけてしまう必要があると。オッドは言った、「あんたの身内だと名のることができる人間を、真剣に殺そうというまでには、まだほかに知らなくてはならんことがある。われわれが事態をこれまで放任しておいたのは、ただあんたの思惑を考えてだよ」
セームンドがそれに対しては何も言わなかったので、オッドは家に帰った。ある夕、フロルレイフが例の道をやってくると、オッドは二、三の下男をつれて彼を待ち伏せたが、結局それは戦いになった。オッドは相手を討ちはたすことができなかった、フロルレイフのかたびらには刃が立たなかったからだ。それで最後はフロルレイフに斬《き》り殺された。彼がこの知らせをもって家に帰ると、リョットは言った――悪口を言って歩いた百姓の伜《せがれ》どもには、いい見せしめだと。フロルレイフは答えた――おれはオッドに言ってやったんだ、貴様はその野卑な言葉を悔いるようになるぞと。いまそれがその通りになったのだ、と。
いまや農民たちは辛抱をきらした。彼らはセームンドの所へ行って、この事件を引受けることは君の義務だと言い立てた。セームンドはそれに逆らうことができなくて、自分の財布からオッド殺害の賠償金を払った後に、フロルレイフを自分の屋敷に引取った。(補注　フロルレイフはスカガフィヨルド地区から追放になり、屋敷はウニの所有に帰す)
それから彼はインゲムンドの許に行って、事情を話して助力を求めた――誰とも折合えない身内があって困っているが、あなたが彼を引取ってくれないか、と。インゲムンドはこの依頼をうけて大いに考えこんだ。息子たちがそう寛容ではなかったからだ。しかし、友情のために否とは言いたくなかった。セームンドは彼を慰めて言った――君は賢くてまた幸運な人だから、他の人にとってよりもすべてはずっと容易だろうと。

フロルレイフは神殿屋敷に来てからも、態度を改めなかった。彼が息子たちを何につけてもいらだたせるため、インゲムンドはこの男を屋敷に引取ったことを悔いた。しかし、一度身柄を引受けた人間を見捨てたくはなかった。そこで彼は、神殿屋敷から少しはなれた場所に、小さい屋敷を建てて与えたのである。

みずうみ谷の川には、鮭《さけ》が多かった。フロルレイフは、インゲムンドの息子たちが魚をとっていない時には、川に網をはることを許された。しかし、彼はそんな約束には顧慮しなかった。さてある時、インゲムンドの下男たちが魚を取りに来ると、フロルレイフが魚を取っていたので、自分たちの網をはるのだからどいてくれと、フロルレイフに頼んだ。しかし相手は、奴隷のいうことなどはきかぬと答えた。下男たちは彼に言った――みずうみ谷家の者に対しては、他の連中に対するのと同じやり方では通らないぞと。しかし相手は、奴隷どもさっさと立去れ、人並みの口をきくなといって、石を投げて彼らを追いはらった。

彼らが家へ帰ってそのことを知らせると、ヨクルは言った。「フロルレイフは、みずうみ谷の首領をさえばかにするんだな。では、彼奴に教えてやるぞ、ここに住んでるのは、彼奴がいままで扱いつけていたような人間とは、ちがった種類の人間だということを」

トルステインも、これでは限度を越えていると思ったが、この件は慎重に扱わなくてはと言った。

「ではおれが、あいつを川から追い出せないかどうか、やってみよう」こういってヨクルは、飛び出していった。

インゲムンドは言った。「トルステイン、お前も弟と一緒に行け。お前は一番考え深いからな」

トルステインは「はい」と言ったが、つけ加えた――ぼくにはどうやったらヨクルの舵《かじ》をとれるか、わからない。「それにぼくだって、弟がフロルレイフと取組みあうとなったら、じっと座ってはいませんよ」

インゲムンドの息子たちが川へ来てみると、フロルレイフが川に入って魚を取っていた。ヨクルが声をかけた。「このトロール野郎め、川から上れ。でなけりゃ俺たちが相手になるぞ！」

フロルレイフは答えた――君たちがそんなに遠くに立ってへらず口を叩いていたんじゃ、こっちは平気だ。ヨクルはどなった。「お前が俺たちが魚を取るのを一人で邪魔しようというのは、お前のおふくろの魔法をあてにしているんだな、この糞《くそ》野郎め！　だが、あいつが三倍もすごいトロール婆《ばばあ》だろうと、お前を川から上らしてやるぞ」

「フロルレイフ、あんまり思いあがるなよ、俺たちを相手にしては、どっちみち対等にはいかないんだから。間にあううちによさないと、取返しのつかないことになるぜ」と、トルステインも言った。

「あの悪魔をたたき殺しちまえ！」こう叫んでヨクルは、川を渡りはじめた。フロルレイフは岸に上って、インゲムンドの息子たちに石を投げはじめた。こちらも石を投げ返しだした。

その間に下男の一人が屋敷へ走り戻って、川端で戦いがはじまりそうだと知らせた。即座にインゲムンドは馬に鞍《くら》をおかせると、一人の少年に、自分を魚取り場へつれて行くように命じた――というのは、彼は老年でほとんど目が見えなかったからである。

父親がやって来るのを見ると、トルステインは言った。「あそこに父さんが来るぞ。あの人が好まないことは止めようぜ」兄弟たちはトルステインの言うことを聞いて、インゲムンドが土手を下りてくる間に、川から遠ざかった。そこでインゲムンドは少年に馬をとめさせて、向う岸にいるフロルレイフに呼びかけた。「川からはなれて、おとなしくしていろ！」

しかしフロルレイフは彼を見ると、投槍《なげやり》を彼に向って投げた。槍は彼の胸をつらぬいた。インゲムンドは槍が命中したのを知ると、馬を返して堤を登り、自分を家へつれ帰るように少年に言った。屋敷に帰って馬を下りる時になると、彼は言った。「おれたち老人というものは、からだがこわばって、脚がふらつくものだな」

そこで下男が彼を馬から助けおろそうとすると、傷口がひゅうひゅう音をたてているのが聞えた。見ると、主人の胸に槍の穂が刺さっていた。インゲムンドは下男に言った。「わしの言う通りにしてくれ、二度とお前に物を頼むことはないだろうからな。川にいるフロルレイフの所へ走っていって、夜が明けないうちにどこかへ立ち去るように言ってくれ。わしは一度あの男を引受けたんだから、まだ物が言えるうちは、奴をかばわなくてはならん――あとでどういうことになろうともな」

それから彼は槍の柄《え》を折ると、下男に助けられて高座まで行った。彼が最後に言ったのは、息子たちが帰るまで灯をつけてはならぬということだった。下男はフロルレイフの所へ行って言った。「恩知らずの犬め、貴様はおれたちの主人を殺したな。それなのにあの人はおれを使いによこして、息子たちに気をつけて、明日にならぬうちに退散するよう、お前に伝えさせたのだ。だから俺はいまその通りに言ったのだが、おれ自身はいっそ貴様があの人たちの斧《おの》にかかればいいと思ってるんだぞ」

フロルレイフは言った——お前がその伝言を伝えに来たのでないとしたら、その言葉で命を失うところなんだぞ、と。

インゲムンドの息子たちは、川から引上げながらフロルレイフを罵《のの》って、あいつは大悪党だと言った。やがて戸口まで来ると、トルステインは言った。「おれはまだ一番悪いことが待ってるんじゃないかと怖れるよ」敷居を越えて一歩部屋に踏みこんだとたんに、彼は足を滑らせた。「どうして床が濡れてるんです、お母さん？」

「お前たちの父さんの服から何かが流れ出したんだろう」と、彼女は答えた。

「これは血らしいな、いそいで灯をつけろ！」と、トルステインは叫んだ。灯がついてみると、インゲムンドは高座について死んでいた。

「おれたちの父のような人間が、フロルレイフごとき人間の屑《くず》に殺されなくてはならなかったとは、考えるだに気色の悪いことだぞ」とヨクルは叫ぶと、すぐさま相手を討ちに出かけようとした。トルステインは父の伴をした下男を探させたが、その姿がどこにも見えないと、何が起ったかを直ちに予感して言った。「きっとフロルレイフは、もう家にいまい。こうなっては、事をせくよりも、ゆっくりと構えて賢く事を運ぶのが肝心だ。われわれには一つの慰めがある——われわれの父は、フロルレイフが自分の金で償いをするには大きすぎることだ」

古代北欧の首領の広間　中央に炉，右にあるのが首領の座る高座で，その前に立つ柱にはトール神などの像が刻まれている

ヨクルは激昂《げっこう》していて、彼をなだめるのは誰にも困難なほどだった。その瞬間に下男が部屋に入って来て、自分がどういう使いで行って来たかを話した。ヨクルは躍り上って叫んだ。「そんな使いは、しなくともよかったのだぞ」しかし、トルステインは言った。「その男はそっとしとけ。彼はわれわれの父が望んだことをしただけのことだ。咎《とが》めるにはおよばん」

息子たちはインゲムンドを、スティガンデのボートの一艘にのせて、首領にふさわしく、栄誉をもって葬った。彼の死後、その復《ふく》讐《しゅう》がすまない間は、彼の高座はそのまま残された。息子たちは滅多に遊びに出ず、会合にも出席しなかった。そして会合に出た時も、彼らは決してみずうみ谷の首領が占めることを常とした席に座ることはなかったのである。

仇討ち

インゲムンド殺しのあと、フロルレイフはまず家に帰って、何が起ったかをリョットに話した。と、母親は言った。「インゲムンドはもう老人だ。そしてわれわれはすべて、いつかは死ななくてはならないのだ。だが、人の気持がひどく興奮している間は、お前はどこかへ行って隠れているのが一番いい。そうしたら、わたしの魔法とトルステインの知恵と幸運と、どちらが役に立つか、わかるというものさ」

フロルレイフはセームンドの屋敷に行って、ゲイルムンドに迎えられた。セームンドはもはや生きていなかったからである。そこで彼は、インゲムンドが死んだことを話した。ゲイルムンドは言った。「あの人は立派な人物だった。どういう死にかたをしたかな?」「あの人に槍を投げた男がいるんだ」とフロルレイフは答えて、誰が槍を投げたかを隠さなかった。するとゲイルムンドは怒鳴《どな》って言った。「お前のような悪党は見たことがない。俺の屋敷には二度と顔を出すな」

フロルレイフは答えた。「俺はここを出て行かないよ。だから奴らはあんたの所有地の上で俺を殺せるわけだ。あんたの屋敷内で身内の者が殺されたら、あんたの恥になるぜ。それに、考えてごらんよ、俺の父が死んだのは、あんたの父親とインゲムンドのせいだからね——父はあの人たちとバイキングに出て死んだのだからな」

ゲイルムンドは答えた。「すばしっこい奴は、戦いがあると、その日のうちに来るというが、それにふしぎはないな。だが、インゲムンドの息子たちが来たら、俺はお前をあの男たちに渡すぞ」

「あんたにそれ以上のことは期待しないよ」と、フロルレイフは言った。それから彼は屋敷に腰を落ちつけて、身を隠していた。

インゲムンドの息子たちは、その冬はじっとしていた。みなは高座と向いあった低いベンチの自分たちの席に座り続けていて、決して笑わなかった。春近くなったある日、トルステインは言った。「われわれはみんな考えているはずだ――いまこそ父の仇討ちをする時だと。だが、これはそうたやすいことではないぞ。おれの思うのに、兄弟の一人がその責任をもって、その代償に遺産の何を取るかを最初に択ぶ権利をもつことにしたらいいと思うのだ」

みなはこの申し出に同意して、トルステインこそ一番賢いのだから、当然自分たちを指導すべきだと言った。

それからまもなく、ある朝早くトルステインは起きると、兄弟たちに言った――これから北の方へ出かけて、何かやることがあるかどうか見ようと。兄弟はさっそく旅仕度をして、トルステインが道を択ぶままにした。彼らは一日の大半を費やしてゲイルムンドの屋敷に来て、そこで一夜を過すことにした。

朝になって、兄弟たちが将棋をやっている間に、トルステインは、二人だけでゲイルムンドと話して、単刀直入に言った——われわれはフロルレイフを探しに来たのだと。「われわれの思うに、彼は身内の家に身を寄せているに違いないのだ。ところで、彼が身を寄せるところといったら、君のほかに誰があろう。それに、あの悪党をわれわれの喉元に送りつけたのは君の父親であることを忘れないでくれ給え。だから、われわれに助力するのは君の義務なのだ」

ゲイルムンドは答えた——トルステインの言ったことはすべて真実で、また正しく賢く考えられている。しかし、フロルレイフはいまここにはいないのだ、と。

トルステインは言った。「ぼくはこの屋敷のどこかの家に、あの男がいるにちがいないと思う。しかし、あなたの家で彼奴を捕まえるつもりは少しもないんだ。あなたの苦痛に対しては、たっぷりと銀を代償にさし上げます。あなたはただあの男に言えばいいんです——わしはこれ以上お前をインゲムンドの息子たちに隠せるとは思わんとね。ぼくはあの男があんたの所有地にいる間は、どんな危害も加えられんように配慮しますよ、起ったことに対して、あなたがとやかく言われないようにね。それに、言っておきますが、われわれはどんなことをしてもあの男を捕まえますからね」

もはやゲイルムンドは、屋敷内にフロルレイフがいるのを否定しないで、トルステインの申し出に応じた。それから彼はフロルレイフのところへ行って、こう言った。「わしはこれ以上君の生命に責任を持てんから、よそに隠れ場所を探すがいい。インゲムンドの息子たちがやって来たが、わしはこんなばかげた事件であの連中と不和にはなりたくないからな」

フロルレイフは嘲笑的に答えた。「おれの思ってた通りだ。立場が苦しくなってくると、すぐにお前は勇気が挫《くじ》けてしまうのだ。お前の助けには到底感謝はできんな。荷をまとめて、さっさと出て行くだけよ」

トルステインは兄弟たちの許へ戻ってくると、悠々と腰をおろして、たっぷり暇がある様子をしていた。彼らはもう一晩ゲイルムンドの許で泊って、その翌朝家路についた。屋敷を見おろす山の上まで来ると、トルステインはそこに座って、ゲイルムンドとの交渉を残らず弟たちに話すと、雪の上についた足跡を指さして言った。「これがその証拠だよ」そこには孤独な旅人のつけた足跡がはっきりと印されていたのだ。

ヨクルは躍り上って叫んだ。「自分の父親を殺した男と、同じ家に平気で座っていられるとは、あんたはたしかに利口な人間だよ。おれがそのことを知っていたら、決してあの屋敷はあれほど静かではなかったろうよ」

「ぼくだってそのことは考えたさ」と、トルステインは言った。「だが、いまは後をつけるべき足跡がはっきりとあるのだ。さあ、足を早めて、フロルレイフとぼくらと、どっちが先に家につくか、やってみようじゃないか。彼奴はたしかにおふくろの所へ行くんだ。あの女が犠牲をささげないうちに、追いつかなくちゃならん。でないと、仇討ちはむずかしいぞ」

ヨクルは、即座に立ち上って叫んだ。「すぐに出発しよう！」そして一日彼はみなよりも一町ほども先に立って進んでは、時々しびれを切らしたように頭をうしろに向けては叫ぶのだった。「こんな歩き方ではとても追いつかないぞ。その間に仇《かたき》は手の間からすりぬけてしまうんだ。体も心もトルステインみたいに小さい男は、二人といないんじゃないか？」

しかし、トルステインは答えた。「ぼくの知恵とお前の血気と、どっちが遠くまで行くかは、いずれわかることさ」

一行は午後おそく神殿屋敷についた。トルステインは家に入る前に、牧童の一人をリョットの屋敷にやって、羊のことをたずねさせることにした。そして彼が扉の外で待っている間に、歌をうたって、扉があけられるまでにいくつ歌をうたえたか数えること、また兄弟が家に帰ってきたことは話さぬようにと言いつけた。

夜になって牧童は戻ってきたが、扉があけられるまでに歌を十二歌ったと話した。「では、お前を家に入れる前に、そこらを片づけなくてはならなかったのだ。それで、炉には火が焚《た》いてあったかな？」と、トルステインはきいた。

「火は焚きつけたばかりのようでした」と牧童は答えた。

「ほかにも何か目についたものがあったか？」と、トルステインはきいた。牧童は言った——大きな着物の包みが見えて、その中から何か赤いものがのぞいていた、と。「それはフロルレイフが隠れていたのだ、犠牲祭の衣装を着て。それではすぐに出発して、できるだけのことをやってみよう」と、トルステインは言った。

兄弟たちがリョットの屋敷に来た時には、すべてはひっそりしていて、誰も外にはいなかった。家の両側の壁ぞいには薪《まき》が積上げられていて、戸口から少し離れたところに、独立して小さい建物が建てられていた。それを見ると、すぐにトルステインは言った。「これはたしかに犠牲をささげる建物だ。部屋の中でリョットが魔法の準備をすましたら、ここへフロルレイフをつれて来るのだ。もうじきやって来るぞ。君たちは家のうしろに隠れてくれ、ぼくは戸口の上の薪の山の上に座っている。それでぼくが屋根ごしに杖《つえ》を投げたら、君らはすぐ助けに来るんだぞ」

「あんたはいつも名誉をひとりじめにしたがるんだ。しかし、今日はおれがここに座って見張っているよ」と、ヨクルは言った。

「君に反対しても仕様がない。では、君の好きにしたまえ。だが、ぼくが言ったようにするのがいいんだがな、君は不器用だから」と、トルステインは言った。

ヨクルは薪積みの上にはい上った。そして一瞬そこに座っていたと思うと、まもなく一人の男が戸口から頭を突き出して、外をうかがった。彼は誰もいないと見てとると、中庭に出てきた。その後にもう一人が続き、それがまた第三の者の手をひいていた。ヨクルはその最後の男がフロルレイフであるのを見ると、武者ぶるいして、ぐいと向き直った。とたんに載っていた薪積みが音をたてて崩れ落ちた。それでも彼は、地にころがり落ちる前に、辛《かろ》うじて自分の杖を屋根ごしに兄弟の方へ投げてやることができた。

彼はすぐさま起き上ると、フロルレイフを追いかけて走った。そして彼が姿を消す前に追いついて、地に投げたおした。しかし、フロルレイフの力は彼に劣らなかったので、相手をも一緒にころがした。二人は傾斜した庭の上を、上になり下になりして転がった。その瞬間に兄弟が家の角を回って、戸口の方へ駆けつけてきたのだ。

「あそこに化けて出てきた悪魔は、いったい何だ？」と、ヘグニが叫んだ。

「あのばばあが人おどかしをしてるんだ」と、トルステインが言った。それはまさしく、スカートを頭からかぶり、うしろざまに歩いて、両脚の間から眼を剝《む》いてこちらへ進んでくるリョットであった。

「切っちまえ、ヨクル！」と、トルステインは叫んだ。ヨクルはフロルレイフの頭を切り落して、悪魔にさらわれろと罵った。彼はその頭をリョットの顔にたたきつけた。

「やれやれ」と老婆は言った。「もう少しで息子の仇を討てたところを、インゲムンドの息子どもは運が強すぎた」

「そりゃどういうことだね？」と、トルステインがきくと、彼女は答えた——もし自分の思ったように運んだら、お前たちの目にうつる世界をひっくり返してやったんだ。そうしたらお前たちは、感覚も意識も失って野獣のように走り回ることになったのだ。お前たちが最初に自分を見つけたのでなければ、万事がうまく行っただろうに、と。

「お前の方よりも、おれたちの方に運があったわけさ。だから、こういうことになったのだ」と、トルステインは言った。そして彼らは老婆をその邪悪と魔法の只中《ただなか》で死なしたのであった。

そのあとでインゲムンドの息子たちは、約束に従って遺産を分配した。トルステインがまず神殿屋敷と周囲の土地を取った。ヘグニは商人だったからスティガンデ号を取った。トリールは民会の議長の役をとり、一族の宝刀エッテタンゲはヨクルのものとなった。彼は遊戯や祭りの会合にはそれを佩《お》びて出かけたが、民会の席には彼自身の希望で、一族の首領としてトルスティンがそれを持った。そのほかに、兄弟はそれぞれ動産の一部と、住居にする屋敷を受取った。彼らはみな長兄を一族の指導者として尊重した。そうして、いま父親の仇討ちをした後で、彼は跡つぎの祝宴を開いて、正当な後継者として父の高座についたのであった。

従兄弟モールとの争い

インゲムンドの妻の兄弟ヨールンドは、モールという息子をもっていた。彼は父の死後モール屋敷に住んでいたが、インゲムンドの息子たちとはいつも仲がよかった。ところである時、モール屋敷から一群の羊が姿を消して、誰にもわけがわからなかった。というのは、村にはいかがわしい人間は一人もいなかったからである。

するとある日、牧童がモールの許へやって来て、その羊たちをよい状態で見出したと告げた。彼らは自分たちで遠出をして、山地の林の奥の、それまで誰にも気づかれなかった持主のないよい土地で、草を食べて生きていたのだという。モールはすぐに、その土地は自分の領地に接しているのかとたずねた。牧童は答えた――厳密にいうと、それは神殿屋敷の土地に一番近いが、そこへ行くにはモールの土地を通らなくてはならないのだと。

モールはすぐさまそこへ出かけて検分したが、そこが気に入ったので、即座に自分の領地に編入した。人々はあの羊たちが姿を消してまた出て来たのは少々変だと噂して、のちには

〈革頭巾（ずきん）〉のトルグリムという男に疑いを抱いた。この男はモールをインゲムンドの息子たちより上に据えることに熱心で、その土地を彼のものだと主張させ、おまけにその新しい土地に自分の家と畑を作ったのであった。人々は前から彼を信用せず、あの男は人間が普通のやり方で知りうるよりも少し多く術を心得ている、という意見だった。

トルステインはモールがやったことを聞くと、身内の者にひどく侮辱されたと考えた。ヨクルはすぐに言った――これはトルグリムという汚ない野郎が仕組んだ芝居で、彼奴の労力に対しては返礼をしてやる必要があると。トルステインは答えた――それは簡単にはいくまいが、その男を訪ねていって挨拶をするのがよかろうと。ヨクルはいつでもその用意があると答えた。

ところがトルグリムは、いつでも何かの手だてで、そういった種類の不愉快な出来事が起るのを前もって知って、彼らが訪ねて行くと知るやいなやモールのところへ走っていって、インゲムンドの息子たちが私のところへやって来ますと告げるのだった。トルステイン兄弟が来てみると、屋敷は空っぽだった。「このトルグリムという男は、狡《ずる》がしこい奴だな。またちょうど留守にしている」と、トルステインは言った。

「そんなら、とにかくわれわれが来たことを知らしてやるために、家畜を取っていこうよ」と、ヨクルは言った。

しかしトルステインは、それを好まなかった――人間をつかまえて話をつけることができなかったため、代りに家畜を取っていった、と人々に言われるかも知れなかったからである。

彼らは家に引上げてしばらくじっとしていたが、やがてまたトルグリムに逢いに出かけた。こちらはまたモールの許へ走っていって、一緒に自分の屋敷まで来てくれと乞うた。「そうすればインゲムンドの息子たちにも、わたしが彼らに出あうのを恐れるものではないことがわかるでしょうから」と。

モールは彼の頼むままに出向いていった。そこでやってきた兄弟は、身内の者とぶつかった。トルステインはモールを責めて言った――君は身内の者を顧慮するよりも、部下に土地をやって、自分たちを踏みつけにするのか、と。モールは答えた――君たちこそ自分に平和を与えないのだ、しかし自分はいつまでも君たちに譲ってばかりいる者ではないぞ、と。ヨクルはそんなら勝負で事を決するのが一番だとしたが、トルステインは親戚同士で戦うのは好まないと言って、しかしモールが適当な処置をしないならば、悪い結果になろうぞと警告した。

それから彼らは家に帰ったが、当分の間は何事も起らなかった。それはトルグリムが家にいなかったり、或いはモールが屋敷を部下で固めていたからで、それにまたトルグリムがいろいろと秘密な術を使うことができたからであった。

ヨクルは、モールに思いのままに皮をむかれているとして、いつも兄を嘲笑した。ある日もヨクルがトルステインをけしかけると、こちらは言った。「うん、これまではモールに好きにさせて来た。しかし、今度はトルグリムを襲ってみてもいいぞ、成功するかどうかはわからんが」

そこで兄弟全員で出かけることにした。しかし、トルグリムはすぐさま何が起ろうとしているかを見ぬいて、モールの許に馳せつけると、インゲムンドの息子たちを懲《こら》しめるには今をおいては絶対にありませんと告げた。モールは部下を集めると、トルグリムの意見に従って、屋敷で待ち受ける代りに、彼らを出迎えるべく出撃した。

やがてトルステインの一行を見かけると、トルグリムは不安になって来て、モールに言った――私は戦いには馴《な》れていないから身を隠します。それにしても、戦闘員が一人ふえるよりも、隠れたままでずっと多く私は皆の役に立つはずです、と。

モールはいいとも悪いとも、一語も言わなかった。そこでトルグリムは退いて行った。

モールが夥しい伴をつれてやって来るのを見て、トルステインは言った。「今度は無駄に来たわけではないな。では、めいめい最善をつくしてくれ」

「言うにや及ぶ」とヨクルは言って、エッテタンゲを抜きはなった。こうして二隊が出あうと同時に、戦いがはじまった。

ヨクルにはわけがわからなかった――刀を打ちおろしても、響きを立てるだけで、少しも切れないのだ。「エッテタンゲよ、お前から幸運は去ったのか？」こう言って彼は刃を見つめた。

「うん、まったく今日は役に立たんな。誰かトルグリムが見える者があるか？」と、トルステインがきいた。みなが見えぬというと、彼はヨクルに、ヘグニに先頭に立つのを任して戦闘から身を引くように言った。戦いの群れからはなれると同時に、彼の目にはトルグリムの姿が映った。彼は隠れ場所から頭を出して、邪眼でこちらを睨《にら》んでいたのである。「あんなとこに畜生は隠れて、眼をぐるぐるさせてるんだな！」こう彼は叫んで、躍りかかった。トルグリムは小川の方へ走った。しかし、彼が水の中へとび込んだ瞬間に、ヨクルは追いついて後から斬りつけた。「今度はエッテタンゲが切れたぞ！」と彼は叫んだ。「これでまた切れるようになったんだ」と、トルステインは言った。ヨクルはもう一度、戦いの中にとびこんで行った。同時に幸運の向きが変って、モールと彼の仲間は苦境に落ちだした。しかし、ヨクルが退いていた間に、兄弟のヘグニはたおれたのであった。

その間に付近の百姓たちが事態を知って駆けつけて来て、戦っている者たちを引き分けた。駆けつけた者の中に、インゲムンドの息子たちの身内のカルンス川のトルグリムがいた。彼はたくみに説いて、モールに彼の親戚と和議を結ばせた——損害を与えられた者としてトルステインが自分で裁きを下すという条件で。

トルステインは喜んで和解に応じたが、裁きは保留して、正式の会合の席で宣言することにした。こうして次の民会で人々が集まった時に、彼は武装した伴を従えて出席して、一族や友人の環の中でその決定を告げたのであった。彼の決定は次のようだった——戦いでモールが蒙《こうむ》った損失はすべて、ヘグニの死と差引とすること、さらにヘグニを殺した者は地区を去ること、モールは争いのもとになった土地を自分のものとしてよいが、代償として兄弟に銀百マルクを払うべきこと。これをもって両派は互いに手を拍《う》ちあって、それぞれ平和に家に引上げたのである。

盗賊団の討伐

地区に〈地獄肌〉（青黒い死人のような顔色をしている者をいう）と仇名《あだな》されたトロルフという男が住んでいた。彼は悪い噂をもっていたが、それは彼が家畜を盗んだり、ふしぎな術を使うと思われていたからだ。百姓たちは彼に対する苦情をトルステインのところへ持ちこむのがつねだったので、彼はトロルフを訪ねていって、相手に知らした――お前は地区を去るか、生活を改めろと。トロルフはふくれ面をして答えた、神殿屋敷の旦那はたしかにわしがここに住み続けるか、ここを立去るかを決めることができるけれど、わしの習慣はこれには関係がないのだ、と。そのあと彼は少し遠くへ行って、フレドムンド川のそばに堅固な隠れ家をつくり、一団の浮浪人を身の周りに集めて、掠奪《りゃくだつ》と魔法をやりはじめた。

百姓たちはまたトルステインの許へやって来て、あなたの名声はじっと座って泥棒どもが村を荒し回るのを見てはいられないだろうと言った。その点では百姓たちが正しいと、彼は認めた、そこで彼は兄弟のヨクルとトリールに使いを出して、トロルフと一味の者たちに対して何が出来るかを見るために、一緒に行ってくれと求めた。弟たちは即座に用意をした。こうして三人は下男の群れをひきいてフレドムンド川へ出かけた。トロルフの建物が見えるところまで近づくと、彼らは見出した――相手が逃げこみ場所を非常な慎重さで断崖の割れ目に択んで、しかも入口を防塞《ぼうさい》で固めているのを。トルステインはこの要塞をつらつらと眺めて、この隠れ穴にトロルフを追いこむのは容易でないぞと言った。

「それはそうだが、おれには手だてがある。君たちは奴らに矢を射て、注意をそちらに向けさせていてくれ。その間におれは川を渡って、連中のうしろに出るから」と、ヨクルは言った。

トルステインはそれは危険な計画だと思ったが、ヨクルの望むがままにさせた。トロルフは神殿屋敷の人々が攻めよせてくるのを見ると、手下の者たちに一団になるように命じて言った。「あの兄弟には強い守護神《フュルギエ》がついている。窮地に落ちたら、岩の間の穴に逃げこむんだぞ」

トルステインの部下たちが投槍や石を防塞ごしに投げこんでいる間に、ヨクルは城塞の上手の門を越えて、斧の助けをかりて胸壁をよじ登った。こうして上まで来ると、彼はトロルフを探しにかかったが、最初はどこにもその姿を見かけなかった。そのうちに彼はこっそりと、いつでもそこに座って魔法を使っている窪《くぼ》みに出てきたが、ヨクルの姿を見ると、一目散に城塞から逃げ出した。ヨクルはすぐさま追いかけて、上手の沼のところで追いついた。トロルフは到底逃れられないと見てとると、そこに座りこんで泣いた。

「この屑め！」とヨクルは怒鳴った。「貴様は大した悪党のくせに、一度として胸に勇気というものを持ったことがないんだな」同時に彼は相手を斬りたおした。

その間に兄弟は、トロルフの部下たちを摑まえた。こうして一行は家に引上げる前に、地区のすべての泥棒どもを一掃したのであった。

フィンボギ親子との争い

トルステインは客好きで、地区の人々だろうと余所《よそ》の人だろうと、誰にでも助力を惜しまなかった。だから外部から来る者は、いつもきまって神殿屋敷に彼を訪ねて、外の世界で起った新しいことを彼に話した。

ある日、召使の者たちが乾草刈りに行くと、一団の人々が屋敷の一番いい牧草地で休んでいるのを見かけた。彼らはその人々がすべてひどく派手な服装をしているのに気がついたが、見ているとその一人は、馬で来る間に裾《すそ》が汚れたと言って、長い着物の裾を幅広く、剣で切り取ったものだった。みなはそんな派手好みと傲慢《ごうまん》さにあきれはてて、夕方家に帰ってくると、その男たちのことをトルステインに話して言った——彼らは旦那の許可も求めず、ここへ訪ねてくるだけの労も払わずに、屋敷の一番いい牧草地に自分たちの馬を放したのだと。すると女中の一人が、例の着物の幅広い切れはしを取り出して、これが仲間の一人が汚れたといって切って捨てた布だといって、彼に見せて言った——わたしはその人が、こんな汚ないものを引きずっているわけにはいかない、と言ったのを聞きましたわ、と。

トルステインはみなに同意して、他人の牧草地に馬を放すことは問わないとしても、そんなにして上等の着物をむだにするのはまったくの浪費だと言い、「そんなことをするのはひどく高貴な人か、ひどいばか者にちがいない」と言って、こうつけ加えた。「連中はきっとわしを訪ねたくなかったのだ。このことから推測するに、それは豪気なベルグだろう。彼は最近外国から帰って来たが、ひどく尊大な男だからな」と。そしてトルステインの推測はいつもあたるのだったが、その男はボルグに住むフィンボギの姉妹の息子のベルグに他ならなかったのである。

それから少しして、ベルグとインゲムンドの息子たちが共に、ある祝宴に招かれたことがあった。その日はひどく天気が悪かったので、客たちはみな濡れて凍えてやって来て、身を乾かすために火のまわりに集まった。そこへ毛皮を着こんだベルグが、大きく幅広くなって入ってきて、「これ、どかんか！」と言って途中にいたトルステインを突きとばしたので、こちらはあやうく炉の中にころげ落ちそうになった。これを見て腹を立てたヨクルは、剣の柄《つか》でベルグの両肩の間を一撃して叫んだ。「貴様、みずうみ谷の首領を突きとばすのか、ばか者め！」

ベルグはすぐさま武器をつかんだが、人々はやっとのことで彼とヨクルとを引き離した。トルステインは、ヨクルは何事にでもすぐ夢中になると言って、ベルグに丁寧に非礼を詫びた。しかしベルグはただ、自分は当然の扱いを受けただけだし、また自分で仕返しをすることもできるのだと答えた。

「かかって来るさ。相手になるたんびに、お前にもっと食らわしてやるぜ」と、ヨクルは言った。

次の民会で、ベルグは兄弟を襲撃のかどで告発した。人々が間にはいって和解させようとしたが、ベルグは尊大にかまえて、ヨクルが彼の前にへりくだって芝生の下をくぐることを要求した。

「それくらいなら、トロールがおれをさらって行け！」と、ヨクルは言った。だがトルステインは、事態が極端まで行くのを望まないで、もしベルグさえ承知なら、自分が兄弟の代りにくぐろうと申し出た。ベルグは承知した。そこで人々は三本の長い芝生の縞《しま》をはいで、両端は地につけたまま、真中の下に槍を立てた。こうして三つの門ができたが、一つは一つよりも次第に低くなっていた。トルステインは最初の一番高い芝生の下にはいった。ベルグは彼が身を屈めたのを見て、笑って言った。「これでおれはみずうみ谷第一の男を豚みたいにはいつくばらせたぞ」「そんなことを言う必要はないぞ。では、おれはもう芝生はくぐらん」と、トルステインは言った。

すると今度はフィンボギが口をきった。「ベルグは黙っているがよかったのだ。しかし、ここで止めてしまっては彼は何の慰藉《いしゃ》も受けないことになる。君たちみずうみ谷家の連中は、自分らは他の誰よりもえらいと思ってるようだが、いまおれはお前トルステインに要求するぞ——一週間後におれの屋敷の下の小島の、大きな乾草堆《つ》みのそばで決闘をしよう！」「おれはヨクルに同じことを要求する！」と、ベルグは叫んだ。「神殿屋敷の連中に頭を下げることを教えてやるんだ」「まあ、卑怯者《ひきょうもの》の言うことを聞いてみろよ、あいつがおれたちと腕くらべをしたいんだとさ」とヨクルは怒鳴った。「おれが二人の申込みは引受けよう。トルステインがこの件で恥をかいては気の毒だ。だが、フィンボギ、おれたちが切りあったって大した不幸にゃなるまい。でないと、ちんころのベルグが、もっと頭を垂れて、おれに打たれてころがり回ることになるだろうからな。では、もしお前に男の勇気があって、牝馬《めま》の心臓を持ってるんでなかったら、決闘で逢おうぜ。その場へ来なかった奴は、嘲りの竿《ニドスタング》を立てられて、神々の怒りを受け、立派な人々の座るあらゆる席からはじき出されるんだぞ」

こうして彼らは分れて、それぞれ自分の家に引き上げたのである。

ベルグにはヘルガという情人があった。彼女は賢い女だった。彼が家に帰って事件の成行を話すと、彼女は言った――あんたとフィンボギが、自分らの運をインゲムンドの息子たちに対してためそうというのは、ばかなことだ。「あなたたちの思うように行くものですか。なにしろトルステインは賢くもあれば運もついてますからね。あなたがヨクルに辱しめられたとしたら、次に出あう時にはもっと悪いことになりますよ」

ヨクルの言ったことに対しては、どうしてよいかわからなかったのだとベルグが言うと、彼女は言った。「あなたの頭が足りなくて、自分で自分の始末がつけられないのなら、わたしが決闘など起らないようにいたしますわ」

「お前はいつでも自分の好きなようにするんだな」と、ベルグは言った。

決闘が行われる日の前日は、すさまじい吹雪になって、人々は戸外に出られなかった。朝早く、神殿屋敷の扉が叩かれたので、トルステインが出てみると、そこにはヨクルが立っていて、出かける用意はできているかときいた。トルステインはもう少し天気模様を見たいと思ったが、ヨクルはあくまで意見を変えなかった。こうなっては、トルステインも家にじっとしているのは望まなかった。

こうして彼らは吹雪の中を出発した。しばらく進んでから、トルステインは弟に、何かいい考えはないかとたずねた。「おれの覚えているかぎり、兄さんがおれの考えをきいたのは初めてだぜ」とヨクルは言った。「おれの考えには、たしかに大した価値はないだろうが、今度のはたぶん役に立つだろうな。おれたちはまず、弟のトリールを訪ねて、一緒につれて行こうじゃないか」

彼らはそのようにした。ついで午後になって、一行はヨクルの仲よしのブランドという男の屋敷まで来た。「今夜はここで泊ろう」とヨクルが言って、そういうことになった。

ブランドはフレイファクシ（フレイ神のたてがみ）という馬を持っていた。これはふさふさしたたてがみを持った、あらゆる点ですばらしい馬だったから、彼がひどく大切にしていたにもふしぎはなかった。人々のいうところでは、ブランドはこれを普通の馬とは見ないで、大いに信頼しているとのことだった。そこで彼はまたファクシブランドとも呼ばれた。

兄弟はその夜はブランドの許で泊った。しかし朝起きてみると、天気は昨日よりもなお悪かった。それでも彼らは、天も地も一つになっている中を出発しようとした。ブランドは一台の橇《そり》を毛皮で覆うと、それに彼の持つ上等の馬をつないで、兄弟に橇に乗れと言った。そうすれば彼とファクシとで道を探してやるというのだった。

トルステインとトリールは橇の中にはいこんだが、ヨクルは友のブランドと共に先に立って進んだ。こうして彼らははやばやと乾草堆みまで来たが、フィンボギにもベルグにも出あわなかった。彼らは昼すぎまで待ってみたが、相変らず誰も現われなかった。

乾草堆みの近くに一軒の羊小屋があって、そこにはまた数頭の馬が吹雪を避けていた。いまやヨクルはもう十分なだけ待ったと考えて、羊小屋から杭《くい》を一本取って来た。彼はその一端を削って人間の頭を刻むと、二人の卑怯な悪党を呪った文句を、ルーン文字でその横に刻みつけた。それから一頭の牝馬を殺すと、その屍体《したい》を杭でつらぬいて、牝馬の頭がボルグに向くようにして嘲《あざけ》りの竿《さお》を立てた。こうやって上の屋敷にいる二人の主人公に対するすばらしい記念碑を立ててから、一行は帰途について、その夜はブランドの許で愉快に時を過したのである。

陽気になったヨクルは、トルステインをからかって言った。「あんたがおれよりもみなに愛されているのはたしかだが、おれの友達だって捨てたもんじゃないぜ。ファクシブランドは大いに助けになったと思うがね」

「この人はいい男だよ」とトルステインは言った。

「だが、ヨクルみたいな男を助けるのはうれしいことだからねえ。彼に比べられるような男はたんとはいないよ」とブランドは言った。

それから彼らは昨日今日のすさまじい嵐のことを語りあったが、それが自然のものではないということでは意見が一致して、ボルグのヘルガの仕業にちがいないと考えたのであった。

ボルグの人々が乾草堆みのそばに見出したものについての噂は、たちまち地区に広がった。

て、この決闘騒ぎでは、フィンボギとベルグは大した栄誉はえられなかった。彼らはさっそく部下を召集しはじめて、三十人で出発することになった。ヘルガはフィンボギにたずねた――どこへお出かけになるのですか、と。

「ちょいとみずうみ谷に用事があるんだ」と彼は答えた。

「あなた方は、インゲムンドの息子たちを襲おうというんですね。しかし、わたしの思うに、あの人たちを相手にしたら、その度にいよいよあなた方は悪いことになりますよ」と、彼女は言った。

「それはいずれわかることさ」と、フィンボギは言った。

「ではお出かけなさい。あれからあなた方は、ひどく苦労して出発の準備をしていましたが、帰って来るにはもっと苦労するでしょうよ」と、ヘルガは言った。

トルステインは事件が起りそうな知らせを受けると、一族の者や友人たちに使いを出した。やがてフィンボギの一味が山を馬で越えてくるのを見ると、彼は言った。「われわれも少しばかり連中を出迎えたらいいんじゃないか。おれは連中にこの屋敷の土地を踏みつけられたくないんだ」

一同はさっそく外に出て、めいめいの馬のところへ走った。こうして馬に跨《また》がると、ヨクルはまだ相手の用意の整わぬうちに馳《は》せつけて攻撃したがった。しかしトルステインは言った。「いや、われわれは悠々と進んでいって、連中にどういう用向きで来たかをたずねよう。それ以上のことは必要がないんじゃないか。ところが、君があらゆる事態に対して用意ができているということは稀だからな」

「そりゃおれはまだよくこのことを考えてはいないさ。なにしろ助言者みたいに年をとっていないからな」こうヨクルは言った。

「あの時は君の意見が大いに役に立った。だが、今度はその必要はないと思うよ」とトルステインは答えた。

フィンボギは神殿屋敷から人々が出てくるのを見ると、馬を下りてそこにつながせた。そこでトルステインも馬を下りて、部下に馬たちをつながせた。それから彼は声をはりあげて、一隊の人々の先頭に立っているのは誰かとたずねた。フィンボギが進み出て、名を名のった。

「それでは、どういう用事でこの谷間へ来たのだな、フィンボギ?」と、トルステインはきいた。

「おお、人間というものはちょいちょい人々の間に小さい用事があるんでな」と、フィンボギは答えた。

「うん、ここに小さい用事があるということはわかる。しかし、君はたしかに、こんなやり方とは違った解決の道があることを考えるべきだったんだ。そこでおれは二つの条件を君に提出する――君はこのまま家に引取るか、でなければ例の決闘をやって、各自がその全力をつくすのだ。その際は次のことを条件としよう――決着がついたら、君は地区を去って、二度とわれわれインゲムンドの息子たちと張合おうとしないこと、そして、ベルグも一緒につれて行くことだ。そうなれば、ベルグ、われわれ二人は縁が切れるわけだ、さまざまのごたごたと共にな。さあ、択びたまえ。但し、いますぐにだよ」

フィンボギとベルグは、無言でめいめいの馬に近づくと、それに乗って家路に向った。ボルグにつくと、家の外で待っていたヘルガが、彼らを迎えてたずねた。「どういうことになりましたか?」彼らは言った――なにも特別のことは起らなかったよと。

「そりゃあなた方にとっては、何も特別なことは起らなかったでしょうよ。しかし、ほかの人たちは別様に考えるでしょうね――あなた方が地区から追放されたとしたら。これであなた方は、自分で蒔《ま》いた種を刈り取ったわけです」と、彼女は言った。

春になると、フィンボギは自分の屋敷を売り、ベルグは外国へ旅立ったのであった。

魔女グロア

ある夏、トールエイとグロアという二人の姉妹が、この土地にやって来た。姉妹はその冬をトルステインの許で過した。彼は二人を助けて、神殿屋敷からそう遠くない場所に土地を買ってやった。ところが彼は、妻から言われなくてはならなかった――あなたはグロアの魔法で頭が変になったのだと。

やがてグロアは屋敷をととのえると、大がかりな祝宴の用意をして、付近一帯のすべての首領を招待した。トルステインも出席する約束をしたが、祝宴が行われる三日前の夜に夢を見た。一家につき従っている女(いわゆるフュルギエ)が、彼の許にやって来て、家に留まっているように勧めたのであった。彼女は続く二晩もやって来て、いよいよ心こめてその忠告を繰返したのである。

みずうみ谷家の者が祝宴その他の会合に出かける時には、同行者一同が神殿に集まってから、会合のある場所までトルステインのお伴をして行く慣わしだった。さていま一同が、グロアの祝宴に行くためにトルステインを呼びに来ると、彼は言った――自分は気分がよくないから、みなもこのまま家に帰ってくれと。一同が言われる通りにしたので、グロアの屋敷での祝宴はついに開かれなかった。

その夕方、太陽の沈む頃に、彼女の牧童は見た――彼女が家を出て来て、太陽の進路と反対に自分の家のまわりを回って、こう言って呟くのを。「インゲムンドの息子たちの幸運に抵抗するのはむずかしいな」

それから彼女は、山の方を睨んで、彼女のもっている黄金を残らず縫いこんだ一枚の布を振って叫んだ。「なるようになれ!」と。

そのまま彼女は家に入って扉に鍵をかけたが、たちまち大きな山崩れが屋敷になだれ落ちて、家の中にいた者は残らず死んだ。

インゲムンドの息子たちは、姉妹のトールエイを村から逐《お》った。しかし、それまでグロアの屋敷のあったあたりにはあやしいことが多く、以後誰ひとり住もうとする者がなかったのである。

その後のみずうみ谷一族

ある時、トルステインが兄弟たちを訪ねたことがあった。トリールはしばらく兄について来たが、話題は兄弟の誰が一番すぐれているかということに落ちた。

トリールは言った。「それに答えるのは造作もないことだ。あんたは賢さでわれわれすべてにまさっているよ」

「だがヨクルは、その勇気であらゆる場合にわれわれを護《まも》っているな」と、トルステインは言った。

トリールは付け加えて言った——おれは兄弟のうちで一番劣っている、なにしろおれは時々カッとのぼせてベルセルカー状態に落ちて、自分でもそれをどうすることもできないからだ。「あんたにどうか助けてもらいたいものだ」と。

トルステインは言った——君がほかの人間のようでないのは、大いに残念だ。じつは今日訪ねて来たのも、君の欠点に対するよい手だてが見つかったと思うからだと。

トリールは答えた——おれはどんなことをしてもこの苦しみから逃れられない。あんたが助けてくれたら、どんなお礼でもするつもりだと。

トルステインが、それでは君は民会での議長の役割をおれの息子たちに譲るかときくと、トリールはよろしいと言った。そこでトルステインは話した——おれたちの身内のカルンス川のトルグリムが、情人との間に息子をもうけたが、細君に説き伏せられて捨てることになった。「そこでおれは太陽をつくられた方にお願いして、あの方に君の苦しみを取除いていただこうと思うのだ。おれはあの方が誰よりも力をもっていられると信じるから」こう言って彼は言葉をついだ。「その代りにおれたちは、あの方のために、トルグリムのその子を養うことにするのだ」

二人はすぐさま馬を走らせて、農奴がその子を見つけた場所に行き、子供を家につれ帰った。

こうしてトルステインは、すべての権力を自分の屋敷にあつめて、死にあたっては、それを息子のインゴルフとグドブランドに残したのであった。二人はきびきびした若者で、インゴルフがヨクルに性格が似ていたのに対し、グドブランドは考え深いことでトルステインに似ていた。しかし、彼にはトルステインの賢さと透視力は欠けていた。

インゴルフは非常な美青年で、すべての成人した娘は彼の妻になることを望み、すべての少女は一日も早く成人することを望んだと言われた。しかし兄弟はともに早世して、みずうみ谷家の地位と名誉を救ったのは、トルグリムに捨てられた息子のトルケル・クラフラであった。彼は成人するにつれて、いよいよインゲムンドの息子たちに似てきた。彼はアイスランドがキリスト教に改宗するまで生きて、老人として死んだ。島民は彼の死をいたく悲しんで、彼こそ昔のみずうみ谷家の人たちに、力も知恵も幸運も似ていたと噂したのである。

鍛冶ヴェールンド

ラップ人の間に、スラーグフィン、エギル、ヴェールンドという三人の息子をもった王がいた。彼らはしばしばスキーで狩りに出て、あるとき狼谷《ウルフ》の狼湖の岸に小舎を建てた。ある朝早く、兄弟が外へ出てみると、三人の乙女が湖畔に座って糸を紡《つむ》いでいて、傍らには彼女らの白鳥の衣が脱いであった。女たちはワルキュリエだったのだ。兄弟たちは彼女らを家につれて帰り、それぞれワルキュリエと結婚して、七年のあいだ、大変に愛しあって暮らした。ところが八年目になると、ワルキュリエたちは大きな森を越えて戦場へ飛んで行きたいとあこがれるようになり、九年目には、兄弟たちが狩りに出ている間に、自分たちの白鳥の衣をつけて、飛び去ってしまったのである。

夫たちは家に帰ってくると、人気のない家の中から外まで探したが、どこにも探す人は見出せなかった。兄弟は来る日も来る日もそこに座って、いつか女たちがまた舞い下りて白鳥の衣を脱ぎ、彼らの許に戻ってくるのではないかと待っていた。しかし、女たちはついに戻って来なかった。

とうとうスラーグフィンとエギルは、恋しさに堪えられなくなって、自分たちの妻を探しに出かけた。しかしヴェールンドは、狼谷に残っていた。彼は鍛冶《かじ》の術にたけていて、そう

セイウチの牙で作られた箱の一面　ルーン文字と神話に取材した画を刻む。左は名鍛冶ヴェールンドの伝説の場面（大英博物館）

やって座っている間に、指輪や腕輪の類いをこしらえた。彼はそれを楊《やなぎ》の枝にはめては、また抜いてみたり、手で弄《もてあそ》んで指の間を走らせてみたりしながら、いつまでも帰って来ない彼女を待ち暮らした。その間にリングの数はどんどんふえていって、綱にかけ並べきれぬほどになった。

ニドウド王は、狼谷にいる男の家がリングでいっぱいになっていると聞いて、そのすばらしい宝をすべて手に入れたく思った。ある夕、王は馬に鞍をおかせると、一隊の部下とともに、月の光を頼りにヴェールンドの小舎にやって来た。彼らは馬を軒下につなぐと、家に入っていった。扉をあけてみると、部屋には人気がなかった。そこで王は入っていって隅々までを探した。リングは七百あって、一本の綱でつないであった。王は一つ一つ抜きとって、手で調べてみた。中で一番すばらしい出来のを腕にはめると、残りはまた綱に通して、元の場所にかけておいた。それから彼は部下を家の周囲に隠すと、自分は部屋の隅に座って、鍛冶を待ち伏せた。

夜おそく、月も沈んでしまってから、ヴェールンドは狩りから帰ってくると、火を焚きつけ、自分がたおした熊の肉を切って、串に刺した。肉が焼けてくるのを待っている間に、彼は焚火の火影に皮を敷いて座って、リングを指の間に滑らして眺めていた。と、数が一つ少なくなっているのに気がついた。彼はいとしい妻が帰って来て、腕輪を持っていったのではないかと考えた。そうやって座って繰返しリングを数えているうちに、彼は眠りに落ちてしまった。そして眼が醒《さ》めてみると、縄でぐるぐる巻きにされて、手足を縛《ばく》されている自分を見出したのである。

おれを縛ったのは誰だ、と彼はきいた。すると、ニドウド王が言った。「どうやって狼谷でこれだけの金を手に入れたか？」「おれはリングを作るのに蛇の巣窟《そうくつ》を探し回る必要はないのだ。おれの一族の故郷には、金などはいくらでもあるからな」と、ヴェールンドは答えた。ニドウドはこれに対しては何とも答えずに、相手を王宮に引張って行かせた。

人々が縛られたヴェールンドを屋敷に引きずって来た時、妃は外に出ていたが、彼の姿を眼で追って、声を潜めて言った。「あなた方が森から引きずって来た男は、うれしそうには見えませんでしたね」

王は腕にはめてきた黄金のリングを抜いて、それを娘のベドヴィルドに与えた。またヴェールンドが持っていた剣は、自分自身で腰に下げた。

いまやニドウド王は、彼自身のために鍛冶をさせた。妃は火床で働いている彼をじっと見つめていたが、夫に注意して言った。「あの蛇に気をつけなさい、あの男の眼の中にきらめいているのが見えませんか。それにあいつは、あなたの剣やベドヴィルドの腕輪が光るのを見ると、歯ぎしりをしますよ。あなたが賢い方なら、彼奴が足を使えないような方法を講じて、どこかよく見守れる場所に置くことですね」

ニドウドはヴェールンドをよく眺めて、妻の忠告に従った。鍛冶の腱を膝の窪みで切った上で、セーヴァルスタッズという小島に移したのである。ここでヴェールンドは、王のために、あらゆる種類の飾りやリングを作ることになったが、彼は働きながら嘆くのだった。

「おれはここに能もなく座っている。おれが自分の好みのままに鍛えた名刀は、今はニドウドの腰にぶら下っているし、おれが花嫁に贈ろうと思った腕輪は、今はベドヴィルドが嵌《は》めている。そしておれには何の慰めもないのだ」こうしてヴェールンドは、おのれの悲しみをまぎらすために、昼も夜もハンマーをとっていたのである。

ある日、ニドウド王の二人の息子がやって来て、ヴェールンドの鍛冶場をのぞいた。彼らは大きな箱があるのを見て、ヴェールンドに言った。「何がはいってるか見たいから、鍵をかして」

二人がのぞいてみると、中には眼がくらむほどに、さまざまの宝物がはいっていた。ヴェールンドは子供たちに言った。「明日またおいで。そうしたら、君たちの好きなだけ宝物をやろう。ただ、よく気をつけて、君たちがここへ来ることは誰にも知られないようにするんだよ」

あくる朝、子供たちはまだ暗いうちに起きると、ボートを漕いで、一番いいリングを自分で選び出そうと、セーヴァルスタッズにやって来た。ところが、彼らがいましも金銀の中をかき回そうとして箱の上にかがみこんだ時、ヴェールンドは鋭くとぎすましておいた箱の蓋をさっとおろして、二人の頭を切り落した。そして胴体は火床の中に投げこんで灰にし、頭蓋骨は銀を象嵌《ぞうがん》して酒杯をつくったのである。

またある日、娘のベドヴィルドが例の腕輪をもてあそんでいると、それが彼女の手の中で砕けた。父がそれを見たら何というだろうかと心配した彼女は、止むをえずヴェールンドを訪ねて行って、王様が気づかないうちに腕輪を直してくれと頼んだ。

ヴェールンドは言った。「その腕輪をよこしなさい。わたしが直して、あなた自身が見ても前と同じに見えるように、またお父さんやお母さんが見たら、前よりももっと美しいと思えるようにして上げます」

ベドヴィルドは、それを受取らずには出て行くわけにいかないので、そこに座って待っていた。ヴェールンドは仕事にかかったが、その間にぐうっと酒をあおった。それからもう一度角杯《かくはい》をみたすと、彼女を見つめて言った。「喉《のど》が渇いていたら飲みなさい」

ベドヴィルドは角杯をとって飲んだが、酒はひどく強かったので、そのままそこに倒れて眠りこんだ。するとヴェールンドは、彼女を思いのままにした。やがて意識を回復した時には、彼女は自分の上に何が起ったかを知って、泣く泣く王宮に戻って行った。

「これでニドウドがおれに加えた悪に対して復讐したぞ」と、ヴェールンドは言った。「だが、腱を切られたことだけはまだ残っていて、おれはいまでも足が悪いではないか」

彼はセーヴァルスタッズにいる間に、ひそかに鳥を捕えて、その翼で一枚の羽衣をこしらえていた。いま彼はその羽衣をつけると、湖を飛び越えていって、王宮の屋根の上高くに静止した。庭に出ていた妃は、彼が風を切って飛んでくるのを見た。かつてニドウドの部下たちが、森から彼を縛ってつれてきた姿とは、すっかり変っていた。それでも彼女は眼でそれを追っていって、そのまなざしで彼だと知ると、広間にはいって行って、がっくりと壁際の玉座に腰をおろした。

「ニドウド王よ。お眠りですか？」と、彼女は夫にきいた。

「いや」と、王は答えた。「息子たちがいなくなってから、わしの眼は一刻もまどろむことがないのだ。お前がわしに与えた助言は、ひどく冷酷なものだったので、わしの頭を凍らしてしまった。わしはヴェールンドを訪ねて行って、彼と話しあってみよう」

妃は言った――ヴェールンドと話すには、はるばる出かけて行く必要はありません。あなたがちょっと外へ出さえすれば、すぐにその人と逢えるでしょうよ、と。

ニドウド王は外へ出て、ヴェールンドが羽を一搏《う》ちして屋根の上に舞い下りるのを見た。王はそちらを見上げて呼んだ。「妖精の王よ、ついこの間までそこらを元気にはね回っていたわしの息子たちが、一体どうなったのか。もし知っていたら話してくれ」

ヴェールンドは答えた。「お前の知りたいことは残らず話してやる。だが、最初にまずお前は、お前の知っている最も大切なもののすべてにかけて、わしに一つの誓いを立てなくてはならんぞ――決してわしの花嫁に対して復讐を企てないと」

「わしは知っているかぎりの最も厳粛な誓いを立てるぞ」と、ニドウドは答えた。そこでヴェールンドは話をついだ。

「では第一に知るがよい。わしの花嫁はお前の王宮の中を歩き回っているが、彼女はわしの子を腹に宿している。その子がお前の唯一人の跡つぎなのだ。それから、お前の二人の息子について知りたければ、セーヴァルスタッズのわしの火床の中を捜すことじゃ。だが、あの子たちの頭蓋骨には、お前はもう幾度もキッスをしたぞ——お前が酒杯に口をあてた時にな」

こう言うと同時に、ヴェールンドは空中に舞い上った。ニドウド王は首をのけぞらして、そちらに向って叫んだ。「これはひどい知らせじゃ。しかも、一つは一つよりもひどくなったわ。貴様がどんな矢もとどかぬほど高く舞い上ったのでなければ、きっと仕返しをしてやるものを」

ヴェールンドはカラカラと笑って、空中を滑って行き、ニドウド王は首うなだれて後に残された。

やがて気を取直すと、彼は使いをやって、ベドヴィルドを呼んで来させた。娘はやって来て、彼の前に立った。王は彼女を見上げてたずねた。「お前がヴェールンドの子を孕《はら》んでいるというのは、本当か？」

彼女は答えた。「おっしゃる通りです。わたしはある不幸な時に、島に行ってヴェールンドの許で座りました。わたしにはヴェールンドに抵抗するだけの力がなく、そうするだけの意志もなかったのです」

ハディング王

デンマークのグラム王に、ハディングと呼ばれる息子があった。彼がまだ幼かった頃に、グラム王はノルウェーのスウィプダーグ王に殺された。しかし、グラム王の信頼する友のブラギが、王子をひそかに隠してスウェーデンに連れて行き、巨人のヴァグンホフディに托して、これを養育させた。

巨人にはハルドグレイプという娘があったが、彼女がハディングの母親代りになった。彼女は王子を大きく逞しく育てることにつとめて、あらゆる種類の遊戯や武技を教えた。やがて王子が成人すると、彼女は養育してやった謝礼を求めて言った――わたしが望んでいるのは、あなたを所有すること、あなたの愛人になることだけだ、と。

ハディングは答えた――人間が巨人の女を愛して、人間そのものの目的を越えるのは、好ましくないことだ、と。しかし、ハルドグレイプは答えた。「わたしが大きいためにあなたが恐れるんなら、お知らせしますが、わたしは思いのままに姿を変えることができるんですからね。敵がわたしを脅かしたら、わたしは雲までとどくほど大きくなって、誰だってわたしには抵抗できなくなるのです。でも、望みさえしたら、わたしはいくらでも小さくやさしくなって、あなたの腕の中で休めるのですよ」

そこでハディングは彼女の愛情に身を任したが、彼女はどこへでも彼について来て、悪から護ってくれるのであった。やがてハディングは、自分は戦士をでも相手にできるほど十分に強くなったと感じると、父の仇を討つために旅に上った。

途中で、彼とハルドグレイプはある家でとまったが、そこには一人の死人が横たわっていた。ハルドグレイプは一枚の木片にルーン文字を刻みつけると、あなたの将来にどんな運命が待っているかを知りたかったら、この木片を死人の舌の下にさしこんでごらんと言った。ハディングは彼女に言われた通りに、ルーン文字を刻んだ木片を死人の舌の下にさしこんだ。すると、死人は起き上って言った。「誰だ、おれの意に反して、おれを光の中へ引張り出したのは？　おれを地上から無理じいに無用な道を辿らせる奴は、不幸に落ちるのだ。しかし、ハディング、お前はどこまでも救われるだろうよ」

それ以上のことは、ハディングは知ることができなかった。こうして二人はさらに先へ進んだが、次の晩は森の中の木小舎に泊ることになった。夜中にハディングが目をさますと、一本の手が屋根をつらぬいて下りて来て、家の中を手探りしていた。彼が養母をよび起すと、彼女は巨人の逞しさに戻ってその手をつかまえ、早く剣を取ってお切りと、ハディングに命じた。ハディングが言われた通りにすると、切口から迸《ほとばし》った毒が家じゅうに飛び散った。しかし、それからまもなくハルドグレイプは巨人どもに襲われて、彼らの爪でいくつにも引裂かれたのであった。

それからはハディングは、一人で先へ進んでいった。ある日彼は、道で片眼の老人に出あった。老人は彼に言った——父の仇を討とうという若者が、ただ一人でいるのはよくない。わしが仲間の見つかるまでは助けてやろう、と。それから老人は、彼を浜辺へつれて行ったが、そこにはリュセルという男が、船を傍らにして寝ていた。老人は二人が血をまじえて義兄弟の約を結ぶように命じた。ついで二人はバイキングに出て、東の方を荒して回った。

彼らはクールランドのロケル王と出あって戦ったが、戦い利あらず、リュセルはたおれ、ハディングは捕えられて捕虜となった。こうして手足を縛されて、野獣の檻《おり》に投じられるのを待っていると、そこへまた片眼の老人があらわれて、元気を出すように言い、よい知恵を与えてくれた。ハディングは老人の教えてくれたようにした。

イェリングの石　デンマーク最大のルーン文字碑で，国民をキリスト教化したことを記してハラルド王が建立

夜になると、捕虜を見張っていた男たちの許へ、食糧と飲み物が運ばれてきた。そうやって彼らが陽気にやっている時に、ハディングが詩を吟じたり物語をしたりして、みなを楽しませていると、とうとう彼らはすっかり満足して眠ってしまった。彼らがぐっすりと眠りこんだのを見ると、ハディングは満身の力をこめ

て、ぐいと縄をゆさぶった。たちまち縄は、手と脚からはじけて飛んだ。彼はすぐに立ち上って剣を取り、それを手に外へ出て、ロケル王が野獣を入れている場所を目ざした。それから彼は、熊たちの中でも一番獰猛《どうもう》な奴を刺しつらぬいて、その血を飲み、その心臓をえぐり取って食べたのである。見るまに彼の力は増し、勇気は凛々《りんりん》として来た。

そうやって彼が立っているところへ、またあの老人が馬でやって来て、彼を鞍のうしろに乗せて言った――馬から下りるまでは、決してそこらを眺め回すことをせず、頭巾を深く眼の上までずり下げているように、と。それでも彼は飛んでゆく間に、頭巾の端をちょっとずらして、のぞいて見た。すると、ずっと下の方に灰色の野が見えたが、それは少しも彼の知らない場所だった。しかし、それが大きくうねっているのを見て、馬が遠くの国を目ざして海の上を疾駆《しっく》しているのを、彼は知ったのである。

やがて彼らは目ざす国に来たが、老人は彼を馬から下ろして立ち去る前に、力のつく甘やかな酒を飲まして言った――これでもうお前には、眼の前にしている任務をはたすのに、力が欠けることはあるまいよ、と。

ハディングは今やバイキングに出かけた。そして遂にゴットランド島でスウィプダーグに出あうと、父の死の復讐をしたのである。こうして彼は父の王国を取戻して、デンマークを支配した。彼は幾度もスウェーデン王ウッフェと戦って、しばしば彼の国に攻めこんだ。

さて、ある時またスウェーデンに出かけた時、夏のひどく暑い日だったので、川に行って泳ごうとした。彼が川の方へ下りて行くと、見たこともないふしぎな動物が、水の中から出て、彼の方に向って来た。彼は武器の方へ走り戻ると、その怪物にとびかかって、ついにこれを殺すと、その屍《しかばね》をテントに運ばせて、少なからず自分の手柄を誇らずにはいられなかった。ところが自慢話の最中に、ひとりの女が彼の前に歩み出て、言った。

「お前は殺してはならないものを殺したのだ。だから呪《のろ》われて、すべての幸福を失うだろう。お前が海に出れば、嵐がお前を襲うだろうし、霜がお前の船の帆を凍らせるのだ。お前が家にはいって休もうとすれば、屋根が頭の上に落ちかかるだろうし、お前の家畜はたおれ、お前の畑は乾いて枯れ、すべての人間が疫病のようにお前を避けるのだ！」

　呪いは急速に実現していった。というのは、ハディングがなおも進んで行くと、彼の軍隊は飢えてしまい、それを鎮めるためには、自分たちの馬を殺したり、森でキノコを探したりしなければならなかったからである。

　彼の軍隊がウッフェ軍と遭遇した時には、さまざまの警告や不思議が、夜には彼らの陣営の前で起った。ハディングの陣地には、彼らの敗北と破滅を予言する聞きなれぬ声がしたが、どこからその声がするのかは誰にもわからなかった。ところが同時にスウェーデン軍の上にも、彼らの王の敗北と死を予言する歌が聞えたのである。

　やがて両軍が互いに対峙《たいじ》すると、まだ空が明るくならぬ前に、両軍の戦士たちは見た——二人のすさまじい巨人が、星あかりの中でそれぞれ自分の軍隊のために戦っているのを。そしてスウェーデン人の守り神が勝利をしめて、相手を敗走せしめたのであった。

　その日の戦いで、ハディングは敗れて部下の全部を失い、自分の命を救うために一人で逃げなくてはならなかった。そのとき以来、彼は不運と凶作につけ回された。海上に出ると、いつも嵐に襲われて、船は砕け、彼は岩礁《がんしょう》の上に投げ出されたし、家にはいって寝ようとすると、屋根が頭の上にくずれ落ちるのであった。どちらへ向おうと、彼は不幸を曳《ひ》きずって行った。そしてこの呪いは、その後スウェーデン人が慣わしとしたように、彼がフレイ神を礼拝して、彼に黒い雄豚をささげるにいたって、はじめて彼から除かれたのであった。

あるときハディングは、ある巨人がトロンデラーグの王ハーコンに対して、その娘ラグンヒルドを妻によこせと強要していると聞いた。ハディングは巨人の傲慢さに腹を立てて、ハーコンの屋敷に出かけてゆき、自分の名を隠して、客として滞在した。さて、巨人がラグンヒルドをつれに来ると思われた日、彼はひそかに巨人がやって来る道に出向いて待伏せ、二人が出あうと、ハディングはこの強盗に挑戦して、はげしい戦いの後にこれをたおした。

ハディングの後をつけてきたラグンヒルドは、彼が巨人と戦うのを見ていた。そして彼が傷をうけて瀕死《ひんし》で倒れているのを見ると、しずかにある隠れ家につれて行って、彼がひどく必要としていた手当を施したのであった。しかし、彼女は男に包帯をしてやる間に、ひそかに彼が脚に受けていた傷の一つに自分の指輪をはめこんだのである。

その間に牧童たちがやって来て、巨人が殺されて道に横たわっているのを見出したが、誰がこれをしたのかは知ることができなかったので、屋敷に帰って王にこのことを報告した。ハーコン王は娘が救われたのをいたく喜んで、彼女が自分の好むがままに花壻《はなむこ》を選ぶことを許した。ラグンヒルドは、大きな祝宴を開いて遠近の若者をすべてそれに招待するよう、父王に頼んだ。父王は娘の望むがままにした。そこでハーコン王の娘を手に入れるべく、夥しい若者がやって来た。

やって来た客たちの中に、いまは健康をまた取戻したハディングもいた。ラグンヒルドは宴席の間を回って客たちをつらつらと見ていたが、例の指輪に目をとめると、ハディングを引き出して、わたしはこの人を夫に選びますと言ったのである。そして彼女は、巨人が殺されるまでの経緯を残らず話して、わたしを不幸な結婚から解放してくれた人はこの人なのですと言った。

いまやハディングも皆の前に進み出て、名前を名のった。ハーコン王は直ちに彼をラグンヒルドと結婚させた。

ある日ハディングが食卓に座っていると、炉のそばの土の中から、一人の女が姿をあらわした。女は彼の前に進み出て、スカートを広げた。見ると彼女の膝はあざやかな毒人参《にんじん》で一杯だった。彼が座ってその花を見ている間に、彼女はたずねた——あなたはこんな青い草が冬にも生えている場所を知っているか、と。ハディングは立ち上って、彼女に言った——冬でも土がそんなに生き生きとした緑を呈している場所を教えてくれ、と。すると女は自分の外套《がいとう》に彼を一緒にくるんで、一緒に床の下に沈んだのである。

地の下に来た最初の間は、暗い霧の中を抜けていったので、ハディングには何も見えなかった。しかし、まもなくよく踏みならされた小道の上に出て、それを辿って行くと一つの草原に出たが、そこでは毒人参のぎっしり茂った上に、明るく太陽が照っていた。そこをさらにさまよって行くと、灰色をした小川につきあたったが、それは燃える滝となって流れ落ちて、剣や槍の穂を渦巻きから運んでゆくのであった。

川の上には橋がかかっていて、向う岸では二人の貴族が戦っていた。あそこで戦っているのはどういう人ですとハディングがきくと、女は答えた。「あれは武器で死んだ人たちです。ここであの人たちは、地上で生きていた時にやった戦いを、残らず繰返しているのです」

もう少し進むと、彼らは一つの壁に突きあたったが、それをよじ登って越えることはできなかった。すると女は一羽の雄鶏《おんどり》をつかまえて、その頭をもぎ取り、頭のない胴体を壁越しに投げこんだ。と、すぐさま壁の向うから、雄鶏の高く鳴く声が聞えた。それと同時に女の姿は消え、ハディングは知らぬ間に、また自分の高座に座っているのであった。

そのあと、ハディングは妻をつれて、故郷に向った。航海の途中で、ある日彼は、一人の老人が岸に立って、帽子を振って彼を招いているのを見た。彼は船を岩礁の間に進めて、老人を船に乗せた。老人は毛布の上に座ると、軍隊を楔《くさび》形に配列することや、戦いの時に空を飛びながら弓を射るすべを教えた。それからまた、首にかけた袋をほどくと、一つの小さい弓と、十本の矢とを出して、ハディングに与えた。彼がその矢を弦につがえて、弓を引きしぼると、それはみるみる大きくなって、すばらしい武器となったのである。

老人はやがて別れを告げる前に、ハディングに言ってきかせた——彼はつねに勝利をえて、敵の前にたおれることはないが、自分で死ぬことになるだろうと。

いまやハディングは、スウェーデン人に戦いを挑んだが、大きな成功を収めて、ウッフェ王をたおした。しかし、勝利のあと、彼は死んだ敵手を栄誉をもって遇して、王者としての葬儀を営んだ。ついでウッフェ王の弟のフンディングと和解して、無償で彼の王国を返してやり、これと兄弟の縁を結んだのである。

あるとき、ハディング王が暗殺されたという噂が立ち、それがフンディング王の耳にもはいった。王は義兄弟の死をきくと、盛大な法事を営んで彼を讃えようと思い、すばらしく大きい樽に、強い麦酒をかもさせた。こうして酒盛りをしている最中に、王はその樽につまずいて、真逆様に酒の中に落ちた。部下の者たちが王を引上げる前に、彼は溺れて死んだ。この知らせがハディング王にとどくと、彼は友よりも生き永らえることを欲せず、自分をオーディン神にささげて、われとわが手で命を断ったのである。

永遠の戦い

あるときフレイヤ女神が断崖《だんがい》の前を通りかかると、それが口をあけていた。のぞいてみると、四人の小人が火のそばに立って、一つの首輪をつくっていた。彼女はその飾りが欲しくなって、いくらでも黄金をやるからそれをくれと頼んだが、小人たちは言った――あなたの愛情より以下のものでは、これは売るわけにいかない、と。その首輪を見れば見るほど、いよいよ彼女はそれが欲しくなった。それでとうとう彼女は、望みのものを代償に与えることにしたのである。こうして彼女は岩山の中で四晩を過して、別れにあたってその飾りを手に入れたのであった。

家に帰ってくると、彼女は何事も起らなかったふりをしていた。しかしロキはすぐさま、女神が首の回りに新しい飾りをつけているのを見つけて、彼女がどこへ行ってこの宝を手に入れてきたかを探り出さないうちは、心が安まらなかった。そしてその秘密を探りだしてからは、フレイヤ女神が小人の岩山を訪ねたことを神々に話しては、大いに面白がっていた。そして彼は、彼女がそのふしだらのお礼に何をもらったかを話すことも、決して忘れなかった。すると、オーディンは言った――お前はお前の言葉が真実であることを証明するために、彼女のその首飾りを持って来て、みなに見せなくてはいけないぞ、と。

新石器時代の岩壁画　オーディンか？（ノルウェー）

するとロキは嘆きはじめて言った。「あなたがたはみんな、彼女自身が戸をあけてくれないかぎり、フレイヤの部屋にはいることができないことを知っているのになあ」と。

しかしオーディンは、そんな訴えには耳をかさずに、お前がその首輪を取って来ないかぎり、二度とお前の顔は見たくないと言った。こうなっては、いくら歌ったり口笛を吹いたりしても無駄で、ロキはその場を立ち去って、なんとかフレイヤ女神を瞞《だま》かすすべを講じてみなくてはならなかった。そして、ロキがうなだれて広間を出てゆくのを見ると、すべての神々が哄笑《こうしょう》したのであった。

ロキはフレイヤの家にやってくると、四方八方からもぐりこもうとしてみた。しかし、扉はぴったりとしめられて、どこも鍵がかかっていた。脚が上の方まですっかり冷えてしまうまで、彼はそこに立って様子をうかがったが、どうにももぐりこむ隙《すき》がない。困りはてた彼は、一匹の蠅《はえ》に姿をかえて壁の上にとび上り、かけがねや柱のつぎ目をはい回ってみた。しかし、壁はどこもかしこも一枚岩のように隙間がなかった。

しかし、とうとう彼は屋根の一端に針のめどほどの穴を見つけだして、やっとのことでくぐりぬけると、フレイヤの寝室にもぐりこむことができたのである。それから用心深く寝台に近づいてみると、彼女は例の飾りを首につけて、そこに横たわって眠っていた。だが、止め金が垂れ下って、彼女のからだの下になっている。こうなっては、からだをもっと小さくして、一匹のノミとして彼女にとりつくしかなかった。そうやって彼女の首をチクリとやると、眠ったままで彼女は寝返りを打ち、止め金が上に来た。さっそく彼は女神の首から飾りをはずすと、扉を内からあけて、オーディンの許へ首飾りを持って行ったのである。

フレイヤは目がさめて、扉があいているのを見ると、即座に誰がいたずらをしたかを理解した。彼女はオーディンの許へ出かけると、大神を罵って言った——あなたは自分の手下をやって、夜の間に防備のない女性から物を盗ませるのか。即刻わたしの持物を返して下さい、と。

しかし、オーディンは答えた——「あの首輪は、お前が二人の偉大な首領を互いにけしかけて、この世の終りまで続く戦いを始めさせた時でなければ、返してやらないよ」と。

フレイヤはそうすることを約束した。そこでオーディンは、首輪を彼女に返してやったのであった。

ここにヒャランデの息子なるヘディンという王があった。彼はバイキングに出かけて、多くの土地を征服した。あるとき彼は狩りに出たが、森の中に迷いこんでさまよい歩くうち、茂みをぬけて、林間のある空地に出た。そこに一人の女が座っていたが、彼女はいかにも堂々として美しく見えた。

彼は女に近づいていって、あなたは何という方ですかとたずねた。女はギュンドルという者だと名のった。王が彼女のそばに座ると、女は彼のなしとげた偉大な功業について、逐一ききはじめた。そこで彼が自分の経験したことを残らず物語ると、女は言った。

「わたしが知っている人物であなたに比べられるのは、ただ一人です。その人はヘグニといって、デンマークに住んでいます」

「では遠からずして、われわれ二人のどちらがすぐれているか、ためしてみましょう」とヘディンは言った。

二人はなおしばらく話していたが、まもなくギュンドルは彼に思い出させた——日がもう夕暮に傾いたので、部下の者たちがあなたを探しているでしょうと。こうして二人は別れた。ヘディンは自分の部下のもとに帰り、女は森の中に座ったままで。

春になるとすぐ、ヘディンは海上に出てデンマークを目ざし、ヘグニ王の館の外に投錨《とうびょう》した。デンマーク王は有名な首領が自分の国に来たのを聞くと、彼の許へ使者を出して、貴下が客として来てくれれば歓待することを告げさせた。ヘディンはその招待を受けて、堂々とその広間に腰をおろした。ヘグニは彼を迎えて、歓迎の意を表して酒盛りをし、こんなにはるばると旅をして来られたのはどういう目的ですかと、客にたずねた。

ヘディンは答えて言った——ヘグニ王の名は世界に聞えている。そこで自分は、二人のどちらがよりすぐれているか知りたくてやって来たのだ、と。

ヘグニは答えた。「貴下の望む通りにしてみよう。この館の外には、競技をするいい場所があるし、館の下には海があって泳ぐこともできるから」と。

そこで二人の王は、明けても暮れても男が腕前を示すべきあらゆる種類の遊びや武技をきそったが、何をやっても二人は互角で、熟練において優《まさ》り劣りがあるとは、誰の眼にも見えなかったのである。こうして二人は、互いに相手を対等者だと認めて、義兄弟の誓いを結び、お互いの持物をも分けあうことにしたのであった。しかし、ヘディンの方が年下だった。しかも彼はまだ独身だったのに、ヘグニはヘルヴォールという妃をもち、彼女との間には、ヒルドという娘があったのだ。

それからかなりして、ヘグニ王は出征し、ヘディンが後に残って、彼の王国を後見していたことがあった。

一日彼は狩りに出たが、いつか部下と別れて道に迷い、気がついた時には深い森の中の空地に来ていた。と、そこにギュンドルが座っていたが、前に逢った時よりもなお美しくなっていた。彼女は角杯に酒をみたして、彼にさし出した。王は胸が熱くなって、乾すように角杯から飲んだ。ところが、それを飲みほすと、さっきまでとは何もかも別様になって、自分自身のこともほとんど覚えがなくなった。ギュンドルはきいた――あなたとヘグニ王のどちらがすぐれているかわかりましたか、と。ヘディンは答えた――どちらも相手を打負かすことができなかったので、二人は対等者と呼ばれているのだ、と。「そんなことを言っても、あなたよりもあの王の方が上ですよ、あの王は立派な家柄の妃をもっているのに、あなたには奥さんがないではありませんか」と、ギュンドルは言った。

「おれが望みさえすれば、王はおれに娘をくれるはずだ。そうすれば、おれだって彼に劣らぬ立派な結婚をすることになるさ」と、ヘディンは言った。

「それにしたって、あなたの方が劣っています。あなたはヘグニ王に娘を妻にくれと頼まなくてはならないのですからね。もしあなたが力ずくで王の館からあの娘を奪って、妃の屍を越えて海に船を出したら、もっと大きな名誉になるでしょうよ」と、女は言った。

飲んだ酒のために惑乱していたヘディンには、ギュンドルの助言がよいものに思われて、彼はヘグニ王との義兄弟の約を、すっかり忘れてしまったのである。

その時はもう夏の終りだったが、ヘディンは自分の船を海に出す用意をした。そして用意が整うと、彼は王の館に赴いて、妃とヒルドの両方を誘って、浜まで下りて行った。ヒルドはヘディンが凄《すご》い眼をしているのを見ると怖がって、やさしく彼に頼んで言った。「わたしに乱暴なことはしないでね、あなたが父に頼みさえすれば、父が喜んでわたしをあなたと結婚させることは御承知でしょう。もしあなたが暴力でもってわたしを奪い去っても、父はたぶん許してくれるでしょう。でも、わたしの母に何か悪いことをしたら、どんな償いをさし出しても父は断じて受取りませんわ。わたしにとって、父の苦しみを見るのはつらいことだけれど、あなたがみじめな思いをするのを見るのも、わたしには少しも楽しくありませんの」

ヘディンは言った。おれはおれのよいと思ったようにやるだけで、あとはどうなろうとかまわぬ、と。そして浜辺に来ると、妃を船の前に並べた丸太（進水用の）の上に突き倒して、その屍の上をすべって船を水におろし、ヒルドの方は船の上につれて行ったのである。船が出帆を前にして王宮の前に浮んでいる間に、ヘディンはさきにギュンドルと出あった森の空地に登って行って、彼女に起ったことを話した。彼女はもう一度角杯をさし出して、彼に飲むように言った。そしてそれを飲むと、なにか重たいものが落ちかかって、彼は女の膝の中にくずれたのであった。こうして彼が眠りこむと、女は彼の頭を膝の上からずらして言った。「ではわたしは、お前とお前の戦士を、ヘグニと彼の戦士と共に、オーディンの意志のままにささげます」と。

その瞬間にヘディンは目がさめたが、ギュンドルの姿はちらと見えただけで消えてしまった。しかし、彼女はいかにも不吉に見えたのであった。

彼はいまやすべてを思い出して、自分の無思慮を悔んだ。そこで船に戻ると、誰も自分を知らない遠い国へと船を向けたのであった。

帰国したヘグニは、留守の間に起ったことを聞くと、直ちに帆を上げて海に出て、ヘディンを追いかけた。航海は長く続いた。というのは、ヘグニが夜になって港につくと、いつもヘディンがその前の晩に碇泊《ていはく》していたというふうだったから。ところがある日、ヘグニが碇泊しようとしていると、水平線の方にヘディンの船が出て行くのが見えた。彼は即座に後を追いかけた。彼の船は順風をうけたが、ヘディンは向い風を受けた。そこでヘディンは舵を転じて、ホーという島の陰に碇泊した。ヘグニはそれを見ると、自分もそちらに船を向けて、島の下に錨をおろした。

ヘディンはそれを見て、ヒルドに頼んだ――お前の父のところへ訪ねていって、われわれの間に平和と和解をとり結べないかどうか見てきてくれ、と。そして彼は、ヘグニにさし出すべき償いとして一つの腕輪を彼女に渡して、自分が王妃を殺して暴力で姫を奪ってきたのは、目がくらんでやったことだと伝えてほしいと。

ヒルドは浜へ下りて行って、ちょうど上陸してきた父親と出あった。彼女はヘディンがよこした腕輪をさし出して、彼の言葉を繰返したが、それにつけ加えて言った。「ヘディンは自分のしたすべてに対して十分な償いをするつもりでいますが、それはあなたを恐れているからでもなければ、何をおいても平和をと思っているからでもありません。それで、もしあなたが彼の申し出を受諾しないならば、彼は自分を護って戦うでしょうよ。そうしたら、あなたがあなたの高慢さを悔いるようにならないかどうか、それを知るのもいいことじゃありませんか」

ヘグニは娘の言葉をそう喜ばなかったが、こう言った――ヘディンがわしの娘を奪ったことは許してやってもよい。しかしわしの妻をいかにひどく扱ったかは、忘れることができない。もしあの男が平和を求めるなら、遠くに去って二度とデンマークに足を踏み入れたり、わしの前に姿をあらわしたりしないことだ、と。

ヒルドはヘディンの許に引返すと、言った。「あなたがわたしの父と和解できることが一番いいのですが、父はあなたが奴隷のようにあの人の前にひれ伏すのでなければ満足しないでしょう。父はあなたがわたしと別れ、あなたの国と財産を捨てて、誰もあなたの名前を知らない遠くの国へ逃れることを要求しているのです」

それをきいてヘディンは部下を、ヘグニの軍勢に対して配置した。しかし、両軍が互いに対峙した時、ヘディンはもう一度ヘグニに向って叫んで、もしあなたが適当な償いを受取ってくれるなら、完全な和解をしたいと申し入れた。

しかし、ヘグニは答えた。「もはや手遅れじゃ。なぜといって、わしはもはやわが剣ダインスレイフを抜いたのだからな。これは血を見なくては鞘《さや》にもどらんのじゃ」

「あんたは自分の剣の自慢をするが、それが勝利を得させるかどうか、見ているがよい。おれの思うに、剣というものは、その持主を裏切らぬ時にのみよいのだからな」と、ヘディンは答えた。

こうして彼らは激突して終日戦ったが、やがて夕方になると、王たちはそれぞれの船に戻って休息した。しかし、夜中にヒルドは起き上って戦場に行くと、強烈な胆汁で死者たちを生き返らせた。そこで翌日も、太陽が昇ると、ふたたび王たちは、その日の終りまで戦ったのである。

このようにして、一日は一日に続いた。夜には彼らは死者であり、彼らの武器は石に化しているが、夜が明けると共にまた立ち上って、戦いの陣容を整えるのである。こうして対等者たち――ヘディンとヘグニの戦士たちは、ラグナロクの日が来るまで、ホー島で戦っているのである。

アムレード（ハムレット）

ユルラン（ユトランド）にエルヴェンデルという王がいた。妃はゲルトルードといい、彼女との間にできた息子は、アムレードといった。

エルヴェンデルの兄弟のフェンゲは、王の名声と幸運に対する嫉妬《しっと》に駆られて彼を暗殺し、その非行を飾って、王は妃を憎んでこれを虐待したからだと言い立てた。その巧みな言葉で民心をえて、彼は兄弟に代って王に選ばれた上に、妃をも説き伏せて、彼女の夫になったのである。

エルヴェンデル王が死んだ頃、王子のアムレードは、知恵が足りない者として館の周囲をうろついて、みなの嘲《あざけ》り者となっていた。彼は顔に煤《すす》をぬって、あらゆる汚物の中をころげ回ったので、彼が行くところには、床の上にも腰かけの上にも跡がついた。しばしば人は彼が炉端に座って、木を削って鉤《かぎ》を作っては、先端を火で焼いて堅くしているのを見た。何をしているのかと誰かがたずねると、彼は答えるのだった、「父の仇を討つために、槍を鍛えているんだ」と。で、みなは彼の愚かさを笑いものにした。

しかし、家臣の幾人かは、いかに王子が手が器用であるかにおどろいた。また、彼がいつでも作った鉤を隠すのに目をとめた者もあった。そこで彼らは、王子は自分で見せかけているよりも賢いのではないかと疑った。彼らは計略にかけて彼の本心をつきとめようと考え、もし彼を愛欲で誘惑したら、それが現われるにちがいないと思ったのである。

ある日、彼らは王子の許へやって来て、一緒に森へ遠出に行かないかと誘った。「行くとも」とアムレードは答えて、みなと一緒に馬の待っているところへ行ったが、後向きに馬に跨がって、みなが出発すると、尻尾をつかんだ。

途中で一行は、一匹の狼に出あった。と、家臣の一人がアムレードに向って叫んだ。「あんたにはあの仔馬《こうま》が見えるかね？」

「うん、見えるさ」と、アムレードは答えた。「あんなのは、フェンゲの馬舎にもたしかにいないね」

「うまいこと言うじゃないか」と、ほかの者たちは言った。

「うん、ぼくだってたまには本当のことを言うさ」と、アムレードは言った。

もっと先へ進んで海岸まで来ると、一艘の難破船が打上げられていた。同行者の一人が、その櫂《かい》をさして言った。「ここに大きいナイフがあるぞ」

「これなら、でっかいハムでも切れるな」と、アムレードは答えた。

一行が砂浜を騎《の》ってゆく時、ほかの一人が言った。「ここには小麦粉がたくさんあるよ」

「これは大きな石臼《いしうす》で挽《ひ》いたものさ」と、王子は答えた。

みなは、うまい返事だといって、彼を褒めた。「君たちのいう通りさ。賢い返事だものな」と、アムレードは言った。

森まで来ると、皆は馬を下りて木につないだ。それから王の部下たちはそこらに散らばったので、アムレード一人だけが取り残された。彼がさらに進んで行くと、林間の空地に出たが、そこには一人の若い美しい娘が座っていた。しかし家臣たちは、アムレードがどんなことをするかと、そこらで見張っていたのである。

さて若者が近づいていって、娘の頬をなぜようとしたとたんに、一匹のアブが飛んできて、彼の周りをブンブン飛びめぐったが、見るとその背中には、藁《わら》すべが一本ささっていた。アムレードは直ちに悟った——これが彼に好意をもっている一人の合図であることを。王宮には彼の乳兄弟が一人いたが、この人物がアブを捕えて、家臣たちの計画に気をつけさせるために、アムレードの方へ飛ばしてよこしたのであった。そこでアムレードは娘を抱き上げると、沼地や茂みを越えて、誰にも目のとどかぬ森の奥まで、彼女を運んで行った。

彼が家に帰ってくると、家臣たちはきいた——うまく眠れましたか、と。

「ぐっすり眠ったよ」と、アムレードは答えた。

「何の上に横になったね？」と、皆はさらにきいた。

「馬の蹄《ひづめ》（ウマノアシガタ？）と、雄鶏のトサカ（ケイトウ）と、屋根の槍（アシ）の上に寝たさ」

こう彼が答えると、皆は一斉に笑い出したが、それは彼が沼地に生えていた草やアシのことを言ったのだとは、知らなかったからであった。彼はまたつけ加えて言った。「ぼくは途中で、ふしぎなものを見たよ。藁すべに羽根が生えて飛んで来たっけ」それは乳兄弟の援助に対する、彼の感謝であったのだ。

フェンゲ王の顧問官たちは、今度は別の計略を立てた。彼らは王に説いた——王は旅に出て、その留守の間にアムレードを、母親の部屋に呼びこむようにする。そして二人が話をしている間に、妃の部屋に一人が隠れていて、その会話を盗みぎきするがいい、と。この案はフェンゲ王の気に入ったので、実行に移されることになった。

やがて王が旅立つと、母上が話したいことがあるからといって、アムレード王子の許に使いが来た。彼は妃の部屋に来ると、戸口をはいるや否や、まるで雄鶏のように時をつくって、両腕をばたばたやりながら、床の上の敷藁の上を跳ね回りだした。そして、藁の下に何か生きたものがいるのに気がつくと、剣でそこを突き刺した。そこに隠れていた密偵が死んでしまうと、アムレードは彼を曳きずり出して、その屍を小さく切り刻んで、豚どもに投げ与えたのである。

妃は自分の息子がどんなに愚かであるかを見ると、はげしく泣きだした。しかしアムレードは、母親を叱責して言った。「あなたがまるで牝馬のように振舞って、後から来た牡馬ほどよい馬だとばかり、一緒に走り回っているのは、大きな恥辱ですよ。ぼくの愚行よりも、あなた自身の恥を泣きなさい。この愚行でこそぼくは父上の仇を討てるのですからね。——それから、ぼくたち二人が話したことを、誰にも知られてはだめですよ」

旅から帰ってきたフェンゲ王は、自分の廷臣が一人欠けているのを嘆いて、あの男はどうなったのかとたずねた。しかし、誰ひとり消息を知っている者はなかった。と、誰かが冗談めかして言った――アムレード王子なら知っているかも知れません。あの人は大そう賢いから、と。

別に考えもせずにアムレードは答えた。「たしかにあの人は便所の穴から落ちて、豚に食べられちゃったんだね」

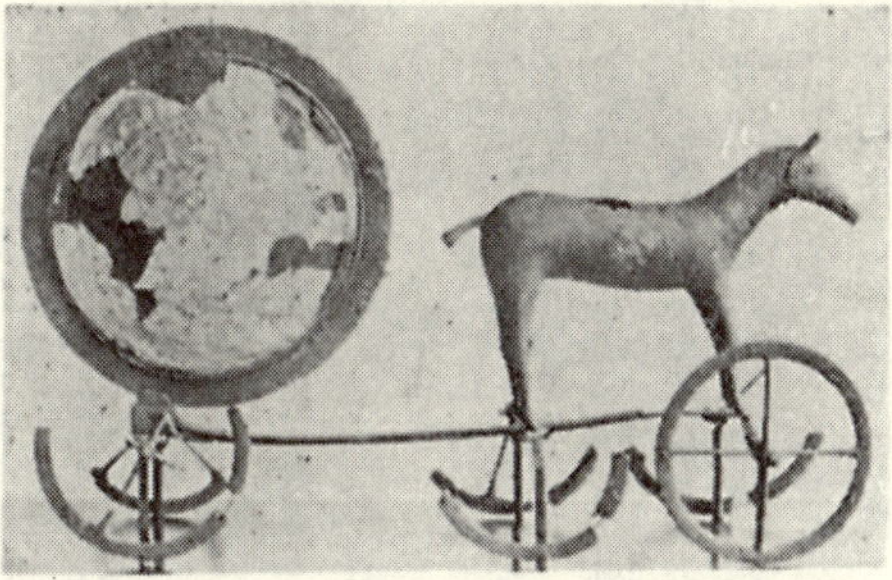
太陽のシンボル（デンマーク，トルンドホルム出土）

フェンゲ王は、アムレードが王宮をうろつき回っているかぎり、心が安まらなかった。そこで今度は、彼を追いはらう計画を考えめぐらした。彼は一艘の船を王子の乗船にふさわしく立派に艤装《ぎそう》させて、アムレードに言った――お前はわしの使者として英国王の許へ行ってくれ、と。そして旅の同伴者として二人の廷臣をつけて、一枚の木片に信書を刻みつけて彼らに渡し、これをひそかに国王に渡すように言ったのであった。ところでその木片には書かれていたのである――英国王がフェンゲ王との古い友情を思い出して、アムレードを殺してくれるようにと。

アムレードは出帆を前にして母上と話して頼んだ――一年を過ぎても自分が帰国しなかったら、広間を黒く塗って、自分の追悼宴を開いてくれるように、と。それから彼は海に出たが、一夜、同行者たちが眠っている間に、彼らの持物をすっかり探して例の木片を見つけ、フェンゲ王の書きつけたことを読んだのである。彼はこの信書を削り取って代りに別の文句を刻んだが、それは英国王が直ちにアムレードに彼の娘をめあわせ、かつ二人の同行者は絞首刑にするよう、というのであった。

一行は上陸すると、手あつく迎えられた。というのは、英国王は異国の王子が一個の王侯にふさわしく堂々としていて、しかも宮廷風に美々《びび》しく着飾っているのを見たからである。アムレードの同行者らは、国王にフェンゲのよこした信書を献上したが、そこに書かれていたことを読むと、王はさっそく娘をアムレードと結婚させ、二人のお伴は外へ連れて行って絞首刑にしたのであった。

二人が吊《つ》り下げられたと聞くと、アムレードはすぐさま国王の許に行って、非難して言った――あなたは純粋な客のもてなしにそむき、かつは今ではわれわれを結んでいる姻戚関係を破って、わたしの家来二人を殺したのです、と。

王は君の言う通りだとし、自分があまりに性急に事を行ったのを悔いて、いくつかの黄金の腕輪を償いにさし出して、婿《むこ》をなだめた。アムレードはそれを融かすと、その黄金を二本の中空の杖の中に仕込んだのである。

その年も終りに迫った頃、アムレードは帰国の途について、順調にユルランの岸に上陸した。王宮への途中で、彼は塵埃《じんあい》の中をころげ回ることで入念に自分のきらびやかな服を汚し、顔じゅうに煤をこすりつけたので、見るも厭《いや》らしい姿になった。こうして両手に一本ずつ杖をついて、王宮にはいって行くと、そこではまさに彼のための弔い酒が飲まれている（法事をする）ところだったのだ。

広間にはいって来たアムレードが、前に外国旅行に出た時とまるきり変りがないのを見ると、みなは最初は、彼がまだ生きていたのにひどくおどろいた。しかし、まもなく一人が叫んだ。「われわれがここに座って彼の法事をしているのに、当人はちゃんと生きているじゃないか」

この言葉をきいて、すべての廷臣はワッと笑いだした。やがて彼らは、同行者はどうしたのかと、彼にたずねた。するとアムレードは、持ってきた杖を一本ずつ見せて、「これが一人の方だし、こっちはもう一人の方さ」と言ったのである。

そして彼は、これが自分の法事の席だときくと、酒を酌《つ》ぎ回って、みなの手伝いをした。こうして広間を走り回って忙しげにしていたが、服の裾《すそ》が長いために、一瞬ごとに足がもつれた。すると彼は夢中になって裾をたくし上げ、剣の緒で袖《そで》を胴に縛りつけた。すると剣は斜めにぶら下ることになり、彼が走る度に、いつも鞘《さや》から滑り抜けそうになるのだった。彼はしょっちゅう立ちどまっては、剣を鞘におさめなくてはならなかったが、その度に彼は指に傷をつけたため、とうとう客の一人が彼を憐《あわ》れんで、剣と鞘を通して針を一本打ちこんでくれた。

夜もおそくなるにつれて、いよいよ彼はせっせと酒を運んできた。客たちはしきりに角杯を空けたために、とうとうみな酔いつぶれて、その場に倒れて眠りこんでしまった。

広間が静かになったのを見ると、アムレードは隠しておいた場所から、例の木の鉤を取って来た。そして最初に広間に張りめぐらしてあった黒い幕の吊手を切ったので、幕は眠っている人たちの上に落ちた。それから幕の端をしっかりと鉤でとめて、戦士たちがほとんど襞《ひだ》の中に包みこまれるようにした。最後には広間に火をつけたので、たちまちにそれは赤々と燃え上ったのである。

こうして広間が炎上している間に、彼はフェンゲ王が眠っている部屋に行くと、自分の剣はベッドの支柱にかけておいて、王の剣をつかんだ。それから王を揺り起して言った。「さあ、アムレードの刀が役立つ時が来たぞ。貴様の手下どもは燃えているわい」

フェンゲ王は躍り上ってアムレードの剣をつかんだが、剣を抜くことはできなかった。その瞬間にアムレードは王を刺しつらぬいて、こうして父の仇を討ったのである。

寡黙のウッフェ

アングル族の間に、ヴェルムンドという王がいた。王にはウッフェという息子が、ただ一人あった。しかしこの息子は、少しも王の喜びにはならなかった。というのは、王子は同じ年頃の者たちよりも体は大きかったが、誰ひとり彼が口をきくのを聞いた者はなく、また彼がどんな遊びをするのかを見た者もなかったからである。

年をとると、ヴェルムンド王は眼が見えなくなった。ミルキング族（サクソの記すところではサクソン族となっている）の王アディルスは、そのことを聞いて、アングル族の国には支配者がなくなったと考えた。というのは、王自身は眼が見えなくなったし、息子は口がきけなかったからだ。そこで彼はヴェルムンド王に使者を送って、王座を空け渡すか、でなければ、国は勝者の手に帰するという条件で、彼の息子と自分の息子とを決闘させようと申し入れた。

ヴェルムンド王は、余は不名誉に生き永らえるよりもむしろ死を選ぶと答えて、相手が誰であろうと、自分で決闘を引受けると言った。しかし、使者たちは答えた――われらの主君は、盲目の老人を決闘に引出したのでは、何の名誉も得られませぬと。

それを聞いて、広間はシーンと静まりかえったが、そのとき突然ウッフェが口を開いて言うのが聞えた。「アディルス王に答えるがよい――おれが彼奴の息子の相手になると。それから王子には、見つかるかぎりの一番の勇士をお伴にして来いと」

使者たちはドッと哄笑をあげた。そして、エイダー川の島で決闘は行われるべきことを約したあと、喜び勇んで王宮を去ったのである。

使者たちが立去ると、ヴェルムンド王はたずねた――口をきいたのが息子のウッフェだというのは本当か、と。臣下たちがたしかにそうだと答えると、王はウッフェを傍らに招き寄せた。そして彼は両手で上から下まで息子を撫《な》でさすってみて、こう言った。「お前はたしかにわしの息子じゃ。わしも若い時には、このような体つきであった。では、なぜに今日まで少しも声を出さなかったのじゃ？」

こういって王がたずねると、ウッフェは答えた。「これまでは父上が、必要なことはすべておっしゃいました。ところが今は、ほかの者たちが口をつぐんでいましたので、わたしが口をきく番になったのです」

その時からヴェルムンドは、家臣に言いつけて、息子が決闘の際に着すべき鎧《よろい》を探させた。しかし、探しだしたものはすべて小さすぎて、ウッフェが深く息をすいこむと、ひとつ残らずはじけ飛んだ。最後にヴェルムンドは、自分の鎧を取り出させると、その左脇を切り裂いて、尾錠《スパンゲ》でそれを閉じ合わさせた。ついで彼らはウッフェの剣を探しにかかったが、王子がその剣をとってためしに空でひと振りすると、剣はすべて砕けて、破片が四方に飛び散った。どれだけ剣を探して来ても、一本として彼の使用に堪えるものはなかったのである。

さて、ヴェルムンド王は、スクレップと呼ぶ一振りの古刀を持っていたが、息子がこれを佩《お》びることはあるまいと思ったのと、自分よりも劣った人間の手にそれが渡るのを好まなかったため、それを地下に埋めたのであった。いまや王は、スクレップを埋めた場所に自分をつれて行かせると、人々にそこを掘るように命じた。すると剣は明るみに出て来たが、すっかり錆《さ》びていた。王はそれをウッフェに与えて言った。「このスクレップが役に立たぬようだと、お前の力に堪える剣は一本もないぞ。だからこれは、ためしてみないのがよいな」

約束の日が来ると、ウッフェはエイダー川の小島に出向いて、ミルキング族の二人の戦士と会した。一方、盲目のヴェルムンド王は、川岸まで自分をつれて行かせて、そこに腰をおろして戦いの結果を待ち受けた。

ミルキングの戦士たちは、直ちに勢いはげしくウッフェに打ってかかった。しかし彼は、しばしの間は楯《たて》で自分を護ることで満足していた。ヴェルムンド王は、スクレップの響きが少しも聞えないのを見て、じりじりと水際まで身を乗り出した。

異国の戦士たちがしばらくウッフェの楯の上で彼らの剣をためしたあと、こちらは相手の一人に向って大音で呼びかけた。「貴様はいつまで主人の背中にへばりついているのだ。そのために主人と一緒に決闘に来るべく択ばれたのか？」

ミルキングの戦士は、このような嘲罵《ちょうば》を浴びせられてはじっとしていられず、王子の前にとび出して来た。同時にウッフェは斜めに剣を振りおろした。剣は胴体を真二つにした。

「スクレップが歌ったな」とヴェルムンドは呟いて、周囲にいた者に結果をたずねた。

「お伴の戦士を打って、真二つにしました」と、彼らは答えた。と、ヴェルムンド王は、少しく水際から後に退いたのである。

「さあ、貴様には仇を討つ役目があるぞ」こう叫んでウッフェが敵の王子を挑発すると、相手はがむしゃらに突進して来た。しかし、彼はおのれの剣を用いる暇もなく、ウッフェの狙いさだめた一撃によってたおれ伏したのであった。

「スクレップがまたもや歌ったわい」とヴェルムンドは言うと、立ち上って両手をひろげて、手探りで前にすすみ出た。そしてウッフェがこちらに上陸してきた時に、これを抱きしめたのである。それと同時に、アングル族たちは喜びの叫びをあげて、勝利者にして救い主なる彼らの若い首領を迎えたのであった。

ラフニスタの人々

北ノルウェーのラムダールのラフニスタ島に、ハルビョルンという豪農がいた。彼は〈半トロール〉と仇名されていたが、ハロガランド州の農民たちの首領の地位にあった。

彼には一子があって、ケティルといった。息子は丈高く逞しかったが、子供の頃からいつも炉端に寝そべって、片手で頬杖をついては、もう一方の手で火をかき回しているのだった。父親はいつも息子をからかって言っていた——もしお前が頭の下から手をどけさえすれば、とにかくお前がおれの息子かどうかを知るのは、たやすくなるのだが、と。しかしケティルは、父親の嘲りには何とも答えず、その訓戒にも少しも気をとめなかった。

近くの村にビョルンという百姓がいたが、彼はひどくケティルをからかって、彼をラフニスタの小娘と呼んだ。ある日ケティルは船を漕ぎ出して釣りをしたが、一日かかって、けちな鱈《たら》一匹しか釣れなかった。同じ漁場に、ビョルンも下男をつれて来ていたが、彼らは船に一杯になるほど釣った。

さて、糸を捲《ま》き上げて家に漕ぎ帰る途中、二人はケティルの船のそばを通ると、彼に雨あられと嘲りの言葉を投げかけて、その前例のない大漁ぶりを祝福したばかりか、さらには自分たちの釣った夥しい魚をさし上げて見せて、さんざんに彼をからかったのであった。

するとケティルは、「そら、おれの釣った奴も一緒に持って行け。どっちがこいつを手に入れるか、見てみようじゃないか」と言いざま、自分の鱈をビョルンのボートに向って投げつけた。魚は百姓の耳の下に命中して、彼は船からころげ落ちたまま、二度と浮び上らなかった。下男は家に漕ぎ帰ったが、何も語らなかった。またハルビョルンの方でも、この事件を知っているそぶりは少しも見せなかった。

ある日ハルビョルンが海へ出る仕度をしていると、ケティルがやって来て、一緒につれて行ってくれと頼んだ。しかし老人は、お前は家に残っているのがよい、海上に出るよりも炉端にいる方が暖かいからな、と答えた。ケティルは去って行ったが、やがて父親が船に乗るために渚《なぎさ》に来ると、息子は既にそこに来て待っていた。

ハルビョルンは大きなボートの舳《へさき》に行くと、息子に船を押し出すように言った。ケティルは艫《とも》を押したが、ボートは動かなかった。というのは、ハルビョルンが船を引張るふりをしながら、全身の力で両脚を突張っていたからである。

「お前はいったい誰に似たのかな、とにかく一族の間にお前のような奴はいないよ。なにしろお前には力がない。お前の年頃には、わしはこれくらいの船は、ただ一人で出したものだぞ」と、彼は言った。

それをきいてケティルは、ぐいとボートを押した。おかげでハルビョルンは鼻を岩にぶっつけたが、船は勢いよく水の上に浮んだ。ハルビョルンは、起き上って唸《うな》った。

「わしがお前の父親だとは、誰も思うまいな。お前のような奴は、わしの骨をみんな砕いてしまうんだ。だが、これでお前が力をもち、それを使うすべを知っていることも、わしはわかったわい」

それから二人は船を漕ぎだして一緒に釣りをしたが、その日以来、親子は仲よくなったのである。

それから少しして、ハロガランドは凶作に襲われた。ある日ケティルが父親の許にやって来て、自分は遠くへ魚を取りに行って、家には負担をかけないつもりだと言った。ハルビョルンは一緒に行ってやろうと言ったが、ケティルはわたしは一人で大きなボートでも操れますと言った。

ノルウェーに多い木造の教会　古い神殿の様式を伝えるものとされる

「息子よ、お前は自分の好きにしたいのだな」と、ハルビョルンは言った。「だが、とにかくお前は、北の国を目ざすがいいぞ。そうすると最初には、ネステフィヨルドという峡湾があり、その先には中フィヨルドがあって、最後には一番はずれにヴィタズギャフェがある。この二つの湾には漁師小舎がある。わしが以前にそこを通ったら、煙が立昇っていたからな。だが、なにしろずっと昔の話なので、今でもそこに人が住んでいるかどうかは、わからんがね」

ケティルは北に向って航海して、中フィヨルドまで来た。フィヨルドに入って行く時に見ると、小舎には人が住んでいるとわかった。煙突から煙が昇っていたからである。しかし、ケティルが小舎を訪れてみると、誰もいなかったが、外の貯蔵堀には夥しい魚が貯えられていた。彼がその中味を残らず搔き回してみると、鯨やアザラシや熊が出て来たが、堀の底には人肉があった。

夕方になると、外のフィヨルドから橈《かい》の音が聞えてきた。浜まで行ってみると、巨大な男が船を漕いで来る。大した船だな、とケティルは思ったが、乗り手はすこぶる不気味に見えた。ボートが岸につくと、男は陸にとび下りて、船をボート小舎まで運んで行ったが、あまりにドスンドスンと歩く勢いで、男は膝まで土にめりこんだ。ケティルは彼が嗄《しゃが》れ声で呟くのを聞いた。「おれの魚をかき回して、一番うまい餌をだめにした奴は誰だ。こいつは灰小僧のケティルがやって来たのかも知れんぞ」

それから男は小舎へ登って来たが、戸口をはいる時には身をかがめて、頭から先に突込まなくてはならなかった。ケティルは斧を手にして扉のうしろに待ち構えていて、一撃で頭を切り落した。それから彼は、しばらくその小舎で暮らして魚をとり、船が一杯になると、家路についたのである。

あくる年の夏も、ケティルはまた漁に行くべく、大ボートの用意をした。ハルビョルンは、息子がまた遠い北洋を目ざしていると知ると、それを止めるように勧めて、貯えが十分なうちは家にいるのが最善だと言った。しかしケティルは言うことをきかないで、出帆した。彼は真直ぐにヴィタズギャフェを目ざしたが、そこに漁師小舎を見出すと、それを片づけて住みこみ、道具類の用意をした。フィヨルドには魚が夥しくいて、手でつかまえることができ、最初の晩にもうボート小舎には、ぎっしりと魚がかけ並べられた。ところが、朝になって来てみると、魚はぜんぶ失くなっていた。

その晩彼が見張っていると、一人の巨人がボート小舎にはいって来て、背負いきれないほどの魚を縛りだした。彼が戸口を出てきたとたんに、ケティルは斧をその両肩の間に打ちおろした。だが巨人が身をよじったため、狙いははずれて、斧は巨人の体に食いこんだまま残った。巨人はフィヨルドから山の方へ走って行って、洞窟の中へ消えた。ケティルは後を追いかけて、穴の口まで来てみると、巨人は二、三のトロールと一緒に、火をかこんで座っていい、トロールたちが高く笑って叫ぶのが聞えた。「カルドラーネ、お前、昨日のお礼を受けたな」

巨人は答えた――おれは嘲《あざけ》りよりも塗り薬を必要としているんだ、と。するとトロールたちは、膏薬《こうやく》を取りに穴の奥へ走っていった。巨人がひとりで座ってそれを待っている間に、ケティルは洞窟にはいって行って自分の斧を引抜くと、それで死の一撃をあたえたのである。

それから小舎に戻って、船に魚を積みこんで家に帰った。ハルビョルンはひどく喜んで息子を迎えて、ヴィタズギャフェではどんなことがあったかと聞いた。「なにも特別なことはなかったよ」と、ケティルは答えただけだった。

その秋おそく、ケティルはまたもや海に出る仕度をした。ところが今度は父親は、きっぱりと船を出すことを禁じて、こんな季節に魚を取りに行くのは、ちゃんとした人間の慣わしではないと言った。しかしケティルは、父親に勝手に言わせておいて、仕度がととのうと、構わずに出帆した。ところが北のフィヨルドに来ると、向い風を受けて沖の方へ流され、遠くラップ人の国まで来てはじめて陸地を見かけたのだが、そこでは海から真直ぐにけわしい岩山が聳《そび》え立っているのであった。彼はなだらかに山腹が開いてやさしい入江を形づくっている場所に船をつけて、船をしっかりとつないでから、眠りについた。

ところが夜がふけてから、船があまり上下に揺れるために目をさました。起き上って、船べりごしによくよく目をこらすと、一人のトロール女が船のところに立って、前後に船をゆさぶっているのであった。彼は小舟にとび乗ると、綱を切って急いで舟を出した。風はたえず吹き荒れて、海は休みもなしに彼の上に崩れ落ちそうになったが、その間じゅう、彼は一頭の鯨が彼と海の間を泳いでいて、波が彼の上に覆いかぶさりそうになるごとに、それを打ち砕くのに気がついた。そしてその鯨は、人間の眼をしているように、彼には思われたのだ。

ボートはついに岩礁に乗り上げて転覆し、板切れに分解してしまったが、ケティルは岩礁によじ上って身を救うことができた。遠くに暗い岩棚が一つ見えるほかには、そこからはどんな陸地も見えなかった。

彼はしばらく体を休めると、海に躍りこんで、霧の地平に向って泳ぎだし、泳ぎに泳いで陸地に近づいた。上陸した場所には一本の小径がついていて、それを登って行くと一つの屋敷に出た。家の前では一人の百姓が薪を割っていた。男はブルーネという者だと名のって、ケティルを家に請じた。家の中には女が二人いたが、やがて客の床をのべる時になると、ブルーネはきいた——あなたは一人で寝るか、それとも自分の娘のラブンヒルドと床を共にするか、と。ケティルは娘を見たが、彼女はおそろしく大きくて、力が強く、顔の幅がちょっと一アレン（二フィート）ほどもあった。彼は娘さんと一緒に寝たいと答えた。こうして二人はよき友となった。

この地でケティルは、その秋と冬とを過したが、ブルーネは彼を狩りにつれていって、弓の射かたを教えた。春になると、ケティルは家に帰ることにしたが、ブルーネはしばらく一緒について来た。彼らはフィヨルド沿いに下って来たが、ブルーネは別れにのぞんで言った。「どこまでも水際にそって行きなさい。森をぬけて近道をしようなどと思わぬように」と。それから彼に一束の矢を与え、さらに四角な先のついた一本の矢或いは刺叉《さすまた》を出して、これは危急の場合に使うように言った。それで二人は別れて、ブルーネは帰っていった。

ケティルは一人になると、しばらく立ちどまって、あたりを見回して考えた、「なぜ近道をしてはいけないんだ？」と。そこで歩みを転じて、森の中へ進んで行った。と、あまり長くも行かぬうちに、自分のあとを吹雪が雲のようになって追いかけて来るのを見た。その雲が近づいたのを見ると、それは二頭のトナカイが曳く橇にのった一人の男であった。ケティルはその橇をとどめて、男の名をたずねた。「おれはグーセという者で、ラップ人の王だ。だが、森の中を狼《おおかみ》みたいに走り回っているお前は何者だ？ お前はきっと、おれたちが別れる前に、吠《ほ》えだすだろうな」と、男は答えた。

ケティルは自分の名をつげてから言った――狼とラップ人のどっちがよく嚙みつくか、まずためしてみようではないか、と。

グーセは、いきなり弓に矢をつがえて射たが、同時にケティルも相手を狙って射た。と、二人の矢は空中でぶつかりあって、一緒に雪の上に落ちた。彼らはすぐさままた矢をつがえて、こうして次々に射て、一束（十二本）の矢を互いに残らず射落したのであった。最後にはケティルにはあの刺叉が残るだけになり、ラップ人には一本の鉤矢が残るだけになった。彼がその矢を見ると、曲っているように思われたので、足で踏みつけて直した。それから二人は互いに最後の矢を射たが、ラップ人のが音立てて曲って飛び立ったのに対し、ケティルの矢はグーセの胸をつらぬいた。こうして彼はたおれて死んだ。

そこで彼はラップ人の矢のフラウグとフレムサとフイヴァを取り、さらにドラグヴェンデルと呼ばれた相手の名剣を自分のものにした。こうしてケティルは家に帰って来たが、屋敷の近くまで来ると、ラフニスタを目ざして幾艘もの船が進んでくるのが見えた。やがて一人の百姓に出あったので、こんなに船がやってくるのは何のためかと聞いてみた。すると百姓は言った――ラフニスタにみながやって来るのは、息子さんの法事があるからだと。そこへケティルが家に帰ると、たいへんな喜びで、ハルビョルンは法事を祝宴に変えたのであった。

ケティルはそれから三年間は、家にいた。ある日一艘の船がラフニスタに来たが、それにはラブンヒルドとその息子が乗っていた。息子はグリムという名だったが〈ロッデンキンド（瀬戸の子？）〉と呼ばれていた。

ケティルは女を家に留めようとしたが、ハルビョルンはトロールを屋敷におくことに文句を言った。ケティルは間を取りなそうとして、どうか父のつれなさを怒らないでくれと女に言ったが、ラブンヒルドは「わたしが怒っているか喜んでいるか、どうしてあなたにわかるものですか」と答えて、すぐに帰国の途についた。それも彼女は、グリムをあとに残して行って、三年たったらまた連れに参りますと言ったのである。

ラブンヒルドが帰ってしまうと、ケティルは無言でそこらを歩き回るか、家にとじこもるかだった。一日ハルビョルンは彼と話して言った――そろそろお前も妻を迎えて、あのトロールのことは心から追いはらうことだ。ここにボールドという裕福な百姓がいて、シグリッドという娘をもっているが、彼女こそあらゆる点でラフニスタの主婦にふさわしい、と。

ケティルは答えた――わたしはまだ結婚のことなどは考えたことがなく、遠くへ魚を取りに行くつもりです、と。しかし、ハルビョルンは言った。「そんなら、おれがお前のために中込みに行くのが一番いいな」

彼はその通りにして、ボールドを訪ねて用件を切りだした。と、ボールドは答えた。「ケティルが自分で求婚に来るべきでしょうな。彼はもう幾度も危険な旅にさえ出たではありませんか」

ハルビョルンは色をなしてたずねた。「そんなら君は、わしが息子のために嫁をもらいに来たのは、嘘だと言うのか？」

「いや」と、ボールドは答えた。「しかし、もしケティルが結婚することに熱心なら、きっと自分で来たでしょうからね。といって、わたしにはラフニスタのハルビョルンの申し出を断わるほどの力も意志もありませんわい」

こんなことで結婚の日がきめられた。そしてハルビョルンは家に帰ったが、ケティルは旅はどうでしたかともたずねなかった。「お前は好奇心のない奴だな、ケティル」と、ハルビョルンは言ったが、息子は何も耳にはいらなかったので、結婚の用意はどんどん進められた。彼は他人には好きなようにさせていて、何も反対しなかったので、いらなかったふりをした。彼は他人には好きなように

祝宴は滞りなくすんだ。が、最初の夜は彼は着物を脱がなかったのである。シグリッドは自分が満足しなかったことを少しも気づかせなかった。そして少しずつ二人は和合して行ったのである。

それから少ししてハルビョルンが死ぬと、ケティルが屋敷を相続した。彼は幸福に暮らして、多くの人々を抱えていた。近くには彼にくらべられるような人間は一人もいなかった。そして北部の町々では、彼のことはしばしば人の噂にのぼったのであった。

三年たつと、ラブンヒルドはやって来た。ケティルは彼女をラフニスタに引留めたく思ったが、彼女は厭《いや》だといって、家にはいりもしなかった。「あなたのような浮気者とは、交渉をもちたくないのです」と、女は言った。「これがお逢いする最後ですわ」

彼女はグリムもつれずに、すぐにまた船の方へ下りて行ったが、人々の見たところでは、この別れはひどく彼女にこたえたようだった。

そのあとのある夏、ケティルは息子をつれて、極地のラップランドまで行った。ある夕べ、彼は岩山の下に船を進めてそこに碇泊すると、水をくみにグリムを上陸させた。ところが、たちまちにまた少年は走り戻って来ると、小川のそばに一人のトロールがいて、自分をつれて行こうとしたと告げた。ケティルは怪物に立ち向って、力強い呪詩で相手を嚇《おど》したので、トロールは尻尾を捲いて逃げ去った。しかし朝になると、ケティルは橈を転じて故郷に引返したのであった。

それからというもの、極北地方にはよく起ることだが、地方には凶作がやって来た。穀物は野の上で凍ってしまい、魚たちは海の深みに退いた。ある日シグリッドが夫の許に来て言った——屋敷にはたくさん人がいるのだから、たっぷり食料を用意して下さらなくては、と。彼は、そんなにひどい思いはさせないと答えると、すぐさま大船を用意して漁に出かけた。

やがてスクロファルという場所まで来ると、彼は船を岸の方へ向けたが、岬の突端に一人のトロールの女が立っているのを見た。女は海から上ったばかりのところと見え、水が体からしたたり落ちていた。そして短い毛の衣を着て、太陽に向って目をぱちぱちやっていたのだが、上から見ても下から見ても、とても美しいとは言えなかった——なにしろピッチのように真黒で、光を受けてキラキラ光っていたからだ。

ケティルは女に声をかけて聞いてみた——そんな所に立って長い鼻をくねらせている厭らしい魔女は、いったい何という名だと。彼女は答えた。「わたしはフォルアトという者で、いままで幾人もの漁師の口に泥をつめてやったんだ。だけど、そこに立ってギャアギャア言ってるのは、どういう男だね？」

「故郷のラフニスタじゃあ、みんなはおれのことを〈雄鮭《ヘイング》〉と言ってるんだ」と、彼は言った。

「お前はこんな岩礁の間をうろついてるよりは、故郷のラフニスタに座ってるのがよかったんだ。いったいお前は、ここに何の用があるんだね、チビのいたずらっ子め！」と、女は言った。

「食料を取りに来たのさ」と、彼は答えた。

「そんなことよりゃ、お前さんを鍋の中へ入れてやる方がいい」こう女は言って、大股に彼の方へ向って来た。

しかし、彼女がケティルを手探りしている間に、こちらは急いでグーセの矢を弓につがえて、彼女を目がけて射た。たちまち女は鯨に変身して海中に躍りこんだ。しかし、矢が鰭《ひれ》の一つの下にささっていたので、水の下からすさまじい唸り声が聞えてきた。それから彼はゆっくりと腰を据えて、釣りにかかったのであった。

ある晩ケティルは、森の中で騒がしい音がするので眼をさました。走り出てみると、一人のトロール女が、魔女が外をうろついて魔法をかけようとする時によくやるように、乱れた髪の毛を肩の上に垂らして、海へ行く小径を下って来るのが見えた。

「おーい、どこへ行くのさ、おばさん」と、彼は叫んだ。

「大物がみんな集まるトロールの集まりに行くのさ」こう彼女は答えて、ジャブジャブと沖の方へ海の中を歩いて行った。

一晩じゅうトロールたちは向うの島の上でドタバタやっていたが、ケティルは何の害も受けなかった。彼は悠々と眠って、昼はスクロファルの近くで魚を釣った。そして船が一杯になると故郷に帰って、シグリッドかあちゃんの貯蔵庫を、魚とアザラシで一杯にしてやったのであった。

ケティルは死ぬまでラフニスタで豪勢に威張って暮らした。そして彼が死ぬと、グリムが屋敷をついだ。彼はハラルド伯の娘のロフトホーナに求婚した。ところが彼が婚礼をあげにやってくると、娘の姿は消えていて、彼女がどうなったのかは誰にもわからなかった。客たちは三晩そこに座って飲んだが、そのために祝杯をあげるべき花嫁がいないために、飲むにも気勢があがらなかった。その時には、花嫁に魔法をかけて、もし一人の男が来て、彼女を男として扱うか、ただ見るに美しいものとするのでないかぎり、彼女は死ぬ日まで嫌らしいトロールとして生きなくてはならぬと呪ったのが、花嫁の継母だと考えた者は、一人としてなかったのである。

グリムは家に留まっていたが、楽しくはなかった。ある年、前にもよくあったように、凶作と物価高がハロガランドにやって来た。グリムは三人づれで北のラップランドまで船を出して、極北のガンド湾まで行き、そこが魚を取るのによいのを見て、漁師小舎に住みこんだ。だが、みなが眠りに落ちるとすぐ、物すごい嵐で目をさまされた。嵐と共に雪と霜がやって来て、小舎の外も内も氷でとざされた。明るくなるとすぐに浜に下りて行ってみたが、獲物は残らずなくなっていた。彼らは今や天候に妨げられて寝ていたが、どうにもおもしろくなかった。あくる晩、グリムは小舎の外に高笑いをきいて跳ね起きると、斧をとって外に出ていった、いつものように、父親ゆずりの矢〈グーセの贈物〉も持って。見ると、二人のトロールの女が、彼の船の両端をつかんで揺すぶっていて、船はいまにも壊れそうになっている。グリムがその一方を射ると、矢は彼女をつらぬいたが、もう一人は彼につかみかかって来た。彼が斧を女の肩に打ちおろすと、それは肩の骨に食いこんだが、グリムが斧の柄をしっかり握っていなかったため、トロールは斧を肩につけたまま山の中に走りこんだ。グリムが追いかけて行くと、岩山に一つの穴があり、細い道が山腹を登って行って、穴に通じているのが見えた。女は山の斜面を、まるで平地を行くように軽々と走って行く。ところが、女が跳ね上ったとたんに、斧は彼女の背中から抜け落ちた。グリムはそれを拾い上げて、小道を切り開きながら、一歩一歩と後をつけて行き、とうとう洞窟の中をのぞきこむことができた。そこには焚火が燃えていて、一組のトロールの男女が、座って火にあたっていた。二人がトロールの娘に、お前の姉妹はどうしたと聞くと、娘は答えた。「姉さんは浜辺で死んでいるし、わたしはやっと逃げて来たのだ。それなのにあなたたちは、火で足を温めているのだ。わたしたちトロールは、到底下のラフニスタの連中とは平和にはやっていけないよ」

そう言うなり、彼女はそこにたおれて死んだ。グリムはまた、自分の一撃が巨人に深く食いこんで、頭がころげ落ちるのを見た。トロールの女は彼にとびかかって来た。彼は女と取組んで、かなり長いこと戦わなければならなかったが、そのうちに女の腰の下をつかむと、彼女を床に叩きつけることができた。

次の日はよい天気になった。グリムと彼の部下が浜辺にそって行くと、ある場所に一頭の鯨が打上げられているのを見たので、彼らはさっそく動物を切りにかかった。しかし、その仕事をしている最中に十二人の人間がやって来て、その一人がグリムにきいた――なぜお前は他人に属するものを盗むのか、と。グリムは答えた――鯨は自分が最初に見つけたのだから、おれに十分の権利があると思わざるを得ない、と。

「ここの浜辺に流れついたものは、みなおれのものであることを、お前は知らんのか？」と、相手は言った。

「そんなことは知らんな。では、半分わけにしよう」と、グリムは答えた。

しかし、相手は叫んだ――お前はすぐに鯨を手ばなすか、でなければ武器で勝負をつけよう、と。グリムは鯨を守って戦う方を択んだ。長いはげしい戦いになったが、最後にグリムは十二人を残らず殺した。しかし、彼自身も二人の下男を失った。しかも、自分でもひどく手傷を負って、動くことができず、そこにたおれたまま死ぬのを待つしかなかったのである。

だが、こうして一時間ほどたった時、一人の女が近づいて来た。彼女は七歳の娘ほどの背丈しかなかったが、体はひどく太っていて、グリムにも抱き上げられそうには見えなかった。彼女は色が黒くて、頭には一本も毛がなく、やさしい顔をするのがむずかしそうに見えた。彼女は近づいて来て、グリムの上にかがみこんで言った。「ハロガランドの首領もちょいと困っているようだよ。あんたはわたしから命をもらうかね、グリム？」

「お前は見るには美しくないな。しかし、われわれはみな命が惜しいんだ。もしお前が助けてくれるなら、わしはたしかにお礼を言ってもいいね」

すると彼女はグリムを抱き上げて、彼がまるで赤ん坊でもあるかのように、すばやく走り出した。そしてある洞窟の中へつれて行ったが、その走り方があまりに早かったため、彼はほとんど息がつけないほどだった。

「そら、あんたを家の中に入れてあげたよ。だからお礼をもらいたいね。さあ、わたしに一つ接吻《せっぷん》しなさい」と、女は言った。

しかし女は、グリムが見るたびに、いよいよすさまじくなったように見えたので、彼はそれを拒絶した。

「そんなら、わたしはあんたを助けないよ。そうなったら、お前さんはもう家に帰れないんだ」と、女は言った。

「では、承知しなくてはなるまい。しかし、わしが接吻するのは喜んでするのではないよ」

こう言って彼は女に接吻したが、ふしぎなことに、接吻してみると、女は見たほどに厭らしくは思われなかったのであった。

夜になると、女は床をのべて彼にきいた——あなたはわたしと一緒に寝るか、一人で寝るか、と。「一人でだ」とグリムは答えた。

「そんなら、お前さんの手当はしてやらないよ」と、彼女は言った。

グリムは見た——自分が生き永らえようと思うなら、相手の言うことを聞かなければならないのを。そこで、お前の好きなようにしなさいと言った。すると彼女は、彼の傷を残らず包帯してくれたが、その際にはどんな痛みも感じなかったので、彼は寝たままで、どんなに彼女の指が柔らかいかにおどろいたのであった。——しかも、それは正直に言って、人間の手よりも猛禽《もうきん》の爪のように見えたのに。

翌朝グリムが爽《さわ》やかな気持で目をさますと、彼の寝床に美しい娘が寝ていたが、それはなんだか彼の消え失せた婚約者のように思われた。ベッドの下の床の上には、醜いトロールの衣が落ちていた。彼はいそいで起き上ると、その衣を火の中に投げこんだ。そうして彼は、それがすっかり焼けつきるまで、そこに座って見守っていたのである。

それが一塊の小さい灰になったとき、はじめて彼は娘の方へ向き直ったが、寝床の中の彼女がすっかり息絶えているのを発見した。しかし、水をふりかけると、彼女は息をふき返して、眼を見ひらいて身動きしはじめた。

そして彼女は言った、「これでわたしたち、二人ともよくなりましたわ。わたしはあなたに命をさし上げたし、あなたはわたしを窮地から救って下さいました。わたしはほんとうはあなたの花嫁のロフトホーナなのです。さあ、一緒に父の家へ行って、約束通りに結婚式をあげましょう」と。

二人は漁師小舎に下りて行ったが、どこの入江にも鯨が打上げられていたので、食料に不足はなかった。それからグリムは自分の船を一杯にすると、ラフニスタ家の者がやる通りにしたのである。彼が帆をあげると、すぐさま順風が吹いて来たのだ。

こうして彼らがラフニスタに帰ると、人々は彼が死者の国から戻ったかのように、ひどく喜んだ。ハラルド伯は両手を開いて娘と彼女の壻を迎えて、盛大な結婚式をあげた。しかし、花嫁の義母はついに祝宴には列しなかった。というのは彼女は頭に皮のふいごをかぶって、外の巨大な岩の下に隠れていたからである。ハラルド伯は、彼女が自分の娘に何をしたかをきくと、このトロール女に、彼女にふさわしい返礼をしたのであった。

ラフニスタ家からは、アイスランドの多くの豪族が出た。そして、今でも世界に記憶されている人々の幾人かは、その家系をケティル・ヘイングまで遡るのだ。その一人はエギル・スカラグリムソン（アイスランド第一の豪勇詩人）であり、もう一人はフリダレンディのグンナール（有名なニヤルのサガの中心人物）である。名剣ドラグヴェンデルは、この種の武器のつねで、一族の宝として伝えられた。それはエギルの手で広く世界をめぐって、多くの手柄を樹てた。

ケティルの他の一人の後裔《こうえい》は、首領のトルケル・ホークであり、彼はその広間の柱に、水を求めて小川にやって来た人々を脅かした、あのトロールとの戦いの絵を刻ませたのであった。

ラフニスタの首領たちの血をひく人々は、名誉を重んじて怖れを知らず、自分の前に立ちふさがる者に対しては、それがたとえ王自身であろうと、頭を下げることを知らない。そして彼らの多くは、フリダグレンディのグンナールがそうであったように、大した弓の名人であった。

テュルフィングの剣

剣の由来

昔、スヴァフルラーメという王があったが、彼はオーディン神の後裔だった。あるとき彼は狩りに出たが、いつか部下と別れてしまい、ちょうど日の沈む頃に、ある断崖の前を通りかかった。と、その岩山の前に、二人の小人が座っていた。小人たちが王に気づかぬ前に、王がルーン文字を刻んだ刀を彼らの上に振ったため、彼らは岩山の中にそれきり滑りこむことができなくなった。

王はその小人たちに名をきいた。一人はドヴァーリンと名のり、他方はドゥリンと名のったが、二人とも熱心に命を助けてくれるように乞うた。そこで、王は言った。「もしお前たちがお前たちの技術をつくして一振りの剣を鍛えてくれると約束するなら、ドヴァーリンもドゥリンも助けてやろう。ただ、柄《つか》は黄金で、剣は鉄でも衣服と同じくやすやすと切れ、決して錆びがつかぬこと、そして持主が誰だろうと、その者にきっと勝利を与えるのでなくてはならぬぞ」

小人たちはどうしようもなくて、王が望むすべてを承諾した。そこで王は立去る前に、またやって来て剣を受取る期日をきめたのであった。

約束した時が来ると、王は小人の岩山に出向いた。彼が近づいて行くと、小人たちは既に岩山の前に出ていて、剣をさし出した。王がそれを摑むより早く、彼らは岩山の中へ走りこんだが、ドヴァーリンは戸口で立ちどまって振向くと言った。「剣は抜かれる度に一人の男の死をもたらす。それで三度まで悪い望みをはたすが、お前自身もそれによって死を受けるのだぞ」

王はドヴァーリンの言葉をきくと、その剣で相手に切りつけたが、小人は同時にさっと岩山にとび込んで、扉はしまった。剣は岩を打って、石に深く食いこんで、刃が両側とも隠れるまでになった。

スヴァフルラーメ王は、この新しい剣をテュルフィングと名づけたが、それは鞘から抜くと闇の中でも光り輝き、人間の血に染まらぬうちは鞘におさまらなかったのである。またその切れ味はすばらしかったので、それで傷を受けた者は、決してその日を越えて生きることがなかった。王はその日以来、多くの戦いにこれを携えて行ったが、戦いはつねに彼の勝利に帰したのである。

剣がアンガンチュルの手に帰す

ハロガランドのボルムの屋敷に、アルンググリムという男がいた。彼は半ばは巨人族に属した。

アルンググリムはしばしばバイキングに出かけたが、あるとき、スヴァフルラーメの国を荒しにやって来た。王は彼を迎え撃ったが、両者が出あったとき、王はテュルフィングを振ってアルングリムに切ってかかった。しかしアルングリムが楯で受けたため、剣は滑ってわずかに楯の縁の下端を切り落しただけで、力あまって地に突きささった。王が武器を手ばなしたとたんに、アルングリムは彼の手を切り落し、ついでテュルフィングを拾うと、王自身の剣で彼をさし殺したのである。

この勝利のあと、彼は王宮を掠奪して、王の娘ユウフラを自分の屋敷ボルムにつれ帰った。彼は彼女との間に十二人の息子をもうけたが、彼らは成人すると残らずベルセルカー(もと熊の皮の意、狂暴な戦士)となって、絶えずバイキングに出向いた。彼らが部下たちだけと一緒にいる時にも、しばしば狂気に襲われることがあったが、そういう時には彼らは陸地にあがって、大木を根こぎにするとか、大きな石をころがすとかして、熱を冷やさなくてはならなかった。でないと、自分たちの船に乗っている者を、残らず殺してしまうこともあったからである。兄弟の一番の長兄はアンガンチュルといったが、彼が父の死後はテュルフィングの剣を手に入れたのであった。

ユルの祭り(現在のクリスマスにあたる)の一夜、アンガンチュルはブラギの杯にかけて、来たる年にはウプサラのイングヴェ王の娘インゲボルグを妻にすべきことを宣言した。やがて夏になると、兄弟はスウェーデンに航海し、アンガンチュルはイングヴェ王の前に進み出て、王の娘に求婚した――彼女を妻にすることを誓いにかけて宣言したのだからと言って。このベルセルカーの言葉をきいて、広間はシーンと静まり、王は無言で座っていた。アンガンチュルはしびれを切らして、諾否の返事を迫った。そのとき王の戦士の一人のヤルマールという者が、食卓を躍り越えて進み出て、王に言った。「余が貴殿の戦士に加わってから、どれだけ貴殿のためにつくしたかは、貴殿もよく記憶されているであろう。余はしばしば生命を危険にさらしている。そこでいま余は、この悪評高いベルセルカーに貴殿が娘を与えるくらいならば、余に彼女を報償として与えんことをお願いする」と。

王はじっと座って考えこんでいたが、最後に言った――インゲボルグ自身に、いずれを択ぶかは委ねよう、と。インゲボルグ姫は言った、「父上がわたしを結婚させるおつもりならば、わたしは異国の荒くれ者よりも、わたしのずっとよく知っている人を夫にしたく思います」と。

アンガンチュルは答えた、「余はあなたと議論しようとは思わぬ。しかし、お前ヤルマール、余はここでお前にサムス島での決闘を申込むぞ。もしお前が仲夏の日にあそこへ出頭しないなら、お前は万人の嘲りを受けるのだ」

ヤルマールは言った――アンガンチュルに決して待ちぼうけはさせぬ、と。そこでアルングリムの息子たちは家に帰って、その冬はじっとしていたが、春になると船を水におろして、南を目ざした。途中で彼らはビャルトマール伯の許に立寄り、客人として滞在したいと申込んだ。その夜アンガンチュルは伯の娘と結婚したいと主張して、その意志を通すことができた。アルングリムの息子たちに対しては、誰しも否とは言えなかったからである。祝儀の酒を飲むとすぐ、兄弟たちはまた海に出た。

ヤルマールは最初にサムス島に来た。彼は友のエルヴァル＝オッドを同伴していた。彼らはアンガンチュルが来ているかどうかを見るために、島に上って行った。アルングリムの息子たちが来てみると、一艘の船がもはや岸に浮んでいた。彼らは直ちにその船に躍りこんで、ベルセルカー状態で一方の手すりから他方の手すりまで伝って歩いて、生きた人間が一人も船に残らぬまでにした。それから彼らはサムス島に上って行って、ヤルマールが立って彼らを待ち受けているのを見た。

戦士たちは出あうと、まず決闘の条件を話しあった。と、ヤルマールがアンガンチュルと戦い、オッドが彼の兄弟を一人ずつ相手にすることにきまった。みなはまた互いに約束した——勝った者は自分の相手を塚に葬って、その武器をすべて共に添えるべきことを。

それから決闘がそれぞれの場所で始まった。オッドは苦闘して十一人の兄弟をたおしたが、仲間がどうなったかを眺める余裕をえた時、アンガンチュルがたおれているのと共に、ヤルマールが傍らの叢《くさむら》に座って、重たい傷で血の気を失っているのを見た。

オッドは彼が息を引きとるまで友のそばに座っていた。それから大きい塚を築いて、アルングリムの息子たちをすべての武器と共にその中に葬った。友の屍はスウェーデンまで持ち帰った。インゲボルグ姫はそれを見ると、悲嘆して死んだ。こうして二人は同じ塚に葬られたのである。

アンガンチュルの娘ヘルヴォール

アンガンチュルがたおれてしばらく後に、ビャルトマール伯の許では彼の娘が生れた。誰しもがこの子は捨児《すてご》にすべきだという意見だった。というのは、娘が父親の一族に似ているなら、決して彼女は女らしい心を持つまいと考えたからだ。しかし、伯は言った――この子が生きているかぎり、アルングリムの一族も死に絶えたわけではないからと。そこで伯は子供に水をふりかけて、これにヘルヴォールと名づけたのであった。

娘は大きくなると、美しくもなったが、また気性が荒くて御《ぎょ》しがたかった。彼女はもっぱら武器をもてあそんで、善事よりもより多く悪事をなした。人が行儀作法を教えようとすると、彼女は伯の許へ走っていって告げた、「わたしは出て行きます。ここではとても暮らせません」と。

ある晴れた日、彼女は家を捨てると、男装してバイキングの仲間に加わった。彼女は自らヘルヴァルドと男名前を名のって遠征に従ったが、やがて首領がたおれると、自ら指揮をとった。

あるとき、彼女はサムス島に船をつけたが、夕方、日が沈む頃に、ただ一人で陸に上って行った。彼女は浜で一人の牧童に出あうと、塚へ行く道を教えてくれと言ったが、牧童は怖れをなして答えた。「あなたはこの島の人ではないと見えますね。あそこの塚へ行く者は、昼間でも滅多にないのです。まして夜は、近づこうとする人さえ一人だってありません」

日が沈むと共に、塚の方からはすさまじい轟《とどろ》きが聞えてきて、同時に塚の上には炎が噴き出した。牧童は足のかぎりに逃げ去った。しかしヘルヴォールは、炎に近づいて行って叫んだ。「アンガンチュルよ、目をさまして！　呼んでいるのはあなたの娘なのですよ。小人たちがスヴァフルラーメのために鍛えたあの剣を、どうか塚の中から出して下さい。死人がそんな貴い宝を持っていても何になりますか？」

その言葉と同時に炎が噴き上げて、高い火柱が遠く周囲に炎を投げた。しかしヘルヴォールは怖れずに、泡立つ炎の中をぬけて行って、彼女の身内に呼びかけた。するとアンガンチュルが、塚の戸口に立っているのが見えた。彼は娘に話しかけた。「娘よ、いそいで船にお帰り。お前の探す剣は、燃える炎の中にあって、地上の女にはふれることができないのだ」しかし、彼女は怯《ひる》まずに言った。「もしそれが火の中にあるとしても、わたしは炎の中から取り出します」

それを聞くとアンガンチュルの心はなごんで、塚の中から剣を娘にさし出して言った。「では、この剣を受取れ。そして剣と共に、わしはお前に十二人の男の力と幸運を与える。やがてお前には一人の息子ができるが、彼は歓喜をもってこれを携えて、地上のどんな王者をもしのぐ栄誉をうるであろう。だが、よく気をつけろ、テュルフィングはお前の一族全体を滅ぼすかも知れぬからな」

ヘルヴォールは一族の宝を手にすると、喜びの声をあげて言った。「これで王の娘は、心も晴れ晴れと船に戻れるぞ。わたしの幸福は、ノルウェー全土を手中におさめたのよりもなお大きいのだ」

ヘルヴォールは父親の剣を手に入れると、グレシスヴァンゲンのグドムンドの許に出かけた。彼は王として、ノルウェー北部のハロガランドの手前に住んでいた。彼女はしばらくしその地に滞在したが、つねにヘルヴァルドと名のっていた。

ある日のこと、彼女は自分の席にテュルフィングを掛けたまま、広間を出て行ったが、帰ってみると、一人の男がその剣を抜いて、それに見入っていた。彼女はその手から剣を引ったくると、即座に彼を切り捨てた。そのまま彼女が広間を走り出て行くと、戦士たちは後を追いかけた。しかしグドムンドは、とうにヘルヴァルドが女であることを見抜いていて、みなを呼びとめて言った。「動くな、君らが仇を討っても、君らの思っているようには償いにならぬぞ。君らは君らの前にいるのがどういう人間だか、知らんのだ。女の命をとったら、それは君らにとって高価なものになるぞ」

戦士の冑につけられたオーディン像

戦士たちは自分らの追跡しているのが女だと知って、みな自分の席に引返した。こうしてヘルヴォールは逃れ去った。

彼女は今や、母の父なるビャルトマール伯の許に落着いた。武器をおき、男装を脱ぎ捨てて、他の女たちのように、縫ったり繕ったりに従ったのである。

グレシスヴァンゲンのグドムンドには、ホーフンドという息子があった。彼は賢い男で、前兆を見て正しい判断を下したため、人々はお互いの間に事件が起ると、好んで彼の審《さば》きを受けに行き、つねに彼の裁断に服したのであった。さて彼はヘルヴォールが家に帰ったと聞くと、ビャルトマール伯の許に出向いて、彼女に求婚した。二人は結婚して、二人の息子をえた。一人はアンガンチュルといい、他はヘイドレクという。アンガンチュルは気持が父親に似て、万人を友にしたが、彼の兄弟の方は、気性が荒くて争い好きだった。ホーフンドはアンガンチュルの方を愛したが、ヘイドレクは母親のお気に入りであった。

ヘルヴォールの息子たち

あるときホーフンドは祝宴を張ったが、ヘイドレクは自分がそれに招待されないのに、兄弟のアンガンチュルが客たちにまじって栄誉の席についているのに腹を立てた。宴のさ中にアンガンチュルは、兄弟がけわしい顔をして広間を歩いているのを見た。彼は立ち上って、ヘイドレクに自分の傍らに座るように言った。

その夜も遅くなって、ヘイドレクは近くに座っている人たちをけしかけだして、遂に彼らを互いに非難し合せるにいたった。アンガンチュルは間に立って、みなに口をつぐむように言い、同じ祝宴に座っている者に対して悪口を言わぬように求めた。しかし、しばらくしてアンガンチュルが外へ出て行くと、ヘイドレクはまたもや食卓仲間の一人に向って言いはじめた。「君があらゆる嘲罵に堪えているのはふしぎだな。そこにいる男が、君に対して好き勝手なことを言っているのに、君はすぐにそれを忘れてしまうのだ」

これを聞いて男はカッとなって、隣りの男に横びんたを食わした。アンガンチュルは騒ぎがもち上ったのを聞くと、広間に戻って来て争っている両人の間に立ち、彼らを和解させるまでは満足しなかった。ところが翌朝ヘイドレクは、横ッ面を張られた男にきいた――君は受けた侮辱に対して復讐することができないのか、と。男はそれを聞くと、躍り上って彼の友を切り殺したのである。

ホーフンドは、どのようにして事態が起ったかを知ると、息子の悪に対して腹を立てて、家を出て行って二度と自分の眼の前に顔を出すなと言った。ヘイドレクが屋敷を出て行くと、アンガンチュルもついて行ったが、二人がそこに立っている間に、母親が出て来て、テュルフィングを息子に与えて言った。「この立派な剣は、わたしの一族が持っていたもので、これでいつでも勝利をえたのです。さあ、これをお前にやるからいつも肌身につけていて、以前にこれを持っていたのがどんなに剛気《ごうき》な人たちだったかを、決して忘れないように」

ヘイドレクは答えた、「ぼくは父上母上にはいろいろと感謝しなくてはなりません。といっても、それぞれやり方はちがいますね。父さんはぼくを国から追い出すし、母さんは一族の宝を下さるんだが、これはぼくにとって、王国全体よりも値打ちのあるものなんです」

こういって彼がテュルフィングを抜いてみると、刃はキラキラと光を放った。彼はたちまち狂暴になって、ほとんどベルセルカー状態になったが、近くに誰もいなかったため、兄弟のアンガンチュルに切りつけて殺してしまったのである。

彼は自分の行為を悔いて走り出ると、森の中をうろつき回って獣や鳥を捕って生きていたが、しばらくすると考えるようになった――自分はまだ何かを成し遂げて、一族の者がえたような栄誉を獲得することができるのではないか、と。一夜、父親の屋敷に忍んで行って耳をすますと、内では彼の兄弟の弔い酒が飲まれていた。彼は家の前に立ちつくして、戸口の番人に、母を呼び出してくれと頼んだ。やがて母が出てくると、彼は言った。「ぼくは身内もない人間として、誰にも名前を知られずに世間に出て行くのが、残念なのです。ぼくの一族は有名な人たちなのですから、ぼくもあの人たちの仲間入りができるように、テュルフィングの剣を用いるつもりです」

すると母親は、ホーフンドの許へ行って、自分の息子があらゆる幸福を拒まれて、追放者のように世間を渡らなければならないのは、わたしにとって辛いことですと言って、どうかあの子に何か道中で役に立つ言葉を与えてやって下さいと乞うた。

ホーフンドは答えた。「あの子にわしの助言などは、大して役に立ちはしない。しかし、お前の頼みだからきいてやろう。わしが彼奴に忠告することはこうだ――自分の主人を裏切った男は決して助けないこと、自分よりも有力者の子供は決して養育しないこと、決してその人の情人をひそかに追回したりせぬこと、そして決してテュルフィングをその足許や膝の上には置かないこと、というのだ」

ヘルヴォールが出て来て、父親の言ったことを話すと、ヘイドレクは不機嫌に答えた。

「親父の言う通りだが、あの人の助言に、ぼくは大して価値をおかないな。なにしろ親父は、ぼくに対する善意で言ってくれたのではないからね」

　こうして彼は母親に別れをつげたが、母親は息子にくれぐれも、彼が身内から相続したのがどんなに立派な剣で、それによって彼らがどれだけの栄誉をえたかをいつも思い出すよう、言いふくめたのであった。

　ヘイドレクが道をしばらく行くと、二人の捕虜を縛って引きずって来る一団の人たちに出あった。どこへ行くのかとたずねると、捕われ人たちは王を裏切ったので、いま絞首台にかけに行くところだと、相手は答えた。そこで彼は、捕虜たちのために賠償金を払って、自由の身にしてやった。二人は助けてもらったお礼に彼の下僕になることを申し出たが、自分の主君を裏切った君たちに、見知らぬ人間が多くの信頼を寄せることができようかと彼は答えて、君らは勝手の道を行きたまえと言った。こうして彼は一人で道を進んで、レイドゴートランド（スウェーデン中南部にあった国）に来ると、そこのハラルドという王に快く迎えられた。老齢の王は、自分の国を守る力が足りなくて、最近では敵を買収することで国の平和を手に入れなくてはならなかったのである。ヘイドレクは王に申し出た——もし王が娘を報償として下さるなら、わたしが黄金の代りに武器で代金を払いましょう、と。王は喜んでその申し出に応じた。

　こうしてヘイドレクはレイドゴート人の敵国を襲って、この戦いにおいて例のテュルフィングをみごとに役立てたので、彼は国に平和をもたらすと共に、ハラルド王の地位を従前よりもかなり高めたのであった。それから彼はハラルド王の娘ヘルガと婚礼をあげ、彼女によって一子をえた。息子はアンガンチュルと命名された。

それからしばらくして、レイドゴートランドに飢饉《ききん》が来た。あまりにひどい凶作で、生き物はひとりも切り抜けられそうに見えなかったので、人々は大がかりな犠牲祭を営んで神託をうかがった。神託は、この国第一の若者を犠牲にささげるのでなくては、豊作は来ないだろうと告げた。ヘイドレクは、第一人者とは国王自身の息子のことにちがいないとしたが、ハラルド王はヘイドレクの息子のアンガンチュルの方が自分の子よりすぐれていると主張した。こうして二人の意見は一致しなかったため、彼らは事件をホーフンド王の前に持ち出すことにした。この王こそ、この世で彼らの知っている最も公正な人であったからである。そこでヘイドレクは自分の父親の許へ出かけて、彼らの争いを裁いてくれるように乞うた。すると、王は直ちに答えた——レイドゴート国ではたしかにアンガンチュルが第一の若者だ、と。

「ではあなたの裁きは、わたしの息子を犠牲にしろというのですね。そんなら、わたしはわたしの損失の償いには、何を受けるのですか？」と、ヘイドレクは言った。

「お前はお前の息子の償いに、ハラルド王の戦士を一人おきにくれと要求するのだ。お前のいまの気持では、それ以上の助言は必要がない」と、ホーフンドは答えた。

ヘイドレクは帰国すると、彼の息子がこの国では第一の、最も犠牲にささげられるにふさわしい者だとしたホーフンド王の裁決を告げて、彼自身は息子を失う償いに、ハラルド王の戦士を一人おきに貰い受けなくてはならぬのだとした。そして一同に、自分の父が下したこの裁決に従う誓いを立てるように求めた。そこでそのようになった。

ついでヘイドレクは、自分に属することになった戦士たちを召集すると、彼らが彼を正式の主君として国内においても国外においても彼に従い、彼の命令を聴くことを誓約させた。そしてその要求もまた十分に満たされると、彼は叫んだのである。「いまわれらはハラルド王とその息子を、その戦士全体と共にオーディンにささげる。それはただ一人の若者を、よし彼が第一の者だとしても、犠牲にささげるよりも豊かなささげものである故に」と。それと同時に彼は自分の旗印をかかげて、自分の分け前の戦士と共に、ハラルドに打ってかかったのであった。

それに続いた戦いで、ハラルド王父子は麾下《きか》の大多数と共にたおれ、ヘイドレクはレイドゴート国の王となった。妃のヘルガは、父の死を悲しんで、自ら命を断った。

あるときヘイドレクはフンヌの国を荒して、フムレ王の娘シフカを捕えると、彼女を自分の妾として伴い帰った。やがて彼女が妊娠すると、彼は彼女を父親の許へ送りとど

ゴートランド島にあるリンガム（男根）型の画像石　上はオーディン，中は死者の船，下はたぶんラグナル・ロドブクの死

けた。こうして彼女はフンヌの国で、息子フレードを生んだ。やがて彼女は夫を慕ってヘイドレクの許へ帰ったが、フレードはフンヌの国に残って、祖父のフムレに養育された。

ヘイドレクは全レイドゴート国の王となると、ガルダリケ（ロシアにあった北欧系の国）のロルラウグ王に使者をやって、その王子ヘルラウグを養子にしたいと申しこんだ。ロルラウグは、ヘイドレクがハラルド王を裏切ったことを耳にしていたので、この申し出に重きをおかなかった。しかし妃は養子に出すことを強くすすめて、ヘイドレクがいかに強大な常勝の戦士であるかを王に思い出させた。こうして彼女のすすめで、ロルラウグ王は息子をヘイドレクの許に送りとどけたが、彼はこれを喜んで迎えて、大きな愛情をこの少年に抱いたのであった。

あるときロルラウグ王は、ヘイドレクを自分の許に招待した。ヘイドレクは妾のシフカ同伴で、ガルダリケに出かけた。

さてある日、二人の王は狩りに出かけたが、人々が森の中にちらばった時、ヘイドレクと彼の養子とは二人だけになった。すると、ヘイドレクが少年に言った。「向うへ行って、近くにある屋敷に隠れて、わしが迎えに人をやるまで、じっとしていなさい。そうしたら、この立派な指輪をやるぞ」

少年は森の中に残るのを好まなかったが、それでも養父に命じられた通りにした。やがてヘイドレクは城に帰って酒を飲みはじめたが、ヘルラウグのことをたずねた。人々は外に出て彼を探しにかかったが、やがて戻ってきて、少年はどこにも見つからなかったと言った。

シフカはたずねた――どうしてあなたはそんなにふさぎこんでいるのですか、と。彼は答えた、「人々が真相を知ったらおれを殺すにちがいないから、喋るわけにはいかないのだ」と。しかし、ヘイドレクはその晩は沈黙がちで、早々と寝床についた。二人だけになった時、シフカはたずねた――どうしてあなたはそんなにふさぎこんでいるのですか、と。彼は答えた、「人々が真相を知ったらおれを殺すにちがいないから、喋るわけにはいかないのだ」と。しかし、ヘイドレクが口をつぐめばつぐむほど、それだけシフカはやさしく甘やかに夫に対して、決してほかの誰にも洩らさないことを誓ったので、彼はとうとうその日の狩場で大きな不幸が起ったことを、彼女に打ちあけた――一頭の荒れ狂った猪が彼に向って来たので、彼は槍を投げつけたが、柄が折れてしまったため、テュルフィングを抜いて自分を護らなくてはならなかった。ところがこの剣の性質として、人間の血を嘗《な》めないうちは鞘に納まらない。ところが、周囲を見回しても自分の養子しかいなかった。こうしてあの少年を切り殺すよりほかなかったのだ、と。

あくる日、女王はシフカにあった時、なぜヘイドレクはあんなにおし黙っているのかとたずねた。シフカは答えた――わたしはよく知っていますが、それが誰かの耳にはいったらヘイドレクの命にかかわるので、何も申上げることはできません、と。しかし女王が彼女を近く引寄せていろいろと話すうち、ついに彼女はヘイドレクから聞いたことを残らず洩らしてしまった。それでも彼女は、話し終ると女王に頼んだのであった――どうかヘイドレクがテュルフィングの意志に対しては、何もできなかったことを忘れないでほしいと。

やがてロルラウグ王は、妃が泣きながら自分の部屋にはいって来るのを見て、どんな悲しいことが起ったのかときいた。妃は言った――ヘイドレクがわたしたちの息子を殺して、自分でもこの上なく不幸になっているのです、なにしろそれは彼の意志に反して起ったことでしたから、と。

「わしが息子をヘイドレクに養子に出したのは、お前の意見によってだぞ。わしはこのことからは何もよいことは起るまいと予想していたのだが、いまやお前の助言はわしの予期した結果を招いたのだ」

こう王は言うと、直ちに外へ出て、ヘイドレクを捕えよと命じた。しかし、ヘイドレクはひどく人気があったため、誰ひとり立ち上って彼に手をかけようとする者がなかったのである。とたんに二人の男が躍り出て、彼を捕縛した。ヘイドレクは目を上げて、それが誰であるかを見た。それは以前に彼が、絞首台に送られるところを買い戻して自由を与えた、あの両名であったのだ。

王は躊躇なく彼を森の中へ曳いて行って、絞り首にすることにした。しかし、途中で彼は機会をみつけて、養子の許へ使いをやることができた。と、彼が既に絞首台の下に立っていた時に、あの少年が駆けつけて来て、父に向って叫んだのであった。「こんなにも剛気な、しかもわたしの養父である人に対して、そんな卑劣なことをしては絶対にいけませんぞ」と。

王は直ちにヘイドレクの縛《いまし》めを解かせた。彼は自由になると同時に部下を呼び集めて、帰国の用意を命じた。ロルラウグは帰館して自分の高座についたが、ヘイドレクは館に足を踏み入れようとはしなかった。女王は彼が旅仕度をととのえて外に立っているのを見ると、王たしかにわたしの許へ行って言った。「いまへイドレクを怒ったままで立ち去らせたなら、最悪の報復でしかありますまい。なにしろああいう有力な男ですから、別れる前にあなたは、できるだけあの人をなだめておやりにならなくては」

王はもう一度彼女の言葉に従って、ヘイドレクの許へ出向くと、彼の受けた不正に対する償いとして、大きな贈物をすることを申し出たのであった。しかしヘイドレクは、自分は財産はたっぷり持っているからと素気なく答えて、動かなかった。王が妃の方を見ると、妃はささやいた。「あなたの娘をやると言いなさい」

「自分の娘をやると言わなければならんような破目に陥るとは、ついぞ思わなかったな」と王は低い声で呟いたが、それからまたヘイドレクの方に向き直ると、声を高くして言った。「仲違《なかたが》いをして別れるくらいなら、わしはわしの娘を君の妻に与えよう。そして娘には、君の望むだけの土地と栄誉を添えてやるつもりだ」

するとヘイドレクは機嫌を直して、ロルラウグの娘と婚約した。そしてまもなく式を挙げると、彼は妃をつれて自分の国へ帰ったのである。

二人の間には一女ができて、ヘルヴォールと呼ばれた。彼女は成人すると、その名前をもらった身内と似てきた。彼女は美しかったが、男のように丈高く力強くて、好んで武器をもてあそんだ。

その時からこのかた、ヘイドレクは安らかに自分の国を治めて、剛気で賢い首領として大いに尊敬された。彼はフレイ神をあがめて、大がかりな犠牲祭を営んでは、その年に生れた最大最美の雄豚を屠《ほふ》ってこれにささげたのであった。

ある年のユルの祭りに、広間にいた王の前にその雄豚が運んでこられると、彼は手をその頭において、以後は決して自分だけを正しいとしないという厳粛な誓いを立てた。たとえ王に対して最悪のことをなした人間でも、もし彼が王の麾下にはいって敵意を捨てるならば、王宮の最善の賢者たちによって自分の事件を裁いてもらう権利を享受できるのだ、と。そして王はこの誓いに極端なまでに従って、彼の敵が賢さにおいて彼を負かし、王に対して答えられない問いを提出するならば、その人間はすべての罪を完全に赦《ゆる》されて、あらゆる告発を免れうるとしたのである。

ヘイドレク王の死

さて、レイドゴートの国に、ゲスツムブリンデという男がいたが、彼はヘイドレク王と長らく不和でいた。王はこの男に使いを出して、二人の間柄を賢者たちに裁いてもらうのだから王宮に出頭するように伝えさせ、もし彼が出頭しないならばこちらから出かけると言って、これを脅迫した。

ゲスツムブリンデはこの通告を喜ばなかったが、どういう種類の粉が自分の袋の中にはいっているかを知っていたので、苦しまぎれにわが身をオーディンにささげて、その助けを呼び求めた。と、一夜戸口を叩く音がして、一人の男が彼の部屋にはいって来たが、それは彼とそっくりの百姓姿の男で、誰にも両者は区別がつかなかったのである。男はゲスツムブリンデと服装を取替えると、彼の名を名のって王宮へ出かけて、王に挨拶した。しかしヘイドレク王はじっと座ったまま、一語も言わなかった。

「わたしはあなたと仲直りするために来ましたんじゃ」と、彼は言った。

「お前はわれわれの間の事件を民会に審いてもらって、その決定に従うかな？」と、ヘイドレク王はたずねた。

「それはつらい仕事ですな」と、ゲスツムブリンデは言った。

「お前がそちらを望むならば、わしと知恵くらべをしてもよいぞ。さあ、わしに答えられぬような謎か質問をしてみるがよい」と、王は言った。

「どちらも厄介な仕事ですな。それにしても、わしはむしろ後の方にしましょうわい」と、客は答えた。こう言って彼は、次から次へと謎を持ち出して、神々と人間の世界の隠れた意味について質問しはじめたが、ヘイドレク王は、彼の質問するどんな事柄に対しても答えを知っていたのである。

　すると客は、王の答えることを知らないどんな質問ももはや提出することができないのを見て、最後に言った。

「では、この上なく賢い王よ、われらが別れる前に、このことを言ってくれたまえ――バルデル神が薪の山の上に横たわっていた時に、オーディンが彼の耳にささやいたのは、どういう言葉だったかな？」

　とたんにヘイドレクは躍り上って「貴様はおれを欺いたな、悪魔め、その言葉を知っているのは、話した当人だけではないか」と叫ぶなり、足許にあったテュルフィングを摑んで、ゲスツムブリンデに切りつけた。しかし相手は鷹に身を変えて、覗き穴をぬけて飛び去った。剣はわずかに尾にとどいて、その尾羽を切り落しただけだった。そのために今日でもまだ、鷹の尾羽は短いのだという。

しかし、このことによって王はオーディンの怒りを招きよせたのであって、その覗き穴からは、彼の間近い死を予兆する言葉が落ちてきたのである。

王宮には、ヘイドレクがバイキング行で捕虜としてきて奴隷にしている、高貴な家柄の出の男が幾人かいた。オーディンが訪れてきた日の夜、彼らは王の寝室に乱入して来て、彼を殺してから、テュルフィングの剣その他の宝を奪って、荒野に逃れたのであった。息子アンガンチュルが民会で王に選ばれたが、彼は父親の仇討ちをしないうちは父の高座に決してつかないことを誓った。そして間もなく彼は王宮を去って、父の殺害者を探しに出かけたのである。

ある日の夕刻近く、彼がある川の方へ下って行くと、そこで幾人かの男が、水を浴びたり魚を釣ったりしているのを見た。その一人がパイクを釣り上げて、仲間に向ってナイフを貸せと叫んだ。ところが相手は、自分で使っていると答えた。

「そんなら後尾の桶の中にある剣を取ってくれ。このパイクにヘイドレクが殺された時の気持を味わわせてやるんだ」こう最初の男は言って、剣を受け取ると、それで魚の頭を切り落した。

彼が魚を切るのに使った剣がテュルフィングであるのに、アンガンチュルはすぐに気がついた。そこで漁夫たちが陸に上って眠りにつくと、彼はそこへ行って、テントを切って落して、匍《は》い出してくる彼らを、片っぱしから切り殺したのであった。それから、父の仇を討った証拠としてテュルフィングを持って、家に帰ったのだ。

ドウンへーデの戦い

さて、ヘイドレクの妾の子のフレードは、母親の父のフムレの許で成長した。フンヌの国の彼の縁者たちは、ヘイドレクが死んだと聞くと、遺産の分け前を要求するように、彼をひどくけしかけた。

ちょうどアンガンチュルが父の法事の宴を開いていた時、広間に使いの者がやって来て、あなたの兄弟が来て話があると言っていると伝えた。アンガンチュルは外へ出て行って、兄弟に言った――どうか家にはいって父の弔い酒を飲んでくれと。しかし、フレードは答えた――自分は口腹《こうふく》の楽しみのためにここへ来たのではなくて、ヘイドレクの遺産の、土地も家畜も財宝も召使たちも、すべて等分に分けてもらいに来たのだ、と。

アンガンチュルは答えた。「おれがテュルフィングを二人で分ける前には、いくつもの楯に穴があくだろう。だが、おれは君が満足するだけには父の遺産は分けてやるよ」

そのとき、アンガンチュルの言葉をきいたヘイドレクの養父のギスール老人が、大きな声で怒鳴った。「それでは、隅っこにいる奴隷の息子にゃ多すぎるぞ!」

それを聞くとフレードは激怒して、アンガンチュルの差し出すものを一切受け取ろうとせずに、祖父の許へ引返して告げた――アンガンチュルは父親の遺産をすべて彼に拒んだばかりか、彼を奴隷の子と呼んだ、と。

フンヌの首領たちはいまや大軍を集めた。そして春になると、フンヌの国とゴート国との境であるミルクヴェドの大きな森をぬけて押寄せて来た。森をぬけると、広々とした美しい村に出たが、そこには要塞づくりの館があって、アンガンチュルの姉妹のヘルヴォールが治めていた。

朝になると、彼女は森の中から大軍が出てくるのを見たが、彼らの立てる砂埃《すなぼこり》で、太陽もすっかり姿を消していた。彼女は養父のオルマールを敵陣にやって、城門の前面で決戦しようと伝えさせた。そして自分で軍の指揮をとって、力のおよぶかぎり国土を護って防戦したのである。しかし、フンヌ軍は圧倒的に多勢で、彼女の戦士の大部分は切り殺され、彼女自身も部下の将兵のただ中でたおれた。

オルマールは生き残ったわずかの者と共に遁《のが》れて、真直ぐにアンガンチュルの許へ行き、フンヌ軍が攻め寄せてきて、彼の姉妹が戦死したことを伝えた。アンガンチュルは自分の姉妹が殺されたことを聞くと、口をひきつらして暫《しばら》く何も言えずにいたが、やがて呟いた、「勇ましい妹よ、お前はかわいそうに兄からあまり愛情は受けなかったなあ」と。それから彼は広間を見回して言った。

「われわれは飲むことについては、十分に人を持っている。しかし、いまわれわれの前に立っている事態に対しては、必要なだけの人間を持たない。どこへ行ったら金を受取ってフンヌのところへ騎《の》りつけて、彼らに決戦を申込む人物がえられるかな？」

するとギスールが答えた。「使者に立つのに対して、お前はわしには金をさし出す必要はないぞ！」

馬に鞍をおかせて既にその背に跨がってから、彼は王にきいた——フンヌ軍に対しては、どこで会戦しようと伝えるか、と。

「ドゥンヘーデで逢おうと言ってくれ」と、アンガンチュルは答えた。「あそこでゴート軍はしばしば戦って、勝利をえたのだからな」

こうしてギスールは騎り去ったが、フンヌ軍を目の前にすると、鐙《あぶみ》の上に高く身を起して、投槍を敵の頭上に遠くとばして叫んだ。「お前らの軍には恐怖が、お前らの王には死があるぞ。よく聞け！　オーディンがこの槍に力を与えたのだ。アンガンチュルはお前らに、ドゥンヘーデでの会戦を申込むぞ。つぎに言っておくが、この国では、両軍のどちらに運命が幸いするかが決するまでは、村々を荒すのは卑怯者とされているのだからな」

いまやアンガンチュルは、手のとどくかぎりに戦士をかり集めた。しかし、それはフンヌ軍にくらべると、ほぼ半数でしかなかった。それでも彼はこの軍隊を率いて、ドゥンヘーデへ騎りつけたのである。

こうしてゴート勢とフンヌ勢は、八日間が終るまで戦って、両方の側で夥しい戦士がたおれた。しかし、一日ごとにアンガンチュルの側には、国の四方から新しい戦士が馳せ参じたのに対し、フンヌ軍は日ごとに人員が減っていった。最後にアンガンチュルは、その首領らを打ち破って楯の囲み（親衛隊）にまで肉薄し、テュルフィングの剣を振ってフムレとフレードの両方をたおした。それでフンヌ軍は潰走《かいそう》した。

アンガンチュルは自分の兄弟の傍らに座ったが、彼が息を引きとると、自分たちの悪運を嘆じて言った。「おれはお前にお前に持てるだけの尊い宝をやろう。さあ、腕輪でも土地でも取りたまえ。われらの上には不運があるのだ――おれは自分の兄弟を殺さねばならぬ回り合せになったが、この行為は永遠に人の心から消えぬだろう。われらについてのノルンらの意図の邪悪なことよ」

アンガンチュルは永らくレイドゴートの国を支配し、その子孫からは強大な王たちが出た。彼の後裔にはブローヴァラの戦いでたおれた〈戦いの歯《ヒルデタン》〉のハラルド王もいる。このブローヴァラの戦いは、ドウンヘーデの戦いに劣らず有名なものであった。

シクリング家の女たち

シグリッド

デンマークにシグワルドという王がいて、シグリッドという娘をもっていた。彼女に求婚する者は多かったが、姫はいまだかつて眼を上げて、どんな男をも見ることをしなかった。父親がせめたてて娘をなんとかして結婚させようとした時、彼女は答えた――わたしの眼を自分の上に引き寄せることができた男がいたら、わたしはその人を夫に迎えましょう、と。

この言葉を若い貴公子のオッタルが耳にして、この誇り高い姫に対して熱烈な愛を抱いた。彼は若くして既に大胆な戦士として名を挙げていた果敢な若者であり、しかも弁舌にたけていた。そこで彼は意気揚々と王宮へ求婚にでかけた。そして美しい言葉の助けと、愛情が彼に教えたさまざまの奸計《かんけい》とで、姫の視線を捕えようとしたのだが、彼女はついに一度も彼の方に眼を向けなかった。とうとう彼は要領をえないままで、家に帰るしかなかったのである。

ここにまた一人の巨人或いはトロールがいて、シグワルド王の娘がどんな男をも見ようとしないことを聞きこんで、他の者がその美貌《びぼう》や男らしさで手に入れることができなかったところを、魔法で獲得しようと考えた。そこで彼は姿を変えると、女装して王宮に出かけて行き、小間使として住みこんだ。やがて甘言でもって姫の信用を手に入れると、ある日姫を森へ誘い出して、ずっと奥の荒れはてた場所までつれて行った。人里を遠くはなれるや否や、彼は召使のかつぎを脱ぎ捨てて姫を鷲摑《わしづか》みにし、荒野の奥へつれこんだのだ。

しかし、どんなに彼女を脅したりすかしたりしても、彼は姫を自由にすることはできなかった。とうとう腹を立てた彼は、姫を洞窟の中にとじこめて、その長い髪でしっかりと大きな岩に縛りつけたのであった。

オッタルはシグリッドが奪われたときくと、さっそく探しに出かけて、あらゆる森の隅々や穴の中を探し、ついに彼女が捕われていた場所を見つけ出して救い出した。しかし、彼女の縛めを解くためには、彼は自分の剣で彼女の髪を断ち切らなくてはならなかった――巨人が結んだ魔法の結びこぶを、解くことができなかったから。それから彼は姫の傍らに座りこむと、可憐な王様の娘が受けなければならなかったこんな酷《むご》い運命に同情して、これを心から慰めたのだが、知っている限りの甘やかな言葉で話しかけたにもかかわらず、その労苦をねぎらうただの一瞥《いちべつ》さえもえられなかったのである。

そこで彼は立ち上ると、「そんなに我意を張るんなら、勝手になさい」と言って、そこに彼女を置き去りにしたのであった。

彼が去ってしまうと、姫は人気のない森の中を、茂みをぬけたり空地を越えたりして、長いことさまよったが、後には命をつなぐために、あるトロールの婆さんの許で女中になって、その山羊の世話をしなくてはならなかった。それでもとうとう彼女は荒野を出て、ある日のこと、飢え疲れてふらふらになって、オッタルの両親の屋敷にたどりついた。オッタルの母親は親切に彼女を迎えて、大そう丁寧に扱ってくれた。というのは、ひどい服装も高貴な生れを隠しきれなかったからだった。それでも彼女は、終始目を伏せて座っていた。そしてオッタルが家に帰ってくると、さらに頭巾を額の上までずり下げるのであった。

　吉日を択んでオッタルの結婚式をあげるのだといって、家では大変な準備がすすめられていた。やがてその日になると、みなはオッタルを花婿の座につかせて、祝いの酒を飲んだ。その午後おそく、彼は花嫁の部屋にはいったが、シグリッドには蠟燭《ろうそく》を持たせた。彼が新床に上っている間、彼女は眼を地に落したまま立っていて、蠟燭が燃えつきてきて彼女の指を焦《こ》がしはじめているのにも、気がつかなかった。

　そのとき、オッタルは言った。「手に気をつけろ、燃えるじゃないか！」と。彼女は眼をあげて男の方を見た。とたんに男は彼女を引寄せて、花嫁の寝床に横たえた。

　シグリッドの父のシグワルド王は、オッタルが許しもなしに自分の娘と結婚したと聞くと激怒して、彼を絞首刑にしようとした。しかしシグリッドは、オッタルがそれまでにしたすべてを父に話して、父と夫の間を和解させたのであった。

アルフヒルド

　シグワルド王にはシガールという息子があったが、その屋敷では四人の子供が成長していた。娘のシグニと、シグワルド、アルフ、アルゲールという三人の息子である。アルフは美貌の金髪の若者だったが、若いうちに既に戦いで名声をえていた。

ゴート王のシグワル（先のシグワルドと同名だが、混同させぬためにこうしておく）に、アルフヒルドという娘があったが、彼女はひどく高慢で、どんな男にも目もくれなかった。父王は彼女のために婦人部屋を作らせて、見張りとしてその外に一匹の竜（蛇）を置き、彼女を手に入れようと思う者は、まずこの竜を殺さなければならないと布告した。それができない者は命を失って、婦人部屋の前の棒杙《ぼうくい》に頭をかけられるのであった。

そんなことをしたからといって、アルフヒルドのために竜と戦おうとする者は少なくはならなかった。けれども、誰にもそれは成功しなかった。こうして彼女の部屋の周りには、切られた頭がほとんど輪をなして並んだ。

この誇り高い美女の噂をきいて、アルフも恋に囚われ、アルフヒルドに求婚する用意をした。彼は竜に立向うために新しく剝いだ獣の皮をまとい、戦いの前には槍の穂先を火で真赤に焼いた。竜は彼に向って進み出て毒気をシューシュー吐きかけたが、彼が赤熱した槍をその顎《あぎと》に突き立てると、その場にたおれて死んでしまった。

それから彼は王の前に進み出て、約束の褒美を頂戴したいと願った。しかし、王は言った——勝利者を承諾の言葉でねぎらうかどうかは、姫の心にあることだと。その間にアルフヒルドの母は、ひそかに娘を説いて言った——男がただ竜を殺したからといって、その男のものになって愛情を強制されるなどは、お前にとって恥辱ではないか、と。

アルフヒルドは答えた。「アルフは勇気をもっていることを示しましたし、わたしの愛情をうるためにわたしの要求しただけのことはなしとげたのです。でも、あなたはこれ以上わたしをけしかける必要はありません。あなた方の気持はわかりましたから、お望みの通りにします。でも、代償としてわたしは要求します――お父様がわたしに武器を与えて、わたしを戦争に行かして下さることです」

バイキング船を刻んだ岩壁画（スウェーデン）

こんなわけで、王は自分の奸策に自分で落ちこんでしまった。彼はアルフヒルドに船の用意をしてやらなければならなくなり、彼女は鎧をつけて、バイキング行に出かけたのであった。

一方、拒絶された求婚者の方も、バイキングで自分の運をためしてみるべく、同様に出発した。するとあるとき、彼があるフィヨルドに入って行くと、そこにはアルフヒルドが彼よりも前に船をとめていたのである。こちらはアルフの船が進んで来るのを見ると、即座に船を出して、真直ぐに相手の方へ進んで行った。こうして双方の船が互いに近づいて行った時、舷側から身を乗り出していたデンマークの戦士たちは、異国の船の舵のところに立っている人物が、いかにもすらりとして華奢《きやしや》であるのに驚いた。

戦いの間に、アルフは自分の船を相手の船に横づけにすると、一歩一歩と甲板を片づけていって、最後には後甲板で敵の首領と向いあった。彼の最初の一撃は相手の兜《かぶと》を打ったが、それが横からのものだったため、兜は飛んで甲板の上にころがった。とたんに、敵の指揮者の頬がすべすべして髯のないのが目にうつった。「剣をおさめろ、ここではもう鋭い武器は使わんでもいいぞ！」と彼は叫んだ。そしてそれがアルフヒルドであるのを見ると、彼はたずねた――自分が彼女を手に入れるために、その部屋の前で竜を殺した青春の時には叶わなかった望みが、いまここで叶うのだろうか、と。

「そうです」と彼女は答えて、進んで彼の船に運ばれて行った。するとアルフは彼女に女の着物を着せて、王様の娘にふさわしく、たいそう慇懃《いんぎん》に彼女を扱ったのである。

それから彼は喜んで故郷に向って、王宮に着くまでは立ちどまらなかった。そして家に帰りつくとまもなく、アルフヒルドと婚礼をあげたのであった。

シグニ

アルフはその冬を家で過したが、春になると、また兄弟のアルゲールとバイキングに出て、ハームンドの息子たちのヘルヴィン、ハグバルド、ハームンドと戦った。

戦いは終日続いたが、まったく互角だった。そこで翌日は全部の王子たちは和解して、互いに義兄弟の約を結び、各自の故郷に引上げたのであった。しかしハグバルドだけは新しい義兄弟たちについて行き、シガールの家で客となった。

するとシグニは、ハグバルドの功業をきくうちに、心から彼に好意をもつようになり、こうして二人はしばしばひそかに逢曳《あいびき》するようになった。ところである日、シグニの従僕が彼女の数多くいた求婚者の話を持ち出して、サクソン人のヒルデギセルという者を、誰よりもすぐれていると褒め上げると、シグニは急に叫びだして、彼女がハグバルドをどう思っているかを告げ、彼の勇気は他の人たちが持っているすべての美点に釣合うものだと言った。

ところが従僕の一人がヒルデギセルの許へ行って、シグニが言ったことを洩らした。サクソン人は怒って、王の信頼をえている利口者のボルヴィスに相談した。ボルヴィスは言葉たくみに王にハームンドの息子たちを中傷して、彼らの一族が約束を守らぬことは周知の事実だと言い、彼らが結んだ義兄弟の誓いもあてにならぬとした。ボルヴィスの不断の中傷で、両家の間には敵意が増大した。そして一日、ハグバルドが留守にしていた時に、シガールの息子たちはその義兄弟たちを襲って、ヘルヴィンとハームンドを殺したのであった。

ハグバルドは家に帰ってきて、何が起ったかを聞くや否や、兄弟の仇を討つために部下を集めて、アルフとアルゲールを倒した。

いまやハグバルドは、シガールの国ではおたずね者になった。彼はシグニと逢えなくなったことを心から悲しんだ。彼女に逢いたい思いに駆られて、彼は女装をしてシガールの館に行くと、ハグバルドの使いで王に逢いに来たのだと言った。客は愛想よく迎えられて、旅の疲れを医《いや》すために婦人部屋へと導かれた。ところが、彼の足の埃《ほこり》を洗った召使たちは、この見なれぬ女の足の皮が、あまりに堅いのにおどろいた。と、シグニはそれを中断させて、ハグバルドの女中たちはいつも主人が戦争に行く時にはついて行って武器をとるのだから、手や足の筋が堅いのもおどろくにはあたらないのだと言った。そしてこの見知らぬ女に大変な敬意を示して、シグニは彼女を自分自身の部屋で休ませたのである。

夜中に二人は話し合うべきことが沢山あった。ハグバルドは、彼女の二人の兄弟を殺さざるをえなくされた辛い運命を嘆いて言った。「あなたの父上がぼくを掴まえたら、当然あの人はどんな代償をさし出そうと、ぼくの命は助けてくれないでしょう——わけてもぼくがあなたの愛を自分のものにした今では」

すると、シグニは答えた。「父があなたを殺させたら、あなたの死後はどんな男にも肌は許しません。二人は死んでも一体ですわ」

ハグバルドは彼女の好意に感謝して、あなたの約束は自分にとって命よりもうれしいものだと言った。

二人が寝ながら愛情こめて話している間に、召使の一人が外に立って、耳をすましていた。彼はすぐさま王の許へ行って、変装してあなたの娘のところに来ているのは、ハグバルド自身だと告げたのであった。

真夜中にハグバルドは、壁の向うで幾人かの足音がするのを聞きつけた。彼は跳ね起きると、戸口に立って、自分の武器が持ちこたえる限りは防いだ。しかし、ついに彼は捕えられて、王の前に曳き出された。

シガール王は相談役と会議を開いて、敵意に加えるに嘲弄《ちょうろう》をもってした男を、どうしたらいいかとはかった。王の信頼する顧問官の一人のビルヴィスという老人は言った——王様は賠償をお取りになって、かくも大胆な男は壻に迎えるのが、男を殺して拭いがたい憎悪を一族の上に招きよせるよりもよろしいのです、と。しかし、奸智《かんち》にたけたボルヴィスは、王が受けたすべての害悪を王に思い出させた――最初にハグバルドは王の二人の息子を殺し、次には姫をだまくらかして、王の一族に大きな恥辱を与えたのだ、と。

ボルヴィスの意見が、王様には一番よいものに思われた。そこで王は、王宮の外の丘の上に、絞首台を立てさせたのである。

ハグバルドがいよいよ首をくくられに連れて行かれる前に、女王は彼の前に歩み出ると、あざ笑いながら一つの角杯をさし出して言った。「おめでとう、さあ、絞首台で死ぬという栄誉をかみしめて、これを飲み乾しなさい！」

ハグバルドは角杯をつかむと、「おれはこの杯を、お前の二人の息子を打ちたおした手で受けるんだぞ」と言いざま、酒を妃の顔に浴びせかけた。

それを見て、王は言った。「急いで彼奴をしょっぴいて行って、その傲慢さにふさわしい高い馬（絞首台をいう）にのせてやれ！」

王の部下たちは、王宮の外の丘に連れて行って、彼を吊り下げようとした。彼は絞首台の下に立つと、まず自分のマントを吊り下げるように戦士たちに乞うて言った。「おれの体が絞首台からぶら下った時に、それがどんなふうに見えるか、ぜひ見たいからな」と。

向うの婦人部屋で見張っていた男は、いま絞首台に何かが吊り下げられたのを見ると、こういって叫んだ。「いま王の息子は吊り下げられましたぞ！」

同時にシグニは、かねて用意しておいた薪の山に、火を点じた。炎は高く空にあがった。王宮から煙が上るのを見て、ハグバルドは言った。「友よ、いそげ、何をぼんやりと考えこんでいるんだ？　おれは急いで、遅れんようにしなくては。王様の娘を待たしてはすまないからな」

みなが彼の首に縄をかけると、彼は笑って言った。「いまはこの上なく苦い死も、甘い味がするぞ」

このようにしてハグバルドとシグニは、同時に死んだのであった。そして彼らの死後は、両家の間には敵意が荒れ狂って、両家はほとんど死に絶えたのである。

スギョルド家とハドバルド家

スギョルド王

シェーラン島のレイレに都した王家は、自らをスギョルドンゲルと呼んだ。一族の祖先はスギョルドと言って、どこからとも知れず、海上を漂って来た者であった。

大昔のあるとき、デーン人たちは一艘の船が岸に向って進んでくるのを見た。船には漕ぎ手もなく、舵取りも甲板には見えなかった。それが港に入って来て杙《くい》に横づけになった時、彼らは甲板に一人の小さい少年が眠っているのを見出した。頭を麦の束の上にのせ、周りには武器が積み上げられていた。デーン人たちは彼を陸地に運んで、民会につれて行った。そして彼を聖なる石の上に座らせて、彼を王に推戴《すいたい》したのである。

やがて成人すると、彼は強大な首領となり、その名はデンマークでも、広く近隣の民の間でも、大いなる栄光をかちえた。

スギョルド王が死ぬと、部下たちは彼自身の遺言に従って、その遺骸《いがい》を浜辺に運び、彼自身の船にのせて、その周りに武器や財宝を山と積み上げた。それから船を押し出したのだが、その船がどこの港についたとも、誰ひとり聞かなかったのである。

スギョルドの後裔にハルフダンが出た。彼には三人の息子があって、ヒョルガール、ロアール、ヘルゲといい、娘が一人あって、シグニイといった。

同じ頃、スギョルドンゲルの近くにいたハドバルド族を、フロデという王が治めていた。この両族の間にはしばしば争いが起ったが、幾度かの戦いのあとでフロデはスギョルド家のハルフダンをたおして、シェーラン島の彼の王国を、自分の統治下においたのである。

フロデの石臼

フロデ王は自分の民の間では、あらゆる仇をなす連中を防いで国に平和を与えた、きびしい、そして富んだ首領として有名であった。彼の治世には、隣人に害を加える者は一人もなかったと言われる。人々は、たとえ自分の縁者を殺した相手に途上で出あっても、その加害者に自分で復讐をすることなく、事件を民会の裁決に委ねたのであった。そして王は凌辱《りようじよく》や盗みをきびしく罰したため、国には泥棒や凌辱者がいなくなった。また彼はおのれの威力で、百姓たちに自分の箪笥《たんす》に錠《じよう》をおろすことを禁止しさえした。また王は、自分でも一つの腕輪を野にほったらかしておいたのだが、それは何年もそのまままころがっていて、誰も手をふれなかったという。

さて、あるときフロデ王は、フェンヤとメンヤという二人の奴隷女を買った。買うにあた

神々を刻んだ豪奢な銀器（デンマーク出土，ただしケルト系のものとされる）

っては、王は彼女らの出身をきかなかったのだが、娘たちは巨人族の生れであったので、普通の女よりは、二人ともずっと大きく、また逞しかったのだ。
王は女たちを館につれて来ると、昔ある巨人から贈られた石臼を挽《ひ》かせることにした。それは何でも望みのものを挽き出す魔法の臼だったが、これまでは誰にも回せなかったのである。しかも彼は、その仕事に少しも休みを与えず、石臼がとまってその歌が聞えなくなると、すぐまた女たちをせきたてて、石臼を回させるのであった。
最初に王は、彼女らが自分のために、幸運と豊作とを挽き出すことを望んだ。女たちはそれを挽き出しながら歌った——女たちが石臼を回す時に、いつもやるように。

「挽き出せ、挽き出せ、フロデに粉を。おいらはここに、石臼立てて、石と石とを　重ねあわせる。それからおいらは　柄に手をかけてゴロゴロ　臼を回すのだ。
おいらは　フロデに粉を挽く。おいらが　幸運を挽き出すと、あいつは宝に埋まって座ってる。おいらが仕合せを挽き出すと、あいつは羽根布団に眠って、起きてはまた楽しむのだ。
さあ、おいらはフロデのために石臼を回したぞ」

そして二人は石臼をとめて言った。「さあ、フロデ、あんたの言った通り、おいらは石臼を回したよ」

しかしフロデはまた女たちを石臼に追い立てて言った。

「まだ挽きかたが足りないぞ。今度はフロデのために平和を挽くんだ」

そこで女たちは、また臼を回しはじめて歌った――

「おいらは、フロデのために挽く。おいらは彼のために平和を挽き出す、敵のためにも平和を、国内にも平和を。誰も人を殺してはいけない、剣で切ってはいけない、仇を討ってはいけない。たとえ父親殺しを見かけても、兄弟殺しが捕まって縛られているのを見ても、彼に平和を与えよ。

さあ、おいらはフロデのために臼を回したぞ」

もう一度石臼は止った。それでも王は満足しないで、今度は黄金を挽き出せと言って、森の郭公《かっこう》が黙っている間より長くは、女たちを眠らせようとしなかった。女たちがどれほど多く挽き出そうと、フロデ王にはまだまだ自分が望んだのには足りなく見えたのだ。奴隷女たちは、腕が痛くなるまで、黄金を挽き出した。それからとうとう臼の柄をはなして言った。

「もうおいらはさんざん挽いたぞ。フロデよ、お前がおいらを買ったのは、賢かった。でも、お前が思ってるほどには、賢くなかったのだよ。お前はおいらが強いのを見たが、その強さがどこから来たのか、たずねなかった。おいらの属する種族は、きびしいんだ、なにしろ山の巨人の一族だからな。おいらは山の中のどこでこの石臼が生れたか、知っている。おいらは九年のあいだ地下で遊んで、足で岩を砕いて明るみに出したんだ。おいらはそれを、巨人の垣根を越してころがした。するとそいつはゴロゴロドスンと人里に落っこちて、それを人間が見つけたのさ。

それからおいらはスウェーデンの、鉄色の戦士たちにまじって遊んだ。おいらの荒々しい太刀に、鎧は裂け、楯は砕けたよ。おいらは一方の首領を助けて勝たせ、もう一人は死なしてやった。おいらは奴隷に落ちるまでは、ワルキュリエとしてうろつき回っていたんだ。いまは夜も昼も王の館でこき使われて、聞くのはただがみがみいう文句ばかり。砂利がおいらの踵《かかと》を嚙み、寒さがおいらの体にしみこむ。フロデよ、奴隷はお前の館ではちっとも喜びがないぞ。いまは石臼は立ちどまり、手は休む時なのだ」

しかし、フロデはなおも怒鳴って、自分に必要なだけ十分に挽き出されたと思うまでは、女たちに休息を与えようとはしなかった。すると女たちは荒々しく石臼の柄をつかんで叫んだ。「起きろ、フロデ、そしていまおいらの歌う声をきけ。おいらはフロデに向って軍隊を挽き出すぞ。おいらはフロデの館に火を挽き出すぞ。おいらは多くの人々の上に死を挽き出し、ハルフダンの死に対して、フロデに復讐を挽き出すぞ」

そういって女たちが石臼を回すと、石は砕けて、臼は崩れ落ちた。そして女たちは、フロデに向って叫んだのである。「これで十分に挽いたぞ。もう石臼は止っていいのだ。お前の奴隷女は、お前の必要なだけ長く臼の柄をつかんでいたよ」

ロアールとヘルゲ

ハルフダン王がたおれた時、息子のうちではロアールとヘルゲだけが生き残った。二人ともまだ幼い子供で、レギンという男に養われていたのだ。

王が殺された夜、レギンは子供たちと共に逃れたが、彼は自分の家に子供たちを連れて行くわけにはいかなかった。というのは、彼は裕福な男だったので、きっとフロデ王が訪ねて来るにちがいないと思ったし、自分の屋敷から追い出されないですむためには、王に忠誠を誓うしかないことを知っていたからである。そこで彼は、ロアールとヘルゲを、ある小さい島へ連れて行った。そこには屋敷が一つしかなくて、ハルフダン王の忠実な友のヴィフィルという勇敢な百姓が、住んでいたからだ。この男にレギンは、父を失った王子たちを匿《かく》してくれるように頼んだのである。

ヴィフィルは王子たちを引受けると、地下に部屋を建てて住まわせた。そこに王子たちは夜は隠れることができたが、なんの危険もない昼間は、彼らは森へ行って遊び戯れたのであった。

フロデはハルフダン王の子供たちが、王の友らによって安全な場所に隠されたと知ると、スパイを国じゅうに放って、彼らの行方を探させた。部下たちは遠くをも近くをも探したが、あらゆる労力をはらった後で帰って来て、どこにも王子たちの足跡は見つけられなかったと、王に報告した。そこでフロデは、巫女《みこ》や占いにたくみな人たちの助けを求めて、その透視力で全国を隈《くま》なくさぐって貰ったが、彼らにも王子たちの隠れている場所を見つけることはできなかった。

とうとう王は、魔法使たちにたよって、彼らに魔法をつかってみよと命じた。彼らは三日の間一室にとじこもって、誰にも自分たちが何をやっているのかを知らせなかった。しかし、三日が過ぎて王が行ってみると、彼らは深い眠りから醒めたようにして、起き上って言った――いま自分たちは国じゅうを探して来たのだが、自分たちに言えることは、王子たちは遠くに逃れたのではないこと、といって国のどこに隠れているのでもない。自分たちにはどこでもはっきりと見えたのだが、ただ向うのヴィフィルの島だけは霧がかかっているため、そこに何があるかはわからなかった、と。

フロデはすぐさま部下をヴィフィル島へ送って、島内を残る隈なく探させた。しかし、彼らが帰って来て言うには、扉という扉は残らず開いていたが、王子たちのいる痕跡《こんせき》はどこにもなかった、と。フロデは、お前たちの探し方が悪いのだと言って、今度は自分でヴィフィルのところへ行って、あの憐れな漁師が、はたしておれの敵をかくまえるかどうか、見てやると言った。

王が島へ渡る用意をしている日に、ヴィフィルは重たいものが自分を押しつけるのを感じて目をさますと、子供たちに言った。「なんだかあやしい気配がある。大きな逞しいフュルギエ（守り神、精霊などをさす）が島へやって来るのだ。君たちは例の隠れ家にもぐりこむ用意をしていなさい。わしがわしの犬を呼ぶのを聞いたら、それが危険の合図だからな」

フロデが島へやって来た時、ヴィフィルは浜辺へ下りて行ったが、家畜を見張るのにかまけていて、フロデ王が来ているのに少しも気がつかなかった。王は彼を捕えさせると、子供たちはどこにいるのか即座に言えと命じた。ヴィフィルはそれが王だと認めると、挨拶して言った。「殿様、そんなにわしをしっかり抑えつけないで、放して下さい。家畜どもが森へ迷いこんじまったんで、狼にやられるかも知れないんです」それから彼は向き直ると、森に向って叫んだのである。「ヘーイ、ホップとホー、牛どもに気をつけろよ!」

王がお前は何を叫んだのだときくと、彼は答えた。「あなたがわしを捕まえてるもんで、わしは犬に言いつけたんです。それじゃ、わしのようなけちな百姓が王様の敵をかくまってると思われるんなら、御自分で探してごらんなせえ」

王は島じゅうを探したが、何も見つからなかった。というのは、ロアールとヘルゲはヴィフィルが犬を呼ぶが早いか、地下の部屋に走りこんだからである。王は探しものが見つからなかったので、ヴィフィルに言った。「貴様はずる賢いおやじだな。絞り首にされる価値があるぞ」

「なさりたければ、なさっても仕方がありません」と、ヴィフィルは答えた。「そうなれば、あなたがここへいらっしゃったのも、まるきり無駄ではなかったわけですからな」

それでフロデは引上げて行ったが、ヴィフィルはそれ以上兄弟を、手許におくわけにはいかなかった。そこで彼は、二人の姉妹のシグニイを妻にしているセーヴィル伯の許へ、兄弟を送りとどけたのであった。時にロアールは十二歳で、ヘルゲは十歳であった。

少年たちはこうしてセーヴィルへ向った。二人は百姓の服を着て、帽子を目深にかぶって伯の屋敷に来ると、ハムとラーネだと名のった。伯は彼らを見て言った。「お前たちは物の役には立ちそうもないな。だが、食べ物だけは惜しみはしないよ」

二人は屋敷のまわりを走り回っては、人々の邪魔になり、少しもよいことはせずに、厄介ばかりをかけた。下男たちは彼らをよいなぶりものにして、嘲りの言葉を浴びせた――というのは彼らはどうしても帽子を脱がないで、それは頭にシラクモが出来ているからと言ったからだった。

その間にフロデ王は、伯が親戚のかどで王子たちを隠しているのではないかと疑い、伯を妃のシグニイと共に、王宮での祝宴に招いた。伯の一行が出発すると、少年たちはまだ仕込まれていない仔馬を摑まえて乗って、伯の一行に追いついて来た。伯は馬蹄の音をきいて振返ってみた。と、少年たちが馬を走らせて来たが、一人は前向きに乗っているし、もう一人は後向きに跨がっていて、とても一行の名誉にはなりそうになかった。

オーセベリで発掘されたバイキング船（復元図）
たぶん９世紀の女王オーサの埋葬に用いられたもので，豪奢な副葬品を伴っていた

ところが、いまやその瘠馬《やせうま》も一緒になって走りだしたとたんに、ラーネの帽子が風で飛んで、その長い髪が風になびいた。彼はいそいで帽子を拾い上げて頭にのせたのだが、それより早く、王子の髪が肩に垂れかかったのがシグニイの目にふれて、妃は思わず泣きだしてしまった。セーヴィル伯は、なぜ泣くのかときいた。妃が自分が見たところを話すと、夫は「これは重大なニュースだぞ」と言って、誰にもこのことを洩らすのを禁じた。

それから伯は少年たちのところへ行くと、きびしく命じた——さあ、お前たちはここから引返して、みなに恥をかかせないようにせよ、と。しかし彼らは、伯の一行を先に進ましておいて、その後をつけて王宮まで来たのである。

祝宴がはじまると、二人は広間の中を騒ぎ回った。一度、彼らは姉が座っている前を通りかかったので、妃はささやいた、「外へ出ていなさい。この席に出るには、お前たちはまだ若すぎます」と。しかし兄弟は、そんな言葉には耳をかさなかった。

午後おそくなって、フロデ王はハルフダンの王子たちのことを言いだして、彼らのひそんでいる場所を知らしてくれた者には、大きな褒美をやることを約束した。それから一人の巫女をつれて来させると、この席でお前のわざをためして、少年たちのいる場所がみつかるかどうか、やってみよと命じたのである。

巫女は予言の椅子に座ると、人々に命じて火の上に濡れたものを載せさせたので、広間は煙でもうもうとなった。それから彼女は歌いはじめたが、しばらくすると大きく口をあけて喘《あえ》いで、呟くのが聞えた。「ここにはわしの我慢できん者が二人いる。その者たちはそこの火のそばにいる」

「それは少年たち自身か、それとも彼らをかくまっている者か？」こういってフロデが聞くと、巫女は答えた。

「それは犬の名前で呼ばれている者じゃ」

しかし、とたんにシグニイが彼女の膝に指輪を一つ滑り落してやったので、巫女は考え直して言った。「わたしは何を言っていたのかしら？　なんだか、目の前が真暗になってきた」

そのとき王は、シグニイがもはや席にいないのに気がついて、どこへ行ったのかときいた。セーヴィルは答えた——妻は広間に立ちこめた煙で気持が悪くなったのだと。しかし王は怒って、巫女を嚇《おど》した——本当のことを包み隠さずに言わぬと、ひどい目にあわせるぞと。すると巫女は深い息をついて、生きた色もなくなっていたが、突然に予言の椅子から床の真中に身を投げると叫んだ。「そこにいるハムとラーネは鋭い目をしているぞ。あれが不敵な王子たちなのだ」

それを聞いて怯《おび》えた二少年は、扉をぬけて走って逃げた。フロデは直ちに部下を呼んで追いかけさせたが、少年たちを知っている者や森で見かけた者が多かったため、夢中になって先頭に立とうとして、同時に戸口に殺到した。その間にロアールとヘルゲは、闇の中にすべりこむ隙を見出したのであった。

そのとき、フロデが叫んだ。「ここにはあの二人のほかにも、まだまだ敵がいるのだ。だが、復讐してやる時間はたっぷりある。今夜はゆっくり飲むとしよう」

少年たちの養父のレギンは、その仲間と共に、酒を運んでくるのに全力をつくした。そこで王の戦士たちはしたたか酔っぱらって、互いに折り重なって眠りこんだ。広間の中が静かになったのを見ると、彼は外へ出て行って、森の中の少年たちのいた場所に行った。少年たちは彼を見ると喜んで呼びかけたが、こちらは黙ったままで一語も言わなかった。そして少年たちをじっと見つめただけで向き直ると、引返しはじめた。といっても、その間じゅう、彼は肩ごしに振返っては、彼らがついて来るかどうかをうかがったのだ。こうして王宮のすぐそばの小さい林のところまで来ると、彼はひとりで呟いた。「おれがフロデと仲が悪かったら、焼き殺してやるんだがな」

少年たちは、やっと養父の言っている意味がわかった。それからまた、彼がなぜこんな態度をとったかも、理解ができた。養父はフロデ王にした誓いを、破りたくなかったからなのだ。そこで二人は彼について広間に行くと、四方の壁ぞいに薪をどしどし積み上げはじめた。ついで、いよいよ火をつける前には、レギンは自分の友だちを、みな外に呼びだしたのである。

セーヴィルが戸口に出てくると、レギンは彼に言った。「おれたちは火をつけるのを手伝ってやろうじゃないか。フロデには少しも友情を持たんのだからな」

壁に火が移ると、フロデ王は目をさましたが、戸口に来てみると、戦士が外を取りかこんでいた。部隊の指図をしているのは誰だと、王はきいた。

「ぼくらだ、ハルフダンの息子のロアールとヘルゲだ」と、ヘルゲは答えた。王は平和と和解を申し出て、君たちの父の死に対してどれだけ賠償金を払ったらいいか、君たち自身にきめてもらおうと言った。しかし、ヘルゲは答えた。「お前がぼくらの父を襲った晩には、お前はそれほど寛大ではなかったぞ。お前はいまお前のいる場所にいつまでも残るがいいのだ」

そこでフロデは引返して行き、部下のすべてと共に焼き殺されたのであった。こうして兄弟は父の国をみごとに取り戻して、レイレで王座についたのである。

ヘルゲとオローフ

さて、ロアールとヘルゲは、レイレで王の座についたが、ロアールがたいてい王宮にいて国を治めたのに対し、ヘルゲはいつもバイキングに出かけた。

南のサクソン人の国を、オローフという女王が治めていた。人々のいうところでは、彼女は美貌の堂々とした女だが、結婚する気はほとんど持たないのだという。

あるときヘルゲはバイキングに出て、サクソンの国に来たが、女王のオローフがいつも求婚者をすべて頭ごなしに追い返してしまうという噂をきくと、そんな高慢ちきな処女王を仕込んでやるのは、大きな名誉にちがいないと考えた。そこで大勢の部下を率いて王宮に出かけて行くと、一緒に宴会を開こうと申しこんだ。女王はそれを撃退する準備をしたいと思ったが、その暇がなかった。そこで、自分で招待でもしたふうにしてヘルゲ王を迎えると、この上なくすばらしい祝宴を張った。

さてその夜二人が並んで玉座についている時に、ヘルゲが言った。「いま思いついたのだが、われわれは今夜のうちに結婚式を挙げようではないか。ちょうど一緒に杯をあげるに適当な資格をもった立会人もそろっている。余の聞いたところでは、あなたは自分にふさわしいと思うだけの立派な婚礼を挙げることができないため、今まで花嫁の床につかなかったそうだが」

オローフは答えた。「そんな大切な儀式には、わたしはもっと多くの友人に立会って貰いたいのです。でも、あなたがそんなに事を急がれるのでは、それらの人を招く暇がありません。ではあなたのお気に召すように」

こうして今や婚礼の祝宴がはじまり、みなはたっぷりと酒を飲んだ。そして人々の眼には、女王は自分の望んだ花婿をえたのだとしか思えなかったのだ。ところで、二人が花嫁の床にやって来た時には、ヘルゲはひどく酔っぱらっていて、寝床にころげこむや否や、すぐさま熟睡してしまった。するとオローフは起き上って、彼の髪の毛を残らず切り落し、頭をタール桶の中につけてから、彼を袋の中にころがしこんで、彼の船まで運ばせたのであった。それから広間に引返すと、彼の部下たちを呼び起して、お前たちの王様は、順風が吹いているうちに出航するのだと言って、もう帰られたぞ、と言った。

みなは転がるようにして浜へ下って行き、船に上ってみると、大きな袋が一つあるだけだった。そしてその袋の紐をといてみると、王が中にはいっていたのである。

ヘルゲ王は目がさめると、自分の結婚式に満足するわけにいかなかった。しかし考えてみるに、オローフはもはや多くの友人に使いを出しているに違いなかった。そこで王は、今度のところはただ求婚しただけにしておくのが、最上だと考えた。そして風も順風だったので、そのまま彼は船を出したのであった。

いまやオローフ女王は、ならぶ者もないほど傲然《ごうぜん》と、彼女の国に君臨した。前よりもずっと高慢になって、ヘルゲのように強大な王を辱《はずか》しめてやったことを、声高く喋々《ちょうちょう》したのである。

さてある日、一人の乞食が彼女の館にやって来て、奴隷の一人とお喋りをしていたが、お互いがいくらか心安くなった時、乞食が話した――自分は向うの森の中で宝物を見つけだした、と。そして彼は奴隷を誘って行って、金銀をつめた二つの箱を見せさえしたのである。こうして二人がそこに突立って宝物を見ていた時、見知らぬその男は奴隷にきいた――君の女王様は金銀がお好きかと。奴隷は答えた――そうだと思う、女王様は手に入れられる限りのものは何でもかき集めるのだと。

「あの人の領地で見つかったんだから、これはうれしいことにはならない予感がしたんだ」と、乞食は言った。「そんなら、全部を失ってしまうよりは、少しの儲けで満足する方がいいな。ところで女王様は、ここまで来て宝を見なさると思うかね？」

「見ると思うね」と、奴隷は答えた。「だが、お前さんはこのことは誰にも気づかれんようにするがいいぜ」

そこで乞食は奴隷に言った――行って女王様に、お前の見たことを話してごらん、と。奴隷は走っていって、ひそかにオローフに告げた――森の中に、多くの人を富ませられるほどの金銀が見つかった、と。貪欲な彼女は、この発見がほかの誰にも知られぬようにと、ただ一人で奴隷について来た。ところが、その場所に来てみると、彼女が出あったのは乞食でなくて、ヘルゲだったのである。

彼はオローフを愛想よく迎えて、あなたが余に見せてくれたすばらしいもてなしに対して、お礼の宴会をしたいから来てくれと言った。オローフは、わたしのやり方は悪かったと言って、今度こそあなたと豪華な式を挙げましょうと申し出た。しかし、ヘルゲは言った――あなたの客あしらいは、たしかに余のもてなしを受けるだけの価値のあるものだった、と。

こうして彼は、例の金銀をつめた箱と、サクソンの女王とを共に取って船に戻り、幾夜も自分の許に留めたのであった。そして前回のサクソン国訪問の際に、彼女から受けたもてなしとよい待遇に対して、もはや十分な仕返しをしたと思ったとき、彼女を陸におろしておいて、自分はさらに船を進めたのであった。

ヘルゲが去ってから大分して、オローフは女の子を生むと、その子に彼女の犬の名をとってイルサと名づけた。子供は下男の一人に育てられて、大きくなると、山羊の番をして走り回らなくてはならなかった。だから、誰しも彼女のことは、貧しい百姓の娘とよりほかには思わなかったのである。

ヘルゲは長年のあいだそこらを劫掠《ごうりゃく》して回ったが、あるときバイキングの途中で、サクソンの岸辺を通ったことがあった。彼は様子を見るために上陸したが、そこの森の中で、ただ一人で家畜の番をしていた一人の娘に出あって、こんな美しい娘は見たことがないと思った。名をきいてみると、百姓の娘で、イルサという名だとの返事だった。

「お前の眼は下賤な者には似ていないな」とヘルゲは言って、彼女に非常な興味をもち、すぐさま自分のものにしようとした。娘は、どうか自分に乱暴をしないでくれと必死で頼んだが、ヘルゲは答えただけだった、「そんなふうに百姓娘は、百姓の息子にせっつくじゃないか。おれたち二人は似合いだぜ」と。

こうして彼が娘を船までつれて行くと、彼女は泣きも嘆きもせずに、黙々とついて来た。やがてレイレに着くと、彼は彼女と式を挙げて、心からの愛情を示したのである。やがて一人の息子が生れて、ロルフと名づけられた。

オローフは何が起ったかを耳にしたが、ずる賢くも黙っていた。それがヘルゲの恥辱と不幸になることを願ったからである。しかし、彼も彼の妻も両方とも仕合せにしていると知ると、ひどく不満に感じた。そこで船を出してレイレに着くと、イルサを浜まで呼び出した。イルサは彼女を王宮に招いたが、オローフは答えた――ヘルゲがお前と結婚した時は、彼女に何の栄誉も示さなかったので、賠償金を要求するのだと。

「わたしがサクソン国にいた間は、大して栄誉も受けていなかったじゃありませんか」と、イルサは答えた。「でも、わたしは自分が下僕の子だとは思いません。わたしがどういう家柄に属しているかは、あなたが知っている気がするのです。それをいまおっしゃって下さいませんか」

「お前はお前の結婚に対して、どんなふうに思っているのかえ？」と、オローフはきいた。

「いまよりも大きい幸福を持ちたいなんて思いません。夫に北国第一の王をもっているのですもの」と、イルサは答えた。

「お前が考えているほどに幸福は大きくないんだよ」とオローフは言った。「お前の身内を知りたいのなら言うが、ヘルゲはお前の父親だし、わたしがお前の母親なのです」

すると、イルサは言った。「では、あなたほど悪い母親はありません。取返しのつかない悪いことが起ってしまったわ」

「それはヘルゲに対するわたしの怒りのせいです」と、オローフは言った。「さあ、わたしと一緒に家にお帰り。わたしの娘としての栄誉をもって扱いますよ」

「それがいいかどうか、わたしにはわかりません。そうかといって、ここにもいられないけれど」こう彼女は答えると、やがてヘルゲの許へ行って、彼女の悩みを訴えた。

「お前は悪い母をもったものだなあ」と、ヘルゲは言った。「しかし、あの女にわれわれを別れさせることはできないぞ」

「いいえ、いいえ、わたしたちはもう一緒に暮らすわけにはいきません」こうイルサは言うと、そのまま身仕度をして、母についてサクスランドへ去って行った。するとオローフは、もはや彼女が自分の娘であることを隠そうとせず、それにふさわしい栄誉をもって遇したのであった。やがてウプサラのアディルス王が彼女に求婚して、彼女を妃に迎えた。イルサが去ると、ヘルゲは幾日も床についたまま、頭から布団をかぶっていて、誰とも口をきこうとしなかった。それから船を海に浮べると、ふたたびバイキングに出たが、二度とレイレに帰らずに、遠い異郷で戦いにたおれたのである。

ビョーウルフとグレンデルの戦い

ロアール王はレイレに一つの大広間を建てたが、それは誰もそれに匹敵するものを聞いたことがないほどに宏壮で、花やかに飾られたものだった。破風は大きな火炎或いは翼状にせり出して、それが金色に光りながら、天に向ってそそり立っていた。そこでこの広間は雄鹿《ヒョルト》館と命名された。そこにスギョルド家の王たちは、麾下《きか》の戦士たちに囲まれて、大きな栄光と幸福を楽しんでいたのである。

しかし、永らく誰の目にもつかなかったとは言え、スギョルド一族にはひそかな汚点があったのであり、それは一族の名誉を汚した一人の老首領から発したのであった。そのような卑劣な行いは、ちょうど毒がひそかに血と共に血管をめぐって四肢の力を弱めるように、つねに一族の幸福と生命に弱みをもたらすものなのである。それはロアールの先祖の一人のヘルモード王が、一時は強大な輝かしい首領であったのに、いつ知らず心の中に所有欲と貪婪《どんらん》さを育てて、麾下の戦士たちに財宝を贈物として与えて彼自身と一族の誉れを高める代りに、その宝の上に座って、それにしがみつくようになったからだった。そして彼の心がまず毒されると、また悪意や惨酷《ざんこく》さが彼の中に成長して、ついには自分の一族に向って荒れ狂い、最後には生きることへのあらゆる喜びや楽しみがすべてかき消えて、彼は邪悪さの中に沈みこみ、はては狼の咆える森の中の、貪婪で喜びなきトロールの間に放逐されたのであった。

ロアールの許で、この弱点が噴きだした。呪いが彼の広間を邪悪なトロールのうろつき場所にし、勇士たちをも怪物の訪問に対して無力にしたのである。

一夜、雄鹿館はトロールのグレンデルに襲われた。朝になって王が来てみると、広間は血で穢《けが》され、うろたえている戦士たちの中に、王は彼の最上の戦士が幾人もいなくなっているのを見た。そして巨人は、こうして最初に広間への侵入口を見出すと、それからは夜ごとにやって来て、いつも餌食を求めるのであった。毎朝彼の足跡が、広間じゅうを歩き回って、高座の少し手前で立ちどまっているのが見られた。こうなると、人々はもはや広間で眠ることができなくなり、よその部屋部屋に寝床を求めるようになった。

幾度も大胆な勇士が、酒盛りの席で高らかに誓言して、自分が広間でグレンデルを待受けてその訪問を阻止《そし》してみせると広言したが、夜があけてみると、いつもその男はいなくなっていて、床は血糊《ちのり》で埋まっていたのである。このようにしてロアールの戦士の数は減って行き、雄鹿館は沈黙がちの喜びなきものとなって、笑いやどよめきがそこから聞えることは、もはやなかったのだ。

さて、ゴート族の間に、ビョーウルフ（ベオウルフ）という若者が成人した。彼は高貴な生れで、フグレイク王の近親であった。少年時代から彼は海で遊んで、水の深みに住む嫌らしい怪物を熟知していた。彼は水泳ぎにたくみで、またしばしば剣を携えて水中に潜り入って、周りに群がり寄せて彼を閉じこめようとする怪異な魚どもの輪を、力ずくで突破しなくてはならなかった。一度などは、ある怪物が彼に爪をかけて海底まで引きこんで、もはや肺がもちきれなくなるまで、しっかりと彼を抑えつけたことがあったが、彼はそのトロールをみごとに切り殺して、その血を浴びながら水の面に浮び出たのであった。

その故郷の家で、ビョーウルフは、レイレの王家を襲っている苦難のことを聞いた。彼は一団の若い戦友たちを集めると、ロアール王に援助を申出るべく、デンマークに向って船を出した。

船がデンマークの岸に近づくと、ロアール王の見張りが岸から声をかけてたずねた――そのように大胆に他国の岸に船をつけて、許可も求めず名も名のらずに投錨するのは、いったいどういう人物で、何の用事で来たのか、と。

ビョーウルフは舳に立ち上って答えた。「王の許へ行って申上げるがよい――ゴートの首領が客になるために上陸して来た。われわれは戦うためにではなく、平和を携えて来たのであり、われらの訪問が終った時には、王にはきっとわれらの来訪が幸いであったと映じることになるであろう、と」

そこでロアール王の部下は一行を浜辺ぞいに導いたが、遠方からでも雄鹿館は日に輝いて望まれたのであった。

見張り番が用向きを言上すると、一行はロアール王の前に進み出た。ビョーウルフは王に挨拶して、自分の名を名のった。ロアール王とビョーウルフの父のエグデルは古い友達の間だったので、王は喜んで彼を迎えた。それというのは、かつてエグデルはイルフィング家の一人を殺したことがあったが、国内にも多くの身内をもつこの強大な一族をゴート国の敵として挑発してはならなかったので、彼はロアールの庇護を求めた。するとスギョルド家の王は争いの仲にはいって、豊かな贈物の助けをかりて彼と彼に復讐を企てる人々との間を和解させたのであった。

いまロアール王は、友の息子を自分の広間に見出して、その古い友誼を思いだし、心からの歓迎を見せたのだった。ビョーウルフは王に感謝して言った——自分はデンマークの人たちがひどい窮地に陥っていると聞いて、自分の力と剣とを巨人のグレンデルを相手にためしてみたいと思ってやって来たのです、と。ロアール王はその言葉をきいて喜んで、彼と彼の部下たちの席を、広間の高い場所にしつらえさせた。それから食べ物や飲み物を運んできたので、まもなく雄鹿館には、ふたたび歌や高らかな談笑の声があふれるようになったのである。

ロアール王の戦士たちの席には、ウフレッド・エグレイフソンという男が座っていたが、彼はビョーウルフに示された大きな栄誉を見ると、嫉妬に駆られて、彼に言いがかりをつけはじめた。「いつかブレーケと泳ぎっくらをしたというのは、君かね？　お前さんたちの無鉄砲さについては聞いているが、お前さんたちは海の底まで潜ってみせると豪語したくせに、危うく陸に戻れなかったそうじゃないか。お前さんたちはたしかに両方とも勇士にはちがいない。だが、わしの聞いたところでは、ブレーケが勝ったそうじゃないか。もし君がグレンデルと戦おうというのなら、もっと苛烈《かれつ》な格闘を覚悟しなくちゃなるまいが、それでも君にはあいつはたおせないね」

ビョーウルフは答えた。「君のいうことにいくらかの真実はあるのかも知れん。だが、わしも君については聞いているよ――君はいつか戦場で身内の者を見捨てて、その人たちを見殺しにしたってな。君に勇気と人間らしさがあったなら、卑劣なことは止めて、グレンデルをたおしてデンマーク人の危急を救ったろうにな。さあ、今度はあの巨人が来た時に、わしがコソコソ匍《は》って隠れるかどうか、よく見ていたまえ」

そのときロアール王の妃がビョーウルフの前に来て、角杯をさし出して彼の来援の礼を述べた。彼はそれを受取ると、飲み乾す前に声高らかに誓った――自分はグレンデルをたおすか、この館で討死にするか、だと。それから杯を乾して妃に戻したが、妃が退いてゆく間に、ふたたび賑やかな談笑が、広間をみたしたのであった。

このようにして王侯も戦士たちも、夜の闇が館の上に落ちかかるまで、楽しく酒を飲んだ。それからロアール王は自分の寝所に行き、ビョーウルフと部下のゴート人たちは、雄鹿館を巨人から守るために、一緒に大広間で眠りについたのである。

その夜が黒い上にも真黒になった時、グレンデルは住家にしている沼から浮び出て、雄鹿館をめざした。彼は扉を突きあけて中を覗きこんだが、両眼は顔の真中で火を噴くかのように光り輝いていた。そこに彼はしばらく立って、広間にまたもや人々が来ているのを、血に飢えたように睨んでいたが、いきなりベンチの端に寝ていたゴート人を摑むと、二つに引裂いて血をすすった。しかし、彼が次の男に手をのばしたとたんに、ビョーウルフはその手を摑んで、ぐいぐいしめつけた。巨人は身をもがいて全身の力で振り放そうとしたが、ビョーウルフはしっかりとそれを摑んだまま、両脚を柱に突張ってこらえた。そのために、建物全体が揺れ動いた。ゴートの戦士たちは躍り上ってグレンデルに切りつけたが、どんな武器もトロールの皮には刃が立たなかったのだ。

こうして二人は長いこともみあったので、壁はくずれ落ちるし、頑丈なベンチも根こぎになって、床の上をころがり回った。それでもビョーウルフはグレンデルの腕をぐいぐいしめつけていたため、巨人の腕はついに肩からちぎれた。彼は穴のあいた血まみれ姿でよろよろと後しざりして、王宮全体が恐れおののいたほどのすさまじい叫びをあげると、夜の闇の中に逃れ去ったのである。

夜が明けるが早いか出て来たデンマークの戦士たちは、魔物が大広間から森へ逃れてゆく際に野の上につけた、深い足跡を見た。彼らは巨人のもぎとられた腕のまわりに群がったり、天井や床に残った彼の爪のあとに驚きの目をこらしたりした。ただ、ウフレッド・エグレイフソンだけは一語も言わずに、かしましく語りあっている人群れの真中に、無言で立っていた。

いまやレイレの大広間の血は洗われて、酒宴の用意がなされ、戦士たちはぎっしりと壁ぞいに腰かけた。角杯が哄笑と咆哮の間にしきりに巡回した。ロアール王は兜や剣や黄金の腕輪やらの財宝を夥しく広間に運ばせて、ビョーウルフへの贈物とした。しかも王はみずから、あのブロシング族の宝について名声のあった、ヘイメがヨルムンレクから奪った首飾りを彼にさし出し、スギョルド家の伝家の宝である胸甲――これはロアールの兄弟のヒョルガールが死ぬまで付けていたもの――を、それに添えたのであった。

ロアール王の宮廷詩人の一人が、客の偉業をたたえて、古歌をうたいだした。彼はウォルスング家のシグムンドが、シンフィヨトリと共に森で怪物と戦ったことを歌い、シグムンドが一人で竜を打ち殺して、その宝をすべて船に運んだこと、その間に竜は荒野で彼自身の吐いた毒に息絶えていったことを歌った。

黄金の象嵌をした戦斧（スウェーデン）

歌が終ると、ベンチのあたりの陽気さはなおさら高まった。そして人々の喜ばしい喧騒《けんそう》の中を、ロアール王の妃が角杯を手に広間をぬけて来て、まず自分の夫の玉座に近づいて酒をすすめて言った。

「幸福と平和のために、さあ酒を召しませ。もはや陛下の広間は英雄の功績によって、すべての悪から浄められました。いつまでも陛下が部下のただ中に誇らかにまた寛厚に座していられますよう」

次に妃は、王の傍らの高座に座った夫の兄弟の息子ロルフの方に向くと、新しく満たした角杯をさし出して言った。「これを飲んで、さああなたの幸いをお味わい下さい。あなたはきっと、あなたの少年時代から、どんなにわたしたちがあなたに栄誉を示したかを思いだされて、わたしの息子たちが父親を失う時が来たら、きっとあの子たちを庇護して下さることと思います」

それから妃は、ビョーウルフが王子たちと一緒に座っていたベンチに行き、縁まで満たした角杯をさし出して彼の幸福と名誉を願ってから、自分の頸《くび》から首輪をはずして、それを彼にさし出して言った。「幸福と富がすべての贈物に続き、またもし戦うことが必要な時には、剣と胸甲があなたの頼りと護りとなりますよう。そしてこの首輪をごらんになる時は、わたしを思い出して、どうぞわたしの息子たちに好意を寄せて下さいますよう。もし彼らが危難に陥りましたら、身内が身内の者を庇《かば》うように彼らを庇って下さいまし」

このようにして妃は、角杯を手にベンチぞいに進んで、一人一人の戦士たちに望んだのであった——彼らがつねに誠実な厩《うまや》兄弟として、生きるにも死ぬにも献身的で、戦いにおいては敏捷《びんしょう》に、酒宴においては陽気であることを。

ロアール王はさらに、ビョーウルフの伴の戦士の一人一人にさまざまの贈物をして、これを褒めたたえた。またビョーウルフに高価な品物を託して、古い友情の思い出に、それを彼の身内に持って行かせた。さらに王は、自分の館でグレンデルのために命を失わなければならなかったビョーウルフの部下のことも忘れずに、その悲しみを慰めるべく、彼の身内に立派な贈物をしたのである。

その夜も遅くなり、十分に酒も飲むと、戦士たちはみな大広間で眠ることにした。しかしビョーウルフだけは、名誉ある客人として、王宮の一室で休むように言われたのであった。ところがその真夜中、広間で眠っていた一同は騒がしい物音で目をさまされたが、見ると一人の女巨人が、狂えるように扉に身をぶっつけていた。あわてて彼らは武器を摑んだ。女怪はキラキラ輝く戦士の群れを見ると、背を向けて逃げだしたが、咄嗟《とっさ》にロアールの戦士の一人を鷲摑《わしづか》みにすると、彼を抱えて走り去ったのである。

朝になってビョーウルフが来てみると、予期していた喜びではなくて、深い悲しみが彼を迎えたのであった。ロアール王は彼に語った――女巨人が息子の復讐にやって来て、彼の最愛の部下のアスゲールを殺して行ったのだ、と。

「悲しんでいるよりも、復讐を考えましょう。悲嘆よりも報復がまさります。死は誰しも免れないところ。一番よいのは、生きている間に名声を確立することです。死んでゆく時には、これ以上の遺産は残せませぬ。さあ、泣いていないで、敵の後をつけましょう。よしその怪物が、地の底にもぐっていようと、森の一番奥に潜んでいようと、わたしがきっと摑まえてみせますぞ」こうビョーウルフが王に言って外へ出ると、残らずの戦士が後に従った。

女怪がアスゲールの屍をかかえてどちらへ行ったかは、すぐとわかった。土の上には彼女の足跡が深く印されていて、間には点々と戦士の血が滴っていたからである。彼らはその血の跡を辿って荒涼たる森をぬけ、薄暗い峡間を下って、じめじめした沼沢を渡った。何マイルにもわたる道もない荒地の奥深くに一つの沼があったが、その沼は枝のからみあった森よりもなお気味が悪かった――密生したハンノキが高い堤の上に垂れて、断崖が水の上に投げる暗い影をいよいよ深めていたからだ。この場所の不気味さ陰惨さは、どんな獣もその沼の岸まではあえて近づこうとせず、鹿などは追いかけられると、この沼の周りの茂みに隠れ家を求めるよりは、ずっと手前で道を転じて、むしろ命を落す方を択ぶほどであったのだ。

この沼のほとりで魔物の足跡は終って、岸には血まみれのアスゲールの頭がころがっていた。ビョーウルフが断崖の上に立って見ると、多くの怪物や蛇が沼の中をうようよと泳ぎ回っているのが見え、足許の水は赤い泡をぶくぶく噴き上げていた。彼は胸甲をしっかりと胸にしめると、手に剣を握りしめて、ロアール王の方を向き、どうぞわたしをあなたの息子と呼んだことを覚えていて下さるように言って、こういって頼んだ。「もしわたしが帰って来ませんでしたら、正式の首領としてわたしの部下の心配をしてやって下さい。また陛下がわたしに下さった贈物は、どんなに鷹揚《おうよう》な君侯にわたしが仕えたかがわかるよう、わたしの身内のフグレイク王に届けて下さい」

それから彼は水中に躍りこんだのである。こうしてぐんぐん底まで潜ってゆくと、トロールの女が現われて彼を摑まえてしめつけたが、ありがたいことに胸甲のおかげで、爪が胸に食いこんで心臓まで突きささることはなかった。女怪は彼を抱きかかえて、深い水底の洞穴まで運んでいったが、その間にも幾度も彼の胸甲に噛みつくのだった。洞穴につくと、女は彼を床に投げつけた。彼が目をあけてみると、そこは水のはいって来ない広間で、内部は青白い太陽の投げるような、ふしぎな光で照らされていた。

自由になるより早く、彼は跳ね起きてトロールの頭に切りつけたが、剣は刃が曲ってしまって役に立たなくなった。そこで剣を投げすてると、すばやく相手の肩をつかんで地に投げ倒したが、女は両腕をこちらにからみつけて、強引に一緒に彼をも引き倒した。こうして上になり下になりして久しく組み合って、二人は洞穴の一方から他方へところがり回ったのである。

そのときビョーウルフは、洞穴の壁に一本の剣がぶら下っているのを見ると、えいっとばかりにトロールにぶつかって、剣の下っている壁の方まで組みあったままよろめいて行き、咄嗟に手をのばしてその剣を取ると、彼女自身の剣で女の頭に切りつけたのであった。はたして剣は切れて、頭はふっ飛び、胴体はドサリと壁の下にころがったのである。

ビョーウルフが穴の中を見回すと、そこには高価な宝物が夥しく積まれていたが、片隅の寝台の上にはグレンデルの屍が横たわっていた。彼は近づいて行って、その頭を切り落した。しかし、死んだトロールの身体はくねくねと上方に伸び上り、肩から頭が切り離されたとたんに、毒気が川のように胴体から噴き出して、まるで氷が太陽に融けるように、刀身から柄《つか》の方までを濡らしたのであった。ビョーウルフは剣とトロールの頭を取ると、洞穴の扉をぬけて水中に躍りこみ、水面に浮び出ると、泳ぎに泳いで沼の岸についたのであった。

ビョーウルフが水底で格闘している間に、戦士たちは岸で待っていたが、幅広い血の縞が噴き出てきて水を赤く染めるのを見ると、みなはたしかにビョーウルフは水底で命を落したのにちがいないと考え、ロアール王は部下と共に悄然《しょうぜん》と館に引上げた。しかしビョーウルフの部下たちは、なおも後に残って、彼らの首領がそこに消えた沼の中に、じっと目を凝らしていたのである。と、新しくまた水がはげしく湧きたった後で、それがまた静まったかと思うまもなく、彼らの首領の顔が水面に突き出されて、それが岸をめざして泳いでくるではないか。みなは狂喜して躍り上って彼を迎え、いそいでビョーウルフの冑《かぶと》や胸甲の紐をほどき、また一人はグレンデルの頭を、また一人は剣を受取って、こうして共々に王宮に引返したのであった。

ビョーウルフが大広間にはいって行ってみると、王は沈黙した戦士たちに囲まれて、頬杖をついて悄然と座っていた。彼は王の足許にグレンデルの頭を置いて、その手に剣の柄を載せた。ロアール王はその頭を見て、もはやレイレの都の平和はみだされることがないのを喜んだが、剣の柄を見ると、彼は眼をキラキラ輝かして、そこに刻まれた古い画模様や焼入れを上に下に撫でさすっては、そのすばらしい鍛冶の術を嘆賞するのであった。額に刻まれていた皺《しわ》はすっかり伸び、垂れていた眉《まゆ》は高く上った。王はビョーウルフに礼を述べて、あなたの行為はこの世が続くかぎり記憶されるであろうと言い、またゴート人たちを、彼らがかくも誇らかな心をもち、またかくも勇敢な戦士をもっていることで、心から祝福したのであった。

いまや戦士たちは、ふたたびベンチにつき、角杯がその間をめぐりはじめた。あくる日、ビョーウルフは王の前に進み出ると、彼の手あついもてなしを感謝して、もはや帰国の時ですと言った。ロアール王はその旅の恙《つつが》なきことを祈った。別れに当っては、またもや古い友情と新しいそれとが回想されて、彼らはお互いに約束した――これからはしばしば海を越えて王宮から王宮へとよき便りや贈物を送りあって、この友情を生き生きと保つべきことを。そしてもしスギョルド家なりゴート族なりが敵に圧迫されるようなことが起った際は、よき身内が互いに援《たす》けあうように、全力をあげて昔のように援けあおうと。

こうしてビョーウルフは、部下一同と共に館を出ると、ロアール王の温厚と物惜しみない態度を、声高く褒めたたえた。やがて、船を引上げておいた浜まで来ると、彼らは帆柱を立てて、そのまわりに土産の高価な品々を積み上げた。それから船を出して乗りこみ、順風にのってゴート国へと急いだのである。

ビョーウルフが戦友と共にフグレイク王の大広間に踏み入って、王の面前に武器や金銀を引っぱり出してベンチに掛けるやいなや、王妃はみたした角杯を手にその前に進んで、ようこそお帰りと挨拶した。それからフグレイク王は旅の様子をたずね、ビョーウルフは経験したことを逐一物語った。ついでロアール王がゴートの王に贈った財宝を取出すと、それに自分自身が贈られた品々をも添えて、これを残らず叔父の手に委ねたのであった。ロアール王から下賜《かし》された王家の宝の胸甲も叔父に与え、王が彼の首にかけてくれた首輪も、フグレイクにかけてやったのである。しかしフグレイク王は、フランク人の国へ遠征したその最後の戦いにこれをかけて行って、フランク王チューデベルトに海辺で破られ、胸甲も首輪も戦利品として奪われてしまったのだった。

ビョーウルフは、自分の身内であるフグレイク王の妃ヒグドをも忘れず、彼女を喜ばすために、彼がグレンデルをたおした時にロアール王の妃から贈られた首飾りを進呈した。するとフグレイクは、自分の父親の遺宝の剣を隠し場所から取出して、これをビョーウルフの膝にのせ、ついで彼を高座に据えて、ゴート族の首領としての名誉の地位と権力を与えたのであった。

フグレイク王がフランク人と戦って戦死した時は、彼の息子はまだ若い未経験の少年だった。しかしビョーウルフは忠実に彼を助けて、国土を護った。ゴート人たちは彼に迫って、四方から大きな脅威が迫っている時に、あんな若い王をいただいていたのでは国が危ないと言って、彼に自分で王位につくことをすすめたのだが、彼は煽動には乗らなかった。しかし、フグレイクの息子もスウェーデン人と戦って敗死すると、ビョーウルフはゴート国の王座について、力強くその国を治めたのである。

ロアールとイングヤルド

フロデにはイングヤルドという一子があって、父の死後ハドバルド族の王となった。

フロデが死ぬと、スギョルド家とハドバルド族の間の古来の確執は終りを告げたため、この平和を全きものにするために、ロアール王は娘のフレイヴォールをイングヤルドに嫁がせることにした。彼女はデンマークの戦士の堂々たる隊伍《たいご》を従えて、ハドバルド族の王宮に赴いた。そしてイングヤルドはこの妻に心からの愛を抱いた。

しかし、ハドバルド族の戦士の胸の中には、妃の伴人たちがフロデ王の広間の高くに座っているのを見ると、不満がくすぶった。中にもフロデ王のことをよく記憶している老戦士たちは、デンマークの従士たちがきらびやかな腕輪や武器を携えて歩き回っているのを見ると、怒りを燃え上らせて、ついにその一人が口を切るにいたった。彼はきっとデンマーク人たちに目をすえて、イングヤルド王を非難しはじめたのである――あなたはあなたの父上がどのようにして世を去ったか忘れてしまったのか、と。

女王はそれを聞くと、彼をなだめようとして近づいて行き、一つの腕輪をはずしてやさしい言葉と共にさし出した。しかし、今や彼の怒りは空気とパンを得て力を加えた。彼は怒って女王の賜物を払いのけて、王様にも一語一語がはっきりと聞えるように、声高く叫んだ――「フロデ王の当時は、人は自分の父を殺した者やその身内とは同じベンチに座る慣わしはなかった。ところがあなたはあなたの敵を、この広間の一番の上座に座らせている。そしてあなた自身の館で、デンマーク人らがあなたの父上をたおし、その財産を掠奪したあの最後の戦いで、あなたの父上が失った武器や腕輪をつけて見せびらかしているのを、平気で眺めていられるのだ」

このように彼の口からは煽動的な言葉が流れ続けたので、ついにハドバルド族の一人が躍り上って、デンマーク人の一人を切り殺したのである。するとフレイヴォールはイングヤルド王に、彼女が彼の館で受けたこの侮辱に復讐すべきことを要求した。しかし、戦士らの嘲罵がロアール王の娘に対する王の愛を冷却させていた。かくて王は犯人を捕えさせる代りに、これをかばって逃亡させたのであった。

ハドバルド人らはさらに王を説いて、彼が岳父との平和を破棄して、父の仇を討つべくレイレへ押し寄せるまでは、王を休息させなかった。だが、運命は王に幸いしなかった。彼はレイレの城門の前でロアールと彼の甥《おい》のロルフのために打ち破られたのである。ここにイングヤルドは部下の大部分と共にたおれ、ハドバルド族はその後ついに再起しなかったのである。

ロルフ・クラキのこと

ロアール王は年たけてから、レーリクという王子をえた。王が年老いかけた頃には、王子はまだ若くて無経験だったので、王はいつも兄弟の子のロルフを大きな頼りにした。しかしレーリクは、自分は家来たちにまじって下に座っているのに、ロルフが王と共に高座に座っているのを不満に思っていたのである。

スギョルド一族には、それを帯びることが王の栄誉と幸福とされてきた、一つの高価な腕輪が伝えられていた。あるとき、レーリクは父王の許へ行って言った——父上が死なれた後には、ロルフが玉座について自分で王を名のるのではないかと恐れる。だから父上が私の栄誉を高めようとなさるなら、一族の宝のあの古い腕輪を私に下さい、と。しかしロアール王は、あの腕輪は自分が生きているかぎり、自分で持っているつもりだと答えた。するとレーリクは、それでは腕輪を一度よく見せて下さいと頼んだ。そこでロアールが腕からはずして見せてやると、レーリクはそれを手に取ってじっと見ていたが、いきなり叫んだのである。

「こんなすばらしい腕輪は見たことがない。父上がこれを大きな誇りにしていられるわけが、よくわかりました。しかし、こういうものはわれわれのどちらも持たないのが一番いいし、ましてやほかの誰の手にも渡らないのがいいのです」

こう言うなり、彼は遠く海の中にそれを投げこんだのであった。腕輪は水底ふかく沈んで行った。ロアール王は、いまやスギョルド家の幸運が傾くにちがいないことを予感して、機嫌をそこねた。王は幾度もの危難に際して男らしく自分を助けてくれたロルフに一番大きな信頼をおいていたので、息子がレイレで玉座につくようになった時は、どうか彼を庇《かば》って、忠言と行為とで彼を支えてくれるようにと頼んだのであった。

ロアールが死ぬと、デンマーク人は彼の息子のレーリクを王に択んだが、久しからずして彼とロルフの間は不和に陥った。そこで遺産として何も分けてもらわなかったロルフは、自分の剣で王国を奪取するべく、遠征に出かけた。ところがレーリクが王となって何年もたたぬうちに、戦士たちは彼に不平を言いはじめて、今度の王は、武器を愛し、金銀を惜しみなく散じた昔のスギョルド家の者とはちがった心の持主だとした。というのはレーリク王の最大の喜びは、家に留まって黄金をかき集めることだったからで、この女々しさによって彼は自分を隣国人の笑いものにし、自国民の恥じるところとしたのであった。

そこで戦士たちの何人も何人もが、たえずロルフの許に走るのであった。というのは、こちらは一個の王侯にふさわしい偉大な戦士で、また物惜しみをしなかったから。そして彼らはロルフに口々にすすめたのであった——玉座に座って宝物を守っているだけのあのいじけた男から、あなたは自分にも正当の権利があるのだとして、王位を要求しなさいと。最後には、ロアール王の昔の部下はほとんど全部がロルフの許に集まったので、ついにロルフは兵をあげて、レーリク王と決着をつけるために、レイレの都へ押し寄せたのである。

レーリク王は自分の身内の者が都門の外に押寄せたときくと、彼の宝物箱をすべて携えて、ロルフの許へ出かけた。そして箱を開いて相手の前に金銀を並べると、このまま引き退いて自分をそっとしておいてくれるなら、これらの財宝の中からあなたの欲しいだけを、身代金として取ってくれと申し入れた。しかしロルフは、あざ笑って答えた——男というものは黄金で戦うのではなくて、武器で戦うのだ。きみも武器で自分を護るか、でなければ、逃げて恥を受けるかだ、と。

レーリクはまた箱をまとめて王宮に戻り、戦士たちを召集しなくてはならなかった。ところが、黄金をためようとするような王には、戦士が欠乏することが判明したのであった。最上の戦士たちは去ってしまい、その場所を、けちな男どもが占めていたのだ。レイレ城外の戦いで、ロルフは縁者のレーリク王をたおすと、この王がかき集めていた金銀を、惜しみなく麾下の戦士たちに分け与えたのであった。

ロルフは北国のあらゆる王の中で最も人づきのいい王だったので、彼の麾下には四方から戦士が集まって来た。さてある日、ウォッグという一人の若い戦士がつかつかと広間に入ってくると、彼の玉座の前に進み出て、王を見上げて言った。「わしは故郷にいた時には、ロルフ王は北国第一の王だと聞いていた。ところが、いま玉座についていられるのを見ると、まるで小さなクラキのような方だわい」――クラキというのは、枝をはらって階段代りに使う短い木の幹をいうのである。

戦士とルーン文字を描いた墓石

この言葉をきいて、王は自分の前に立っている若者を眺めると、にっこりして言った。「お前はわしに通り名を与えるのか。そんならお前にお礼をしなくてはな」そう言って彼はウォッグに黄金の腕輪をさし出した。ウォッグは腕輪を右手にはめると、それを高くさし上げて叫んだ――その間に左手は背中に隠しながら。「小さな贈物でも、永いこと何ももらわなかった者にとっては、やっぱりいいものだわい」

ロルフ王はきいた——お前が左手を背中に隠したのは、どういう意味だと。と、ウォッグは答えた。それは左手が、相棒がこんなに立派な飾りをもらったのに、自分はまるきり裸でいるのを恥じているからです、と。するとロルフはもう一度笑って、左腕にはめるように、腕輪をもう一つ与えたのである。

するとウォッグは、人々が厳粛な誓いをする時に聖なる炉の許でそれを確かめようとするように、炉の丸太の上にあがって高く叫んだのであった。「豪気な王よ、万歳！　拙者はここに誓うぞ——ロルフ王がもし誰かに討たれた場合は、この手が必ずその男に復讐することを！」

ロルフ王はウォッグが気に入って、ベンチの一番上席の、〈ロルフ王のベルセルカー〉と呼ばれる一団の戦士の中に席を与えて、自分の麾下に加えたのであった。そこには北国での最上の戦士たちが座っていたが、その第一座を占めるのは、〈熊〉のベズワル（ベズワル＝ビャルキ）と〈剛気〉のヒャルテであった。

あるときアディルス王は、妻の子のロルフをウプサラの祝宴に招いた。ロルフはその招待を受けて、スヴェア（スウェーデンの古名）王の許で名声と贈物とを共に手に入れたいものと考えた。というのはアディルスは、彼の母親のイルサと結婚しながら、彼に何の花婿の引出物をも与えなかったからである。

ロルフはウプサラに赴いたが、彼のベルセルカーしか連れて行かなかった。一行が到着すると、アディルスは快く迎えて、長い炉の向いの高座に彼を掛けさせた。彼の両側には伴の戦士たちが並び、炉の向いにはアディルスが玉座について、スヴェアの勇士たちは四方の壁ぞいに居並んだ。こうして一同が酒盛りをしている間に、祝宴の折にはよくあったことだが、彼らは互いに業くらべをやって興じた。アディルスがロルフに、きみはどういう行為を最も高く評価するか、とたずねると、ロルフは答えた――わたしはむしろ自分の忍耐力を褒められたいと思う、と。次いで彼がアディルスに、あなたはどういう行為を最も高く評価するかとたずねると、アディルス王は答えた――自分は物惜しみをしない人間だと人に呼ばれたい、それこそ王者の行為だから、と。

ついでアディルスは、ではさっそくロルフ王がどこまで堪えられるかためしてみようぞと言うと、彼らの間で燃えている炉に、おびただしく薪を投げこませた。デンマーク人たちは一番内側に座っていたので、炎は彼らに向って吹きつけ、たちまち衣服は焼け焦げはじめた。とたんにロルフが言った。「さあ、アディルス王の宮廷に、もっと薪を加えよう！」そして彼は自分の楯を火の上に載せると、それが燃え上る前に、炉を躍り越えたのである。彼のベルセルカーたちも、彼に続いてみな同様にした。それからロルフはカラカラと笑って言った。「火を躍り越えた者は、火を怖れて逃げたのとはちがいますぞ。さあ今度は、アディルス王よ、あなたが自分でそうありたいと思っていられるほどに物惜しみをしないかどうか、それを拝見いたしましょうか」

アディルス王も負けてはいなかった。彼は一つの角杯を取り出すと、それを黄金でみたして、その一番上には、スヴェアグリスと呼ばれた高価な腕輪をのせて、それをすべてロルフに贈ったのである。ロルフはこの贈物に感謝して、これでアディルス王は王者にふさわしい花壻の身代金を払ったのだと言った。

こうして彼らは別れて、デンマーク人たちは馬に乗って引上げたが、しばらく道を進んでからロルフが見ると、アディルス王が多くの部下を率いて追いかけてくるではないか。彼はアディルス王のくれた黄金の中に手を突込むと、ひとつかみの黄金を野の上にまきちらした。スヴェア人たちはそこへ来て、黄金がきらきら輝いているのを見ると、馬から飛び下りて、互いに地の上にかがみこみだした。アディルスは大声をあげて叫んだ——黄金は後で拾えばいいのだから、まず馬を進めろと。そこで戦士たちは、また力のかぎり馬を走らせたのである。

ロルフはアディルスがいまにも追いつこうとしているのを見ると、スヴェアグリスの腕輪を取るなり、馬上からうしろむきに投げた。腕輪はアディルス王の前にころころところがった。祖先伝来の宝が地にころがるのを見ると、アディルスはつと身をかがめて槍の穂先にそれをひっかけ、柄をすべらせてそれを手にした。彼が馬の側腹《わきばら》の上に身をかがめたのを見て、ロルフは高らかに笑って言った。「これでたしかにわれわれは、アディルス王が物惜しみをせぬことを試したぞ」

こうして二人は別れ、二度と逢うことはなかったのである。

ロアールの長兄ヒョルガールは、彼らの父親が殺される前に、年若くして死んだが、ヒョルワルドという一子を残していた。彼はロアールの従士として養育されていたが、自分に払われるべきものと彼の考えただけの栄誉を受けなかった。父親が帯びていた武器も、ロアールは遺産として彼に与えることをしなかったのだ。ロアールの死後、彼は苦々しい気持でレイレを去って、スウェーデンに行き、その地でスクルドというある王の娘と結婚した。スクルドは野心の強い女で、スギョルド家の王座を要求するように、力強く夫を煽動した。彼らはひそかに戦士を集めて、機会のあり次第ロルフを襲うべく、おさおさ用意を怠らなかった。

あるときロルフはレイレに身内の者たちを招待して、盛大な祝宴をあげて、おのれの栄誉を高めようとした。ヒョルワルドは適当の伴をつれて王宮にやって来たが、浜辺に残した船の中には、ロルフ王に見えぬように、はるかに多くの戦士と武器を隠していたのである。

その夜は喜びと陽気さの中に、盛んに酒杯があげられた。しかしロルフ王が寝床についてから、ヒョルワルドはひそかに浜辺に下りて行くと、覆いの下に隠しておいた人々を上陸させ、全軍を王宮に案内して来て、それを取囲ませたのであった。

その夜遅くなって、ヒャルテは愛人を訪ねに出かけたが、大広間から少し来ると、四方に馬の蹄の音や武器のふれあう音を聞き、闇の中に彼の予想するよりも多くの人影が動いているのを見かけた気がした。彼は直ちに広間に引返して王を起し、王宮には何か穏やかならぬ気配があることを告げた。ついで彼はそこらを回って眠っている戦士たちを呼び起すと、いまやロルフ王の厚遇に報いて、自分らの広言がただの法螺《ほら》ではないことを示すべき時だと説いた。一同は武器をとって立ち、ロルフ王は彼らを率いて広間を出て、ヒョルワルド軍に立ち向った。

スギョルド家の戦士たちが広間の外に集まると、ヒャルテが叫んだ。「今こそわれらの王の手あついもてなしに報いるべき時が来たぞ。さあ、われわれは示してやろう——われわれがこの王に勝利に向ってにせよ、また死に向ってにせよ従うつもりで、彼の賜うた酒を髭にたらしながら、王の広間で誓った誓いを決して忘れはしないことを。われわれは太陽の下での最大の王者に仕えているのだ。王はその年齢を数えるに、黄金によってではなく、栄誉の収穫によってした。王は微笑しつつわれらと共に酒宴の席に座り、微笑しつつ馬上高くから、アディルスの宝を野にまき散らし、微笑しつつ戦いの嵐の中に突立って、彼の名剣スコフヌングを固い頭蓋骨に鳴り響かせた。腕輪はそれが彼の戦士たちの腕から光り輝く時に、この王には最も美しく見えたのだ。彼はベンチに座ったわれらに高価な武器を贈物にした。いまやわれらが王の贈物に値した戦士であることを彼に示すべく、それを帯びて出陣しよう。スギョルド家に仕える許しをえた者は幸福を知ったのであり、王の傍らでたおれる者は、彼と共に、墓を越えた不死の名誉をうるのだ」

「胸と胸をつき合せて、鷹が相搏《あいう》つ時のように、ロルフ王の戦士は戦うぞ」こう叫んで戦士の一団は城門をぬけて、ヒョルワルド軍に殺到した。

戦いがいよいよ始まった時、ロルフの戦士たちは、彼らの群れの先頭に一頭の熊が立ち、しかもつねに王の身辺を守っているのに気がついた。どんな武器も彼の背には立たず、彼はヒョルワルドの戦士たちに大打撃を与えるのだった。

ところでヒャルテは、周りを見回して、どこにもベズワルの姿が見えぬのにおどろいた。そこで戦闘の場を退いて広間に走り戻ってみると、相棒は自分の席に座ってうつらうつらしていた。ヒャルテは彼を揺すぶり起して言った――いまはいねむりをしている時ではないぞ。王様が決死で戦っていられるではないか、と。

これを聞いてベズワルは目をさまし、重たく深い息をついて立ち上ると、ヒャルテに続いて戦場に出て来た。ところが、彼が王を囲んでいた一団の中にはいると同時に、あの熊の姿はかき失せて、それきり誰の目にもふれなくなったのである。

いまや戦いはロルフ王の身辺にせまり、戦士たちは群れをなして彼の周囲にたおれだした。戦士たちが闇にすかして見ると、ヒョルワルド軍の中でたおれた者は、直ちにまた起き上ってまた戦いはじめるらしく見えた。ベズワルは終始王の前に立って戦っていたが、これを見て叫んだ――ヒョルワルドよ、オーディンと一緒に前へ出て来い、と。「戦いの恐怖と自分を呼ぶ片眼の男（オーディンをさす）は、どこにいるのだ。彼奴《きやつ》は例のマントを着て変装しているのか？　どこにいるのか、姿をみせろ。彼奴が空を飛ぶ例の馬に乗っているのなら、おれが引きずり下ろして、ひねりつぶしてやるわ。われわれの首領を裏切った、嘘つきの巨人め！」

「貴様の武器を人間に対して向けろ、英雄的な戦士よ、そして運命を咎めないことだ」と、ヒャルテは答えた。

こうして彼らは、腕の続くかぎり切りまくって、ただの一語も不満のつぶやきは洩らさなかったのである。しかし、王の周りの戦士の列は、じりじりと不断に薄くなってゆき、最後にはロルフ王のベルセルカーしか残らなくなってしまった。彼らはぴったりと王をかこんで集まって、断じて自分たちの首領から離れず、ロルフ王がたおれた後は、自分らも決して生き永らえまいという彼らの誓いを、心に思い出さざるを得なかったのである。

戦いは灰色の夕闇の中まで続いたが、やがて太陽が昇って大地を照らした時、ロルフ王はたおれた。ベルセルカーたちは彼がたおれたのを見るや、みな彼らの傷だらけになった楯を投げ捨て、彼の屍の上で、胸を広げてその最後の戦いを戦ったのであった。そしてその一人は叫んだ。「さあ、ロルフ王の黄金を両腕に輝かせよ——われらの王がその戦士たちをどのように飾ったかを、人々が見えるように！」彼らは死に臨んでもロルフ王を讃えて、彼らがこの世で第一の王者に仕えたことを喜びあったのであった。

すべてが静寂になったとき、ベズワルは王の頭のところに、ヒャルテは彼の足のところにたおれていた。

ロルフ王がたおれると、ヒョルワルドはスギョルド家の玉座について、おのれの勝利を祝って盛大な祝宴を張った。彼はそこに満悦して座りながら、誰かロルフ王の戦士の中で生き残った者はないかとたずね、もしそういう者がいて自分に仕える気があるならば、喜んで自分の従士に加えようと言った。しかし、ロルフ王の周囲にいた者は最後の一人までたおれたので、それは困難なことと見えた。

その時ウォッグが歩み出て言った。「いや、全員が死んだのではござらぬ。まだ一人が生きておりますぞ」

ヒョルワルドはスギョルド家の戦士の一人がまだ生きていたのを喜んで、お前は新しい王に仕える気があるかとたずねた。「たしかにお仕えしたいと存じます」と、ウォッグは答えた。とヒョルワルドは、これにかけて忠誠を誓うようにと、剣の刃先を彼の方にさし出した。しかし、ウォッグは答えた。「ロルフ王の広間では、刃先に対してではなく、柄を手に取って誓いをする慣わしじゃ」

そこでヒョルワルドは剣を向けかえて、ウォッグに柄をさし出した。彼はそれをしっかりと摑むと、その剣で王をさしつらぬいたのである。ヒョルワルドの戦士らは躍り上った。ウォッグは笑って胸を突きだして叫んだ。「これでわしは死を、生きるのよりもましだと呼ぶ。これでわしは約束通り、わが君の仇を討ったわい」

ウォッグは幾本もの剣にさしつらぬかれて死に、彼の僚友たちと共に、同じ塚に葬られたのであった。

このようにして、ロルフ王が生前にえていた名声は、その死によって何倍も大きくなった。その夜、彼の戦士ベズワルとヒャルテが語った英雄的な言葉は、決して忘れられなかった。後世の人たちは、それを詩の中に織りこんで、その詩を「ビャルキの歌」と呼んだ。その詩は全北欧に広がり、その後の多くの偉大な戦いに際して鳴り響いた。

スティックレスタッズの戦いの前夜、オラーブ・トリグヴェソン王は自己の軍隊のために神に祈ったが、夜明けに目をさますと、つき従っていた詩人トールモドに命じて、詩を吟じて将兵を起すように言った。と、キリスト教徒の詩人は、高らかに朗々と古い「ビャルキの歌」を吟じたのである。歌い終った時には、オラーブ王のキリスト教徒の将兵はこぞって武器をとって立って、この詩の故に詩人を褒めたたえたのであった。

オラーブ王は彼に重たい黄金の腕輪を与えた。トールモドはこの贈物に礼を述べて言った。「われらはよき王をいただいている。しかし、王にあとどれだけ生きる日が残っているかは、誰も知らない。そこでわたしはおんみにお願いする——生きるにせよ死ぬにせよ、われらが決して別れ別れにならないことを」

そして事態はトールモドの言ったようになったのである。その日の戦いのあと、彼は主君のために戦って受けた傷のために死んだのであった。

イングリング家の王たち

イングリングというのは、ウプサラでスヴェア人たちを治めていた王家であった。スヴェア人は裕福な力強い民で、いくつも大きい美しい町があり、豊かな収穫のある、広々とした国に住んでいた。その野原には馬の群れがいて、彼らはそれを育てて乗り回すのを喜びにしていた。王家の富は、ウプサラの宝庫と呼ばれて、北欧全体に鳴り響いていたが、彼らの幸福はまじりけのないものではなかった。一族の間には暗い運命が流れていて、それが彼らの一番すぐれた人々に、無残な死にかたをさせたのである。

イングリング家の先祖はイングヴェといったが、彼はフレイ神の息子であったのだ。遠い昔のイングリング家に、ヴィスブールという王がいた。彼は富めるアウドの娘と結婚して、妃とともに、持参金として三つの荘園と、黄金の首輪一つを受取った。二人の間には、息子が二人できた。ところが、しばらくしてヴィスブールは妃をないがしろにして、ほかの女を妻にした。妃は怒って夫を見捨てて父親の許に帰ったが、王は妃が持ってきた財産を返してやらなかったのである。

やがてヴィスブールの息子たちが大きくなると、彼らは母親の婚資を返してくれと父親に要求した。しかし王は、そんな大きな財産を手放そうとはしなかった。そこで兄弟は、事件が未解決のままに引上げなければならなかったが、旅立つ前にその首輪を呪って、それがヴィスブール一家の最上の人間に死をもたらし、またイングリング家につねに仲たがいや身内殺しが起るように、運命づけたのであった。それから兄弟は母の許に帰ると、部下をあつめて、一夜、不意にヴィスブールを襲い、屋敷に火をかけて焼殺したのである。

ヴィスブールの血をひく一人に、アグネという者がいた。彼はラップランドを劫掠《ごうりゃく》して、その王フロステを殺し、その娘スキャルフをさらって来た。帰途、彼はストックスンド（現在のストックホルム）に船をつけると、岬の森にテントを張って、さっそくスキャルフと結婚式をあげようとした。彼女は王に反対はしなかったが、まず自分の父親の追悼宴をしたいと言った。王はそれに同意して、できるだけ多くの首領たちをよび集めて、盛大な酒宴を催した。

やがてアグネが酔っぱらうと、スキャルフが言った。「あなたの首輪に気をつけなさいな」というのは、アグネがイングリング王家の首飾りをしていたからだった。

そこで王は眠りにつく前に、首輪をしっかりと結んだ。ところが彼がぐっすりと眠りこむと、スキャルフは綱を首輪に結びつけ、その一端をテントの上に影を落している木の枝にかけて、部下の者たちに綱を引張らせたのであった。王は吊り上げられて、枝の高くでぶらぶらと揺れた。それからスキャルフはボートを奪って、漕ぎ去り、朝になってアグネの部下たちは、彼らの王が絞殺されているのを見出したのであった。

アグネの息子たち、アルリクとエリクの間に、身内の争いが燃え上った。彼らの父親が死ぬと、遺産のことで仲たがいが生じ、エリクはウプサラを去らねばならなくなった。彼はゴート国に逃れて、その王に諸手をあげて迎えられたのである。ゴート人とスヴェア人の間には、つねに争いが絶えなかったが、その戦いの一つで、アルリクの息子グンショフが戦死した。息子の死の知らせを受けると、アルリクは復讐を誓って、部下を率いてゴート国に攻めこんだが、こちらでもこれに対して夥しい戦士を動員した。こうして戦場において、アルリクとエリクは、顔をつき合せることとなった。アルリクは兄弟が敵陣の中にいるのを見ると、彼に声高く呼びかけて言った――身内としてそれぞれの側に別れて戦うのはわれわれにふさわしくないから、お前は戦列から離れてくれ、と。しかしエリクは答えた――実の兄弟が自分を裏切った時、自分を戦士の中に加えて友情を示した王を裏切ることは、なおさら自分にはふさわしくないことだ、と。

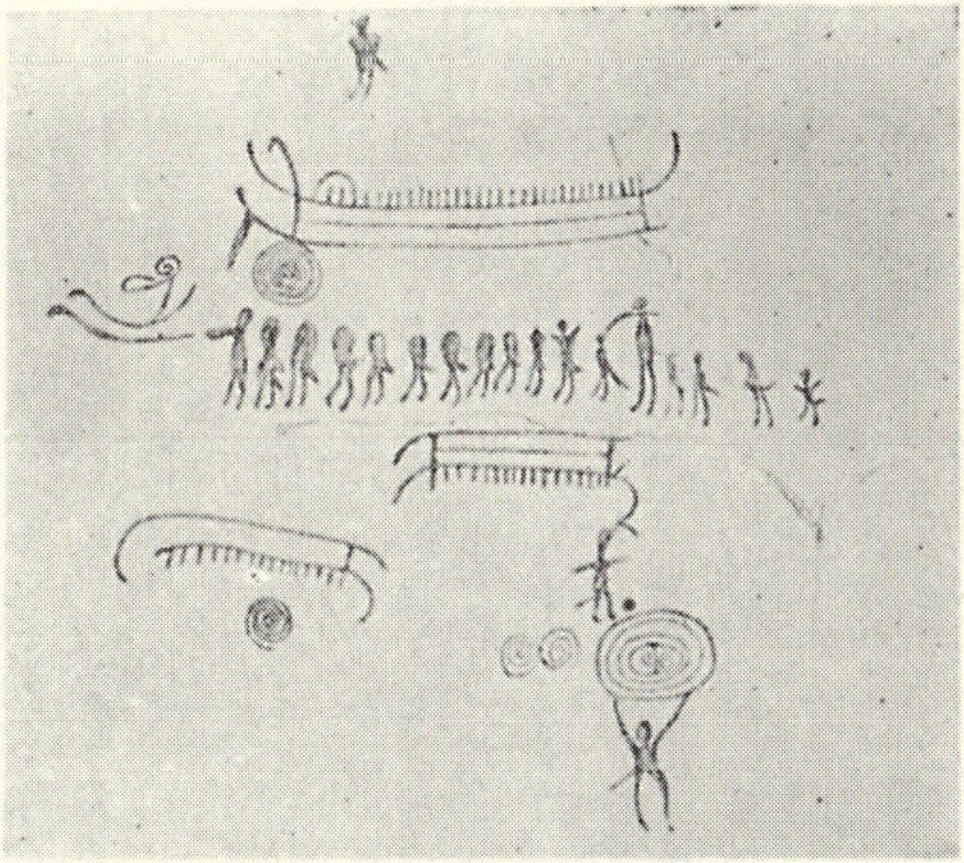

青銅時代の岩壁画　太陽の円盤と船と行列（ノルウェー）

そこでアルリクは言った、「われら二人は、決して戦ってはならない。でないと、われらの上にはとんだ不幸が来るであろう。おれはむしろゴート王との決闘で、この戦いの決着をつけたいと思う」そして彼は、国王に前へ進み出て、彼と戦うことを求めたのであった。

しかし、エリクは言った、「われわれの王は、決闘をするには老いすぎている。しかし、王が決闘の申込みを受けえなかったといわれるのは恥辱だから、そういう悪名をたてられるよりは、おれが王の代りになろう」と。

それはアルリクのなおさら好まぬところだったので、彼は直ちに戦闘開始の角笛を吹かした。そしてこの戦いで、兄弟は共にたおれたのであった。

アルリクの死後は、アルフとイングヴェが父の国をついだ。イングヴェは彼の企てるすべてにおいて好運に見まわれた。彼は心が明るく、言葉もたくみで、どこへ行こうと、その人づきのよさで信望をえた。しかしアルフは寡黙で閉じこもりがちで、人と交わっては苛烈で命令的だった。妃はベラといったが、彼はイングヴェが戦いに赴いている際にも、つねに王宮にとどまっていた。

秋になってイングヴェは帰ってくると、しばしば夜おそくまで座って、ベラと話しこんだ。二人は気があっていたのである。アルフは相変らず、夜ははやばやと寝床についた。そしてしばしば妃に、もう寝る時間だよと注意して、自分がいつも妃に待たされるのをこぼしたが、妃は答えるのであった、「わたしはあなたとでなく、イングヴェと結婚していたら仕合せだったのに」と。しかも、彼女がそう言ったのは、一度ではなかったのである。

ある夜、イングヴェとベラが高座について語りあっていると、アルフがマントの下に剣を隠してはいって来た。そして高座に近づくなり、自分の兄弟をさしつらぬいたのである。同時にイングヴェは躍り上ってアルフに切りつけた。こうして二人は、共に床にたおれて死んだのであった。

その後しばらくの間、スヴェア人たちは王なしでいた。ハグバルドとハケという兄弟が、イングリング一族を追い出してウプサラを占領した。イングヴェの息子たち、ヨールンドとエリクは、バイキングに出て広く四方を荒し回った。彼らはやがてデンマークに来たが、同じ頃ハロガランド（ノルウェーの北部）の王グドラウグも同じくバイキングにやって来て、彼らとストローム岬で出あった。はげしい戦いの後に、イングヴェの息子たちはグドラウグの船を一掃して、王自身を捕えると、これを陸地につれて行き、絞首台に吊り下げたのである。

こうして勝利をおさめると、兄弟は自分らこそ真正のイングリング家の後継者だと考えて、彼らの父の国を取戻すべくスウェーデンに向った。イングリング家の者が国に帰ってきたと聞くと、スヴェア人たちは続々と兄弟の許に集まってきて、一緒にウプサラを目ざしたのである。

ハケ王は彼らをフィリスの野で迎え撃って、これを船まで追い戻したが、その途中でエリクは死んだ。しかし、この戦いでハケもまた重傷を負ったのであった。彼は自分が生き永らえないのを知ると、息を引きとる前に、海の王にふさわしい葬式の用意をすることを命じた。部下の者たちは王の船を水におろすと、戦死した戦士のすべてをその武器と共に船にのせ、それから帆を張って、オールをすべてそれぞれの場所においた。こうして船の用意がすっかりできると、火葬の薪をきちんと甲板に積み上げて火をつけ、ハケ王を甲板に運んで、舵取りの場所に据えたのである。

風は陸地の方から吹いた。そしてともづなを解くと、船は王と戦死したその部下をのせたまま、盛んな炎をあげて沖へ突進したのであった。

ハケの死後、スヴェア人たちはヨールンドを王にした。彼は冬には故郷に帰ったが、夏には以前からの習慣でバイキングに出た。ある時、彼がリムフィヨルド（ユトランド半島の北部）を劫掠している時、グドラウグの息子のギュラウグがオッデ海峡にはいって来て、彼が海へ逃れられぬよう、前面をふさいだ。見知らぬ船がヨールンドを攻撃しているのを見た周囲の土地の人々は、四方から馳せつけて、艀《はしけ》やボートで彼の船に殺到した。船の手すりを越えてなだれこむ圧倒的な多勢に抗しきれずに、ヨールンドは海に躍りこんだが、すばやくギュラウグの部下に引上げられて、王の面前に引立てられた。ギュラウグはこのイングリング家の王を陸地につれて行き、ヨールンドがかつて彼の父を跨《また》がらせた〈高い馬〉（絞首台をいう）に、今度は彼を跨がらせたのである。

その後ウプサラで王位についた者に、アンガンチュルがある。その時代には、スヴェア人とゴート人との間はひどく不和だった。アンガンチュルの息子のアリとオッタルがゴート国を荒すと、ゴート王へイドクンは復讐にスヴェア人の国を襲って、アンガンチュルの妃を奪い去った。しかしゴート軍は、帰路にアンガンチュルに追いつかれた。この時の戦いで、アンガンチュルはゴート王をたおし、彼らの軍をひどく追いつめたため、彼らは逃れて、ラブンスホルトと呼ばれる森の中に隠れ家を求めざるを得なくされた。

ここでゴート人らは一夜をあかしたが、スヴェア軍が森の周囲をかこんでいたため、いまは死を待つばかりであった。ところが、朝になると外に鬨《とき》の声が聞えたので、ひそかに森を出てみると、スヴェア軍が背後から襲って来た新手の軍隊と苦戦しているのが見えた。ゴート軍は、じきに寄せ手が誰だかを知った。それは救援に駆けつけたヘイドクンの兄弟のフグレイクであったのだ。いまやアンガンチュルは両側から攻められて、退却して武装した防壁の陰に隠れなくてはならなかった。しかしフグレイクは、防壁によっても遮《さえぎ》られなかった。戦いは要塞の中でまで続けられて、スヴェア軍はついに屈伏した。

こうしてアンガンチュルは、ゴートの首領ウルフとヨフールを前にたおれ、彼らは彼の武器を戦利品として持ち帰った。そして妃は捕虜としてフグレイクに従って、ゴート国に行かなくてはならなかったのである。

アンガンチュルの死後、イングリング一族の間には、またもや身内の争いが燃え上った。幾度かの争いのあと、アリが優勢になって、オッタルの息子のエイムンドとアディルスを、ウプサラから追放した。彼らはゴート国に赴いて、彼らを自分たちの叔父に対してけしかけることにつとめた。

その間にフグレイク王は、フランク人の国に侵入して戦死し、彼の若い息子ハルドラドが代りに王位についた。彼はスヴェア人たちへの古い敵意を思い出して、国を逃れてきた首領らに援助を約した。

アリは兄弟の息子たちがゴート国に受容れられたと聞くと、その国に攻めこんだ。この戦いでハルドラド王は戦死したが、同時にスヴェア側も王子エイムンドがたおれた。しかしゴート人はなおアディルスと固く結んでいて、彼のための援助を獲得するべく、近隣の王たちに使者を出した。ゴート国とレイレのスギョルド家の間には昔から親交があったので、ロルフ・クラキ王は部下の択りぬきの戦士団を、アディルスを助けるために送った。この援軍をえて、アディルスはゴート国を出て、氷のとざしたヴェーネル湖上で、父の兄弟のアリと会戦した。この戦いでアリはたおれ、そのあとはアディルスがウプサラに王として、イングリング家の宝を支配することとなった。

彼は剛腹《ごうふく》な王で、華美を喜び、スヴェアの君主にふさわしく、駿馬《しゅんめ》をいたく愛した。王になってからは、彼とロルフ・クラキの間の友情は冷えた。そしてこのデンマーク王の死を聞いた時には、王は犠牲祭を営んで大がかりの祝宴をあげたと言われる。ところが、祝宴の間に彼が至聖所を馬で乗り回していると、馬が躓《つまず》いて王は落馬し、石に頭を打ちつけた。こうしてアディルスは死んだ。

フグレイクと彼の息子がたおれると、北欧でのゴート国の勢力は衰えて、ウプサラの王家が全スウェーデンをスヴェア族の支配下におくべく、周囲の王侯を圧迫しはじめた。イングリング家のイングヤルドは全土の支配者になるために、奸計や裏切りを用いたが、そのために悪知恵のイングヤルドと呼ばれたものだ。

子供の頃の彼は、決して強さでは目立たなかった。ある日、彼の養父のスウィプダーグは、同じ年頃の友達と遊んでくやしがって泣いている彼を見た――どうしても遊び相手にかなわなかったからである。そこでスウィプダーグは、彼に狼の心臓を食べさせた。と、その時以来、彼は気持が残酷になり、人々に対して情け知らずになったのであった。

父親は彼のためにゴート王の娘に求婚してやり、ウプサラの王についで勢力のあった王家と結ぶことで、息子の勢力を強めてやった。やがて父王が死ぬと、イングヤルドは父のために前例のないほどの盛大な追悼宴（即位式をかねる）を張ることにした。彼は全スウェーデンの王や侯伯を招くに足りるだけの大広間を作ると、彼の岳父のゴート王をはじめ、他のすべての小王たちに使者を出して、彼の父を記念する祝宴に参集することを求めた。

宴のはじめには、イングヤルドは慣わし通りに、父王を讃えて思い出の酒を飲み、自分が正当の後継者であることを示す時が来るまでは、玉座の下に座っていた。やがてブラギの杯（宴席で普通まず詩神ブラギを讃えて飲む）が運ばれてくると、イングヤルドはそれを迎えて立ち上り、角杯を手にして、自分は国土を四方に向って拡張するか、でなければいっそ死ぬことを誓う宣誓をして、ついで一気に角杯を飲みほして父王の玉座についたのである。

追悼の酒はしたたかに飲まれた。そしてその夜、客人たちが酔いしれた後に、イングヤルドは大広間に火をつけ、逃れ出た者はすべて打殺すべく、外側には番兵を置いたのであった。この時に、七人の王が部下と共に焼き殺され、イングヤルドは彼らの国土を手に入れたのである。

しかし、セーデルマンランドのグランマール王はこの追悼宴に出席しなかったし、彼の姻《いん》戚《せき》のヘグニ王とその息子ヒルデルも、東ゴートの国からやって来なかった。彼らはウプサラで起った事態を聞くと、その結合を強め、また四方の異国の首領らにまで援助を求めた。

イングヤルドが例の血まみれの追悼宴を張った同じ夏に、イルフィング家のヒョルワルドがバルト海にバイキングに来た。彼がセーデルマンランドのメルクフィヨルドの外に投錨したことを聞くと、グランマール王は彼に使者を出して、彼と部下一同を客として招待した。ヒョルワルドはこの招待に応じてやって来て、グランマール王の高座の向いに堂々と着席した。祝宴は大きな喜びと陽気さで満たされた。

グランマールは娘のヒルデグンに、バイキングたちのために麦酒を持って行かせた。彼女はヒョルワルドの前に来ると、彼のために角杯をあげて言った。「わたしはロルフ・クラキ王の思い出をふくめて、すべてのイルフィングのために挨拶します」

ヒョルワルドは角杯を受取ると、彼女に自分の傍らに座って一緒に飲むように言った。しかし、彼女は答えた――女とさし向いで飲むなどは、あなたにふさわしくないではありませんか、と。それというのは、バイキングたちの慣わしでは、生死を共にする兄弟の誓いを結んでいる証拠に、角杯は男から男へと回して飲むのがつねだったからである。しかし、ヒョルワルドは答えた――自分はあなたのために今夜はバイキングの慣わしを破って、あなたと一緒に飲みたいのだ、と。そこで彼女は彼のそばに座って、一夜をゆっくりと語りあったのであった。

あくる日、ヒョルワルドはヒルデグンに求婚した。そこでグランマールは、一族の者や友人らと相談したあと、すべてのよき人々の賛成の下に、二人を婚約させたのである。そして結婚の後は、ヒョルワルドはセーデルマンランドに館を作る約束であった。

いまやイングヤルドは、父親の追悼宴で逸したことを完成するべく準備をした。しかし、グランマールを襲ったところ、予期したよりも遥かな大軍に迎えられた。しかも戦いの間に、彼が新しく手に入れた地方から来た農兵も脱落した。かくて彼は非常な苦境に陥り、辛うじて命からがら国に逃げ帰りえただけだった。

これ以後、イングヤルドとグランマールの間には久しく不和が続いたが、最後に二、三の善意ある人たちが間にはいって、和を講じさせることとなった。その人たちの願いで、王たちは会見して、互いに生きている間は平和を守ることを約したのであった。しかし、その年が暮れぬうちにイングヤルドは、客として宿泊していたグランマールを不意に襲って、これを焼き殺し、ついでセーデルマンランドをも自己の支配下に置いたのである。

イングヤルドには一女オーサがあって、彼はこれをスコーネ（スウェーデン南部、当時デンマーク領）のグドロッド王と結婚させていた。オーサは心ざまが父に似ていて、彼女の行く先ざきに不和の種をまいた。最初は夫のグドロッドを兄弟のハルフダンに向ってけしかけて、これを殺させ、ついでまた、たくらみによって自分の夫の死を招いたのだ。こうして寡婦となると、彼女は父の許に帰って、勇ましく彼と生死を共にしたのであった。

ハルフダンの息子イヴァール・ヴィドファァヴネ（深慮のイヴァール？）は、兵を集めて、一族の仇を討つためにスウェーデンに攻めこんだ。イングヤルドはレーニングの迎賓館にあって、ほんのわずかの部下を身辺においていた時に、イヴァールの来襲を知った。彼は防戦するだけの兵力を自分がもたぬのを見た。しかし、もし逃亡するならば、四周の農民たちが彼に対して兵を挙げるのではないかと怖れた。そこで彼は、いそいで部下の戦士たちのために酒を運ばせた。オーサは彼らにしきりに酒を飲むことをすすめた。それから二人は広間に火をかけて、部下一同と共に死んでいったのである。

このようにしてイングリング家の首輪にまつわる呪いは、実現したのであった。

ヘルゲ・ヒョルワルドソン

ヒョルワルドという王がいた。彼はスウェビイ族の王の娘に、シーグルリンという大変美女があるという噂を聞いて、自分の耳にしたことにすっかり心を奪われ、直ちにスウェビイ王に使者を立てて、彼女に求婚した。ところが、同時にもう一人の王フロドマールも、シーグルリンの求婚者として名乗りをあげたのであった。しかし、王はその両方を拒絶したのである。

ヒョルワルド王の使者が、拒絶の答えをもって帰国すると、王はみずから出かけて成功するかどうかを試そうとした。ところが、国境の山まで来てスウェビイ族の国を見おろすと、燃え上っている館からもうもうと煙が立昇り、騎士の群れが疾駆《しっく》しているのが見えた。それは受けた侮辱に対して復讐にやって来たフロドマール王が、火と剣とで国土を荒したのであった。

ヒョルワルドは山腹を駆け下りて、その夜は小川のそばに陣を張った。そして近くの森の中をさまよっているうちに、一軒の小屋のところに出たが、そこにシーグルリンを発見したのであった。彼女の語るところによると、フロドマールが彼女の父親を殺したため、彼女は森の中に逃れて身を隠したのだ、と。そこでヒョルワルドは、彼女を伴って家に帰り、まもなく結婚式をあげたのである。

ヒョルワルドとシーグルリンの間には、一人の息子ができた。子供は大きくて堂々としていたが、人々は彼が一語も発するのを聞いたことがなく、その名も知らなかった。あるとき、彼が塚の上に登ってあたりを見回していると、九人のワルキュリエが馬を駆って空を飛んで来た。先頭に立っていた女が、下にいた彼に声をかけた。「ヘルゲ、お前には勇気は欠けていないにしても、お前が一語も言わなければ、お前が国を治めるまでにはまだまだ時間がかかるだろうよ」

ヘルゲは答えた。「お前はおれに名前を与えたのか。名前を与える者は、その名がしっかりと定まるよう、いつも一つの贈物をそえるではないか。だが、おれに答える前に、よく考えろよ、おれはお前自身がおれに従うのでなければ、名前も贈物も受けんからな」

彼女は答えた。「シーガルスホルムには沢山剣があるが、中に一本ほかの剣よりもずっとすばらしいのがあります。それは刃に血のように赤い蛇がうねっていて、尾を柄《つか》の方まではね上げているからわかります。その握りは戦いの勇気をかきたて、刃先は恐怖をかきたてるのです」

そのワルキュリエは、エイリメ王の娘スワワにほかならなかったのだ。

こうしてヘルゲは名前をえると、父親のところへ行って言った。「なぜ父上はあなたに何も悪いことをしない民を劫掠するのですか、その間にフロドマールはじっと座って、わたしの母親の身内のものだった黄金の上にとぐろを巻いているのに。あいつはまるでわれらの一族の最後の一人までが死んだかのように、安楽に座っているじゃありませんか」

ヒョルワルドは、もしお前が母の父の仇を討つつもりなら、部下を与えようと言った。そこでヘルゲは、スワワが与えた剣をシーガルスホルムに行って取ってくると、それを携えて出かけて、フロドマール王をたおした。戦いがすむと、彼はエイリメ王の許へ出向いて娘に求婚し、これを妻にした。それからまたしばらくバイキングに出たが、スワワはその間は父の許に残っていた。

ヒョルワルドには、ヘルゲのほかに一子があって、ヘディンといった。あるユルの祭りの夜、彼が森をぬけて行くと、狼に跨がった一人の女トロールに出あった。と、女はヘディンに自分について来いと言ったが、ヘディンは答えた――お前はトロールの国へ行け、そこにはお前に似合いの仲間が見つかるだろうよ、と。

「お前は酒宴の席でブラギの杯を飲む時に、その言葉を後悔するだろうよ」と女は言った。そしてその晩、ヘディンがブラギの杯を手にして、その年彼の名誉のためにいかなる行為をするかを誓う際に、彼は五感が惑乱して、兄弟ヘルゲの婚約者と結婚することを宣誓したのであった。

ところが、やがて意識を取り戻すと、彼は自分の言葉を悔いて、家に帰って兄弟を探し、自分がどんなに愚かだったかを、兄弟に話した。ヘルゲは答えた。「きみ自身の言葉に悄気《しょげ》なくもよいよ。おれたちは両方とも大きな誓いを立てたが、両方ともが実現するかも知れない。フロドマールの息子のアルフが、シーガルの野で決闘せよと申しこんでいる。君はおれが死ぬ前知《まえじ》らせを受けたんじゃないのか。そうなれば、おれたち両方にとって運命は好転するわけだ」

ヘディンは言った。「君はおれが君の友情と贈物を受けるに値する男のように語るね。だが、いまおれは君を裏切ったのだから、君がおれを殺した方が正しかったろうに」

三日後にアルフとヘルゲは、シーガルの野で戦った。ヘルゲはそこで致命傷を受けると、スワワに使いを送って、まだ自分が生きているうちに逢いたいなら、いそいで来るように求めた。やがて彼女がやって来ると、彼は彼女とヘディンを慰めて言った。「鋼鉄がおれの心臓にふれて、血が止めどなく流れ出ているから、おれたちが逢うのは、これが最後だ。お前には気の毒だが、おれは若くして死ぬ運命にあったのだ。ヘディンがあの不吉な夜に森へ行くと、一人の女が出て来て、彼と組むことを望んだことを覚えているね。あの女はたしかに、おれがシーガルの野でたおれることを知っていたのだ。お前がおれをいとしく思うなら、おれのために涙を流すのは止《よ》して、おれの言う通りにしてくれ。おれが死んだら、お前はお前の気持をおれの兄弟のヘディンに向けて、彼の寝床をこしらえてやってくれ」

こういって彼はスワワを慰め、かねて兄弟を慰めて、ヘディンが森で出あったのはトロールの女ではなく、彼自身のフュルギエ（一族ないし個人の守護神）だったのであり、一族のフュルギエがいまはヘディンの許に住むようになったのだと、スワワが考えなくてはならぬように、話すのであった。

スワワはヘルゲの言葉を聞いて言った。「今こそあなたは、あの赤い指輪でしっかりとわたしを縛りつけて、ヘルゲ、わたしの心をすっかりあなたに向けさせたのです。それでわたしは、もしあなたがいなくなっても、とても他の人を抱く気にはなれないと、心から思います。あの頃はわたし、あなたが陸で死ぬにせよ海で死ぬにせよ、あなたのためにさんざん泣くだけのことだとばかり思っていました。ところが今は、あなたがおっしゃるようにしたくなりましたわ」

ヘルゲが死ぬと、ヘディンは彼女の許へ行って言った。「ぼくが立ち去る前に、ぼくの口にキッスして下さい、スワワ。ぼくはアルフをたおして、この地上で一番すばらしい女王のために復讐しないうちは、決して帰って来ないつもりです」

人々の語るところでは、ヘルゲとスワワは生れ変って、その時はフンディング殺しのヘルゲとシーグルンと呼ばれたのだという。

イルフィング家のヘルゲ

イルフィング一族最大の王だったヘルゲは、嵐の夜にブロールンドでこの世に生れ出た。嵐が陸地を吹き荒れ、水はふくれ上って山腹を滝なして流れ落ち、ブロールンドの家々は崩れ落ち、鷲《わし》どもが嵐の中で叫んでいた時に、ボルグヒルドはその息子を生んだのであった。ノルンたちは王の館にやって来て、彼の宿命をさだめた。彼女たちは言った――この子は王たちの中でも最大のものになり、すばらしい名声を獲得するだろうと。四方の壁が震えている間に、彼女らは運命の糸を固くより合せて、一個所は空の真下で結び、両端を東と西に遠くのばして、それが届くかぎりの土地を彼に与えることを約束したのであった。

夜明けの薄明の中で、母親は一羽の大ガラスが空をぬけて、その仲間に叫ぶのを聞いた。「さあ、夜が明けるぞ。シーグムンドの息子は鋭い眼をしている。彼は狼どもの友なのだ。これでおれたちにはよい日が来るぞ」と。

ヘルゲの父のシーグムンドは、息子が生れた時には戦争に行っていた。やがて帰国すると、彼はまだ軍装のままで、手には土のついたままの生き生きした草をもって、息子のところへはいっていった。そしてしっかりと子供を見つめると、これをヘルゲと名づけて、名づけの贈物に、揺籠《ゆりかご》の上に一本の剣をのせたのである。

戦士たちは彼をかこんで、口々に言った。「この子の眼はもう胸甲をつけてるみたいに、火をふいてるぞ。これこそ立派な首領だ。これでわれわれの国には好運と豊作がやってくるのだ」

彼が成人して若者になると、すべての親族や友は、眼を輝かして彼を見た。というのは彼は首領の気前をもっていて、父親が戦利品を持ち帰ると、すばやく手を突込んで、リングの類いを贈物として戦士の間にまきちらしたからである。

彼がまだ半ば子供だった時、バイキングの首領のフンディング王とその息子が国に攻めこんで、彼の父親を殺し、主を失った国土を蹂躙《じゅうりん》した。若いイルフィングの王子は、養父のハガルの許に隠れて、しばらくはじっと父親の復讐を思いめぐらしているほかなかった。

あるとき彼は、変装してフンディングの屋敷を探りに出かけた。ハガルの息子ハマルだと名乗って、自由に屋敷を出入りしたのである。しかし、帰路に一人の牧童にあうと、その少年に言った。「お前が家に帰ったら、最近灰色狼がフンディングの屋敷に入りこんだといって報告するがいい。そしてまた、こう言ってやるがいいぞ——狼は誰が自分の父親を殺したか、忘れてはいないぞ、と」

フンディングはこの報告を受けると、自分の屋敷を訪れたのが誰であったかを知って、直ちにヘルゲを捕えるべくハガルの許に部下を遣わしたのであった。

フンディング王の部下がすばやくハガルの屋敷にやって来たため、ヘルゲは逃れる暇がなかった。彼は辛うじて急いで女の衣裳をひっかけて、挽臼《ひきうす》のそばに座ることができただけだった。男たちはいたるところを探したが、目あてのものを見つけ出せなかった。ところが戸口を出ようとした時に、一人が石臼を回している女を指さして言った。「ハガルの下女が鋭い目をしているのはあやしいな。おいハガル、いったいお前の召使女は、いつでも石がひび割れ、箱がとび上るほどすごく石臼を回すのか。それともお前は粉を挽かせるのに王様をでも使っているのか？」

「王の娘を石臼につけたものなら、臼はちょいちょい箱からとび出すってことだ」とハガルは言った。「あの奴隷は、ヘルゲがつれて来た捕虜の女だ。だからあんなけわしい目をしてるんだろうな」

こうたくみに答えてくれたので、ヘルゲは助かったのであった。

十五歳になると、ヘルゲは世間へ出て行って、バイキングの間にその仲間を見出した。彼はそこらを劫掠して回って自分の力をためすと、自分の周囲に一群の戦士を集めた。

一日、彼はフンディングの館の下の浜辺に船をつけると、館へ上っていって王に告げた――いま狼が参上しましたから、お望みなら噛み合いましょう、と。やがて彼がふたたび海に船を出した時には、彼はフンディングの財宝を甲板に積んでい、フンディングは野にたおれていたのである。

久しからずして、バイキングに出ていたフンディングの息子たちが、自分たちの留守の間にヘルゲが父を襲ったことを聞いた。彼らは会合して、ヘルゲに賠償を求める使者をよこした。ヘルゲは、君たちが自分で携えて帰れる賠償を支払うと答えて、そこでそれを受取るかと訊ねた。兄弟が彼にロゲ山で待ち受けると答えさせると、ヘルゲはそれに対して答えた――その山の下には投槍の大した嵐が起るだろうよ、と。

こうして山の両側から戦士が押し寄せたが、彼らが上陸すると、狼は戦死者の臭いを嗅ぎとって、海に向って咆えた。ところで、戦いが終ってみると、フンディングの息子たちはすべて戦場にたおれて、一族の一人も残らなかったのである。

戦いに疲れて、ヘルゲは断崖の下で休んでいた。と、彼はロゲ山の上から光が迸《ほとばし》り出るのを見たが、それはまるで燭台《しょくだい》から稲妻が放射されるかのようだったのだ。なおもよく見ると、それは一団の女たちが、キラキラ輝く冑《かぶと》をつけて空を飛んでくるのであって、稲妻と見えたものは、その槍の穂先のきらめきであった。

ワルキュリエたちはヘルゲの近くで馬をとめると、その先頭に立っていた女が、彼に声をかけてたずねた。「あなたはどういう方で、なぜまたそんな所に鎧冑をつけたままで座って、生の肉を食べているのですか？」

ヘルゲは答えた、「ここを支配しているのは、イルフィング家の者だ。われわれはブラゲルンドで熊狩りをして、獲物を鷲どもと分けたところだ。こう聞けば、なぜわれわれが鎧冑をぬいで、火の上に鍋をかける暇もなかったかが、わかるだろう」

「あなたが熊というのは、フンディング王のことで、あなたは剣であの人を追い立てたのですね。そのことは剣が血にまみれていることで、わかりますよ。ではあなたは、父上の仇を討ったのですね」

「どうして君は、僕がフンディング王の死に関係があると知ったのだね？」と、ヘルゲはたずねた。「仇を討とうとして大胆な行動に出る王子は、いくらもいるのに」

「冷たい海があなたの船に戯れ、あなたが舳に高く立っていた暁方には、わたしはそう遠くにいたのではありません。だから、謎の言葉で語る必要はないの。だって、ヘグニの娘シーグルンは、ヘルゲさま、あなたの名前は知っていますもの」と、彼女は言った。

「きみはいますぐ僕についてきたまえ。家で祝いの酒を飲もうじゃないか」と、ヘルゲは答えた。

しかし、彼女は言った。

「わたしたちは、あなたとお酒を飲むよりも、別の仕事がありますの。わたしの父は、グランマールの息子ホドブロッドにわたしをやると約束しました。でもあの男は、わたし、一番みにくいトロールよりもなお厭《いや》なのです。もうまもなくあの男がやって来て、わたしの父を喜ばして娘を花嫁として連れて行くでしょうよ——もしあなたが、ヘルゲ、彼を途中で遮って、厭な亭主からわたしを解放してくれないならば」

「きみの父親が怒ろうと、きみの一族が狂い立とうと、ぼくは恐れはしないぞ」と、ヘルゲは言った。「もしわれわれ二人が一緒になれるならば！」

そこでヘルゲは、グランマールの息子たちを襲うべく、海に乗り出した。彼の航海は嵐に見舞われた。しかし、どんなに風がはげしく吹こうと、彼は帆をおろそうとはしなかった。空の高みにはシーグルンが嵐の中を馬を駆って、彼の船を守護しているのを見たからである。グランマールの息子グドムンドは、ヘルゲが岸に突きすすんで来て帆をおろしたとき、岸に立っていた。彼は声をあげて、その船に乗っているのはどういう首領かとたずねた。と、シンフィヨトリが躍り上って答えた。「ここに来たのはイルフィング家の者だぞ。今夜お前たちが豚どもに餌をやろうというのなら、家に戻ってこのことを言うのを忘れるな。お前らが石臼のそばの奴隷娘をキッスしたのと同じくらいは、おれたちはもう幾度も鷲を食べたのだからな」

グドムンドも返事を返すのに遅れはしなかった。こうして二人は、互いに嘲《あざけ》りの言葉を投げあったのだ。そのときヘルゲが、シンフィヨトリを遮って言った。「口で切りあうよりは、武器でやる方がましだぞ。グランマールの息子たちは、おれの友達ではない。しかし、彼らだって剣を摑んで立つならば、誰だって意気地なしと呼ぶわけにはいかんぞ」

それを聞くとグドムンドは家に走り帰って、ヘルゲが敵意をもって浜辺に押し寄せて来たことを告げた。ホドブロッドは、シーグルンの父のヘグニとその息子たちに使いを出した。王たちはフレーケステンの近くに兵を集め、ここに激戦がはじまったが、勝利はヘルゲの手に帰した。戦いの間に、人々はシーグルンがヘルゲの上の空高くを守護するかのように、馬を駆っているのを見た。

この戦いですべてのグランマールの息子たちは、ヘグニと彼の一子と共にたおれた。首領のうちで生き残ったのは、シーグルンの兄弟のダーグ・ヘグニソン一人であった。

戦いが終った時、シーグルンは戦場に舞い下りて、ホドブロッドがそこにたおれて瀕死の息をしているのを見た。彼女はしずかにそこに立って、彼に言った。「お前はわたしの腕の中で眠るようにはならなかったね、ホドブロッド。これでグランマールの息子たちの仕合せは終ったのだよ」

それから彼女はヘルゲを探し、彼と出あうと、喜んで勝利者として、また彼女の花婿としての相手に挨拶したのである。

ヘルゲは答えた。「きみは喜びと悲しみとを一緒にえたのだね、シーグルン、そのようにノルンたちが望んだのだ。きみの父と兄弟が一日でたおれた。しかもあの人たちを打ちたおしたのは僕の手なのだ。いまやきみの身内の大方は、冷たく固くなって横たわっている。しかし、首領らの間に争いを目ざましたのは、きみの仕業ではない。きみの運命はノルンたちが定めたのだ」

するとシーグルンは、泣いて言うのだった。「もしこの人たちが、わたしたち二人を抱擁させてくれるなら、いま死んでいる人たちに生きていて貰いたかったのに！」

やがてヘルゲは、シーグルンと式をあげた。彼は彼女の兄弟のダーグとも和解して、二人は互いに平和と友情を誓いあった。しかしダーグは、ヘルゲが自分の最も近い肉親を殺したことが忘れられず、オーディン神が復讐を実現させてくれるよう、これに犠牲をささげた。するとオーディンは彼の許にやって来て、その投槍《なげやり》を与えたのであった。そしてある日、ダーグはフヨツールルンドで妹婿に出あうと、オーディンの槍を投げて、これを刺しつらぬいたのである。

そのあと、彼は真直ぐにシーグルンの許に騎《の》りつけて言った。「おれはお前に重たい知らせを持って来た。心ならずもおれはお前に多くの涙を流させなくてはならぬ。今朝、この世で最もよい王がたおれたのだよ」

するとシーグルンは、自分の兄弟を呪って言った。「お前がヘルゲに向って吐きかけた毒が、すべてお前に向っていって、お前を傷つけるがいい。お前の船は、どんなに具合のいい風が船尾から吹こうと、決して進まず、お前の馬は、お前が死神に追いかけられて全速力で逃げていった時には、きっとぶっ倒れ、お前の剣は、お前自身の頭の上に振りおろされる時でなくては、決して切れないように！　お前は卑怯者とされて、決して人間の喜びには加わることができず、平和のない一匹狼のように森をうろつき回って、飢えては屍をつつき回すだろうよ」

　ダーグは怖ろしくなって言った。「お前の五感は狂っているのだ、姉妹、自分の実の兄弟に呪いを吐きかけるなんて。これはオーディンの責任なのだ。彼がわれわれ二人の義兄弟の間に、憎悪をかき立てたのだから。おれはお前に償いとして腕輪類を上げよう。おれはすべてをお前と半分わけにして、お前を高座にお前の息子たちと一緒につけるよ」

　しかし、シーグルンは答えた。「どんな富も、わたしの悩みを和らげはしません。わたしの夫が行くところ、敵は狼を前にした山羊のように、とび上って怯えたものでした。あの人は首領たちの中でも、サンザシの中のトネリコのように、一段と高く頭をもたげていました。あの人がわたしに向って日の光を受けながら馬を走らせてくるのを見るのでなければ、昼にせよ夜にせよ、わたしは生きていることに何の喜びも持てないの」

ヘルゲは屋敷の前に葬られた。シーグルンは彼の上に大きな塚を築かせた。一夜、ひとりの召使が遅く外に出たところ、彼女はその塚に多くの死者を伴にして、ヘルゲがはいって行くのを見た。彼女はシーグルンの許へ行くと、王様の塚が開いていて、ヘルゲが傷口から血をしたたらせながら、そこに馬で乗り入れるのを見たと話して言った。「あなたの夫にお逢いになりたければ、外へ出てごらんなさい。あの方はきっと、あなたに傷口から流れる血を止めてもらいたくていられるのですわ」

シーグルンはすぐさまヘルゲの塚に行った。そこで夫に出あうと、彼女は叫んだ。「いまのわたしは、東の空が白んできた時の、獲物を求めて飛び立とうとしている飢えた鳥のように、うれしいのですよ。さあ、キッスして下さい、ヘルゲ、その血まみれの胸甲をぬぐより前に。あなたの髪は霜で剛《こわ》ばり、着物は血をしたたらせ、あなたの手は冷たくなっています。どうしたらあなたを慰めて上げられるでしょうか?」

ヘルゲは答えた。「おれの頭が霜で重く、おれの着物が血をしたたらしているとすれば、それをそうしたのはお前だぞ。お前が眠りながら泣いて流す涙は、血のように熱く重たく、おれの胸の上に落ちるのだ。だが、今は杯をあげて、生の喜びが飛び去ったことは何も考えないことだ。お前が塚の中の死んだ夫のところへ来てくれたからには、すべての嘆きはおさまったと、傷口に胸の中で言わせるがいい」

これを聞いて、シーグルンは言った。「ここにわたしはあなたの床をのべました。そしてわたしはあなたが生きていらした時にその腕の中で眠ったように、今夜はあなたの傍《そば》で眠りたいのです」

朝になると、ヘルゲは起き上って言った。「もう空の道が赤らんで来た。いまやおれの青ざめた馬に乗って立去るべき時だ。オーディンの雄鶏が時を告げて戦士の群れを目ざます前に、おれは天の橋の西に行っていなければ」

こういってヘルゲはワルハルに向って馬を馳せ、シーグルンは王宮に帰ったのである。

その午後、彼女は召使に見張りをさせ、日が沈むと自分で塚に行って夫を待ち受けたが、ヘルゲはやって来なかった。闇が濃くなって来た時、召使は女主人を呼んで言った。「もし王様がオーディンの館からこちらへ向けて立たれたのなら、とうにもう来ていられるはずです。鷲どもはトネリコの枝で蹲《うずくま》っているし、ヘル（地下界の女王）の手下どもは力を加えつつあります。ヘルゲさまが塚においでになるすべての望みは尽きました。お待ちになっても無駄でございます」

そこでシーグルンは、頭を垂れて心重たく家に帰った。そして彼女はその日から、長くは生きなかったのだ。

ウォルスング家の物語

アンドヴァルの宝

フレイドマールという男がいた。強大で、また財宝を多く貯えていた。彼には、ファフニール、オッタル、レギンという三人の息子があった。中で一番不敵なのはファフニールで、心ざまが苛烈《かれつ》でわがままだった。オッタルは漁の名人で、昼間はカワウソの姿になって、滝壺のところで漁をする慣わしだった。そしてその獲物を食べる際は、食物が消えてゆくのが目にはいらぬように、目をとじているのだった。レギンは二人の兄弟には似ていなかった。彼は勇気と虚仮威《こけおど》しはあまり持たなかったが、あらゆる武器を鍛えるのにたけていた。

さて、ある時オーディンとロキとヘニールの三人の神が、長い旅の途中で、オッタルが漁をしている滝のそばを通りかかった。神々は彼が目をとじて座って、一匹の鮭を食べているのを見た。と、ロキがそれを狙って石を投げた。石は頭にあたり、カワウソはその場にたおれて死んだ。ロキは自分のやったことが少なからず得意だった。

神々はさらに先へ進んで、フレイドマールの屋敷に来ると、そこで一夜の宿を求め、食べ物は持って来たからと言って獲物を主人に見せた。フレイドマールは内に請じて、衣服と武器をとってくつろぐように言った。ところが、神々が武器なしで座っている間に、彼は外へ出ていって息子たちに告げた――お前たちの兄弟のオッタルは殺されて、その下手人どもは広間に座っているぞ、と。

兄弟はすぐに入って来て客たちを捕えると、これを縛り上げて言った――お前たちが殺したカワウソは、事実はフレイドマールの息子なのだ。この殺害に対して十分の賠償を払わないなら、決してお前たちは放してやらないぞ、と。神々は賠償金を払う約束をして、フレイドマール自身に息子の死に対して払うべき額をきめさせた。フレイドマールはカワウソの皮をはいで、神々に言った――この皮の中に黄金をつめて、これがひとりで立っていられるようにし、さらに上から金をかぶせて、ちっとも毛皮が見えないようにしたら、それでオッタルの賠償金はよいことにしようと。オーディンはロキを使いに出して、世界じゅうから、できるだけ多くの金を集めさせることにした。ロキはまず海の底にいるランのところへ行って、この女神の網を借りてくると、それを滝壺の中へ投げた。というのは、滝のそばの岩の中には小人のアンドヴァルが住んでいて、しばしばカマスの姿になって、魚の沢山いるこの川を泳ぎ回っていることを知っていたからである。

ロキが網を投げるが早いか、たちまちカマスは跳ね上って、網に捕えられてしまった。そしてロキは、アンドヴァルが岩の裂目に隠している宝をすべて持って来ないうちは、放してやらないと言ったのだ。小人は彼の持っている黄金を残らず持って来て、ロキの手に渡した。しかしロキは、小人が一つの腕輪をさっと腕の上の方へたくし上げるのを見て、ほかの黄金にそえてその腕輪もよこせと要求した。アンドヴァルは、この腕輪だけは自分の許に残してくれと頼んで、これさえあれば、たやすく新しい富を作りだすことができるのだからと言ったが、ロキは耳をかさずに、その腕輪まで取上げてしまった。

すると小人は、自分の岩の中へはいって行きながら、声高く呪った――その腕輪と黄金は、誰でもそれを手に入れた者に、死を与えるように、と。

ロキはそれを聞くと、叫び返した。「それしきのことは、おれは心配せんよ。それがおれに向けられた呪いだとしたって、勝手に実現するがいいさ。誓ってもいいが、宝を手に入れる者の耳には、それは鈴の音みたいにひびくだけのことだろうぜ」

彼が帰って来て神々に黄金を見せると、オーディンはその腕輪が気にいって、さっそく自分の腕にはめた。それから彼らはカワウソの皮をみたし、さらに上から黄金を覆ってから、これで身代金は十分だろうといって、フレイドマールに見せた。フレイドマールはカワウソをためつすがめつ見ていたが、口髭が一本とび出しているのを見つけて、これも隠れなければだめだと言った。そこでオーディンは、一度腕にはめたアンドヴァルの腕輪を取って、これを追加した。これで身代金は、支払いずみとなったのである。

翌日の朝、オーディンは自分の投槍を受け取り、ロキが靴を受け取ってから、ロキが言った。「別れる前に、もう一つ言っておきたいことがある。アンドヴァルはこう言ったぜ――

この黄金と腕輪は、それを持つ者の死を招くんだと。このことをお前とお前の一族は、きっと思い知るだろうよ」

これを聞いて、フレイドマールは激怒して叫んだ。「貴様たちのよこした宝物が、完全な和解と友情のためのものでなくて、腹黒いたくらみを隠したものだと知っていたら、貴様たちを生かしては置かなかったんだが！」

ロキは答えた。「その呪いは、お前とお前の一族で止むのではなく、まだ生れていない首領たちが、その宝をめぐって死をかけた争いをすることになるんだ」

フレイドマールは言った。「さっさとうせろ。おれはおれの生きているかぎり、おれの黄金を守るぞ。貴様のおどかしなんぞ、恐れるものか！」

その後、ファフニールとレギンは、彼らの兄弟に対して神々が払った賠償金の分配を求めた。しかし、フレイドマールがそっけなく拒否すると、ファフニールは夜の間に剣で父親をさし殺したのである。死の床でフレイドマールは、自分自身の息子に殺される不幸な死を、娘に対して嘆いた。娘のリュングハイドは、父親に言った。「どうしたらわたしたちは、お父さんの死に対して賠償金がとれるでしょうか。姉妹が兄弟に対して復讐ができるものでしょうか？」

すると、フレイドマールは言った。「お前に息子ができなかったら、せめて一人の娘を生め。そしてその娘に勇敢な夫を見つけてやるのだ。そうすれば、その息子がおれたちの悩みに対して、償いをつけてくれるだろうよ」

そのまま、フレイドマールは死んだ。ファフニールは財宝をひとり占めにして、レギンが遺産の分け前を要求すると言った。「これが欲しいばかりに、おれは父を殺したのだ。それをお前におれが分けると思うのか？」

彼はこれを自分で利用することよりほかは、望まなかったのだ。彼はそれを山の上に隠して、自分は竜になってその宝の上に、とぐろを巻いて横たわっていた。

しかしレギンは、デンマークのヒャルプレク王の許に赴いて、鍛冶として王に仕えることになったのである。

ここで物語は、やがてファフニール殺しと呼ばれて、この財宝を手に入れたシグルド（ドイツでいうジークフリート）が、どのようにしてヒャルプレク王の許に来たか、彼がいかなる一族の出であるかに移らなければならない。

シグムンドとシグニイ

シーゲと呼ばれる王がいた。彼はオーディンの後裔であった。

彼は殺人のために国を追われて、バイキングに出、やがて自分の武器で一つの国を手に入れた。彼の一子レリールが、その後を継いだ。レリールは妃に子供がないのを悲しんで、オーディンに訴えた。オーディンは、巨人フリムニールの娘であるワルキュリエに一つの林檎を与えて派遣して、これを王に与えさせた。ワルキュリエは一羽の大ガラスに身を変えて、レリールの館に飛んでいった。王は館の外の塚の上に座っていたが、カラスはそこへ飛んで来て、王の膝の上にその林檎を落した。直ちにその意味を理解した王は、林檎を取って自分でその半分を食べ、他の半分を妃に与えたのであった。

このことがあってから、妃は妊娠したのを感じたが、どうしても子供を生むことができなかった。彼女は病いが自分の命にかかわるのに気づくと、子供を助けるために、自分の腹をたち割って赤ん坊を取出すことを命じた。みなは妃のいう通りにして、これを彼女の体から引き出した。すると男の子は、母親が死ぬ前にこれに接吻《せっぷん》したのである。彼はウォルスングと名づけられて、大きく逞しく成長した。彼が成人すると、フリムニールは娘のリョッドを彼の許に送りつけた。これはレリールに林檎を持ってきた、あのワルキュリエであったのだ。ウォルスングは彼女と結婚して、二人の間には十二人の子供ができた。一番年上のはシグムンドとシグニイで、これは双子であった。

ウォルスングは一本の樫の木を中心にして大きな館を建てさせ、その枝が屋根の上に影を落すようにした。その幹は広間の真中に立っていて、これは〈子供の杖〉と呼ばれた。

その頃ゴート国にシッゲイルという王がいた。彼はシグニイに求婚した。彼女はこの結婚に気がすすまなかったが、それはシッゲイルとの結婚は、彼女にとっても彼女の一族にとっても幸福になるまいと、予想したからであった。しかしウォルスングは、このように強大な求婚者に「否」を言うことを望まなかった。こうしてシグニイとシッゲイルのために、盛大な結婚式が挙げられたのであった。

その夜、客人たちが祝宴につき、大広間に赤々と火が燃え上っていた時、誰も知らない一人の男が広間にはいって来た。彼は裸足で派手なマントに身を包んでいたが、片眼で、大変に年とって見えた。彼が広間をすすんで行くと、誰しもが彼に目をこらしたが、一人として進み出て彼に挨拶する者はなかったのである。男はつかつかと〈子供の杖〉に近づいて、持っていた剣でそれに切りつけた。剣は柄《つか》まで木に食いこんだ。すると、彼は言った、「この剣を幹から引き抜いた者は、これを余の贈物として受取るがよい。その者は、これにまさる剣が存在しないことを知るであろう」と。

そのまま彼は立ち去ったが、それが誰であり、どこへ行ったのかは、ついに誰にも知りえなかったのである。

彼が広間の外へ消えると、即座にみなは立ち上って、争ってその剣を引き抜こうとしたが、誰にも引き抜くことはできなかった。そこへウォルスングの息子のシグムンドが来た。そして彼が柄に手をかけるや否や、剣は抜けて彼の手に残ったのであった。シッゲイルは、もし剣を自分によこすなら、その重さだけの黄金を代りに与えようと言ったが、シグムンドは答えた。「君がこれを持つだけの力をもっていたら、おれに劣らずにこれが引き抜けたはずだ。だから、持っている黄金を残らずおれにさし出そうと、これは君のものにはならないよ」

シッゲイルは腹を立てたが、その憤りを隠して、何もかも満足らしく装った。シグムンドはこの剣をグラムと呼んで、大いにこれを自慢にした。

あくる日は、天気がよかった。すると、シッゲイルは言った――婚礼の祝いがはてるまでに天気が変らないとは誰にもわからないことだから、風向きがよいうちに旅立つ仕度をしたい、と。いよいよ彼らが旅立つ時になると、シグニイは父親に言った。「わたしはシッゲイルと一緒にいても、少しも楽しくありません。それで、この姻戚関係からは、わたしたちに不幸が生じるような気がするんです」

しかしウォルスングは答えた――もしこの結婚が破れたら、自分たちにとってもシッゲイルにとっても恥辱になるだろう、と。それでもシグニイは、なおも父に家においてくれと迫って言った。「一族のフュルギエ（守護霊）がわたしに告げて、まだ間にあううちにシッゲイルに用心するようにと、警告するのです」と。しかしウォルスングは、心を動かされずに答えた。「もう変えようのないことが起っているのだ。もしわれわれが、彼が少しもわれわれを裏切らなかったのにわれわれの言葉を守らなかったとすれば、シッゲイルは安んじて自分の力の及ぶかぎりの悪をするだろうな」

そこでシグニイは花嫁として夫に同行することになったが、旅立つ前にシッゲイルは、妻の一族をすべてゴート国に招待して、シグニイと彼女の一族の名誉になるよう、向うで婚礼の祝い酒の仕上げをしたいと言った。ウォルスングはその招待を受けて、三ヵ月たったら行くことを約したのである。

三ヵ月がすぎると、ウォルスングは息子たちと共に、ゴート国に赴いた。彼らが同地についたその夜、シグニイが船まで訪ねて来て、父親がまだ船から下りぬ前に、彼と二人だけで話した。彼女が話したのは、シッゲイルが邪心をもって屋敷に大勢の部下を集めていることであり、身内の者は直ちに帰国すること、またもしそうしたいならば、もっと多くの伴をつれてくることであった。しかしウォルスングは、退却話には耳をかさず、わしはわしのいつもやっているようにするのだ、即ち、自分らの数が多かろうと少なかろうと、手持の戦士で戦うばかりだと言った。シグニイは父を説き伏せられないことを見ると、自分も父の許に留まって、運命を共にすることを望んだ。しかしウォルスングは、彼女に夫の許へ帰って、身内の身の上に何が起ろうと、夫の側に留まることをすすめた。シグニイは父の言った通りにしたが、身内の者たちと別れるのがいかにもつらくて、泣く泣く王の館に帰ったのであった。

ウォルスングたちは船上で一夜をあかしたが、朝になると、シッゲイルが大軍を率いて来襲した。ウォルスング一族はこれを迎えて、浜辺で戦った。ウォルスングと彼の息子たちは、八度まで敵軍を端から端までつらぬいて、自分らの周囲に広い道を切りあけたが、その度に敵はまたひしひしと彼らを取りかこんだ。そこで九度目に敵陣に割ってはいったが、衆《しゅう》寡敵《かてき》せず、ウォルスングは重囲の中でたおれ、彼の息子たちはすべて捕えられたのであった。

シグニイは彼女の父親が戦死し、兄弟はすべて縛《ばく》されて、外の部屋に入れられていることを聞くと、シッゲイルの許に行って言った。「わたしの兄弟の命乞いをしても無駄なことは知っています。でも、わたしはわたしに恩恵を示して下さるようにお願いいたします――というのは、あの人たちをすぐには殺さないで、しばらく杙《くい》につないでおいていただきたいのです。あなたも御存知でしょうが、愛する人たちを見られる限りは、慰めがつきたわけではありませんから」

それを聞いて、シッゲイルは笑って言った。「お前の兄弟に死よりもなお悪いものを望むとは、お前の兄弟への愛情はまったく大きいのだな。よしよし、お前のいう通りにしてやろう。ウォルスングの連中がじわじわと死んで行くのを見るのは、いい気持だからな」

こう言って彼はウォルスングの息子たちを森へつれて行くと、彼らの足を大きな木の幹にしっかりとつながせたのである。彼らは日中は一列になって座っていたが、夜に入って暗くなると、一頭のいやらしい牝狼《めろう》が忍んできては、棒杙の一番端につながれていた者を食うのであった。こうして一夜また一夜と過ぎるうちに、いまはシグムンド一人しか残らなくなった。

毎日シグニイは使いを森にやって、兄弟の消息をたずねさせたが、彼らを守るすべが見つからないのを、ひどく悲しんだ。最後の晩に、彼女はふと思いついて、使いの者に一塊りの蜂蜜《はちみつ》を持たしてシグムンドの許にやり、その男に命じたのである——お前はシグムンドの顔にこの蜂蜜を塗り、一塊りは口の中へ押しこんでおきなさい、と。やがて夜になると、例によって牝狼が来たが、シグムンドに噛みつこうとした時に蜜の香りをかぐと、彼の顔をなめはじめ、最後には彼の口の中まで舌をさしこんだ。シグムンドはその舌にぎゅっと噛みついた。狼は身を振りはなそうとして、両脚を杙に突っぱってぐいぐい引張ったため、杙は真二つに折れて飛んだ。しかし、なおもシグムンドはしっかりと狼をおさえつけていたため、狼の舌は根元からちぎれて、彼女はそこに打ちたおれて死んだのである。そして人々のいうところでは、この牝狼はシッゲイル王の母親が、魔法で獣の姿をとっていたのだということであった。

朝になると、シグニイは自分で外に出て来たが、兄弟が森の中で自由に立っているのを見て、いたく喜んだ。彼女は彼をある洞穴に隠すと、食べ物や飲み物を運んできた。こうしてシグムンドは、長いことこの洞穴で暮らしたのである。

シッゲイルとシグニイの間には、二人の息子が生れた。年上の子が十歳になると、シグニイはその子を森のシグムンドの許へ送って、シッゲイルへの復讐を志している肉親の手助けをさせようとした。シグムンドは少年を迎えると、「これからパンを焼くことにしよう。おれは外へ行って薪を集めてくるから、お前はその間に粉を捏《こ》ねておいてくれ」と言って、少年に小麦粉の袋を渡した。

やがて帰ってくると、シグムンドは少年に生地《きじ》のことをきいた。少年は答えた。「お粉の中になんだか生きたものがいるので、僕は捏ねられなかったんです」

そのつぎシグニイがやって来た時に、シグムンドは姉妹に、あの子を手許においても力にはならぬと言って、事情を話した。と、シグニイは言った、「そんなら、生かしておいても仕方がないから、殺してしまいなさい」と。そこでシグムンドは、そうしたのである。

次の冬に、シグニイはもう一人の息子を、シグムンドの許に送りとどけた。しかし、この子も兄と変りはなかったのだ。

　ある日シグニイは、魔法にたけた女を訪ねると、彼女と姿を変えてほしいと頼んだ。女はそれを承知して、自分で妃の姿になると、昼間は王の傍らに座り、夜は彼の許で眠ったのだが、王は自分の傍らにいるのはシグニイだとしか思わなかった。しかしシグニイは、その女の姿になってその服をまとい、まったく見なれぬ姿になって、シグムンドの洞穴に出かけた。そして森で迷ったのだと言って、夜があけるまで、一夜を彼の許で泊めてほしいと頼んだのであった。

　シグムンドは彼女を中へ請じ入れて、食事を共にした。食事をしている間も、彼の目は女の上にばかりはりついていて、食べ終えた時にはもう夜も遅くなっていた。そして彼は、この見知らぬ女に愛を告白したのだ。かくて二人は、三夜を共にして、床を一つにして眠ったのである。

　それからシグニイは館に帰って、もとの姿に戻ったのだが、時みちて一人の息子を生んだ。息子はシンフイヨトリと名づけられた。

　息子が十歳になったある日、彼女はいつものように息子のシャツと袖口を縫い合せようとしていて、針を深く突き刺した。糸は皮を通して肉にまで達した。しかし息子はじっとしていて、母親の縫うがままにさせ

黄金製のお守り兼胸飾り
（スウェーデン，スコーネ出土）

ていた。

「痛いかえ？」と、彼女はきいた。

「ウォルスングの者が堪えられないほどではありません」と、少年は答えた。

そこで彼女は、少年をシグムンドの許へやった。シグムンドはパンを焼こうと言って、自分は薪を取りに行き、その間に少年には粉を捏ねておくように言った。彼が帰ってみると、パンは捏ねられて既に焼かれていた。

「粉の中に何かいなかったか？」と、シグムンドがたずねると、シンフィヨトリは答えた。

「粉を捏ねはじめると、中で何か動いていたようだったけれど、僕はそのまま捏ねちゃったよ」と。

シグムンドは笑って言った。「それじゃ、そのパンはお前に食べさせるわけにいかないな。お前がパンと一緒に捏ねちまったのは、毒蛇だから」

シグムンドは毒蛇でも食べられるほど頑健だったが、シンフィヨトリには、皮を剝《は》いだのしか食べられなかったのである。

シグムンドはいまや、少年が強行軍に堪え、また戦いに馴れるようにと、森の中での掠奪の旅につれて行った。少年はその勇敢さにおいて、たしかにウォルスング一族の血をひいていたが、その勇敢さの中にはある粗暴さと残忍さがまじっているのに、彼は気がついた。それはシグムンドの思うに、シッゲイルから受けついだものだった。それにしても、彼はシンフィヨトリが、父親の側にはまるで肉親感を持たぬのにおどろいた。というのは、彼はいつもシグムンドに、彼らがシッゲイルにどういう目にあったかを思い出させて、彼を殺すようにけしかけたのだから。

あるとき、二人はいつもの出歩きの途中で、森の中で一軒の家をみつけたが、その家には二人の男が腕に重たい金の腕輪をして眠ってい、その上の壁には狼の毛皮が二枚かかっていた。それは魔法にかけられた高貴な人たちで、九夜の間は人狼として走り回らなければならず、十日目の夜だけ人間に戻れるのであった。シグムンドとシンフィヨトリは、その衣をとってまとった。着るが早いか、彼らは狼のように咆えて荒々しく森の中へ走りこみ、誰にでも出あい次第に嚙みついた。

彼らはいまやそれぞれ勝手にうろついたが、別れる前に、シグムンドはシンフィヨトリに言った——めいめい、七人の男までは一人で相手にしよう。しかしそれ以上の相手に出あったら、助けを求めて呼びあおうと。こうして互いにしばらく走り回っているうちに、シグムンドは森をぬけて旅している八人の男に出あった。そこで空に向って咆えると、すぐさまシンフィヨトリが走って来て、その場で八人をすべて嚙み殺したのである。

その後シンフィヨトリは、十一人の一行に出あったが、ただ一人で彼らに立ち向ってゆき、すべてを殺したが、自分でも疲れきってしまい、一本の樫の木の下に横たわって、ハアハアいって喘いでいた。そこへシグムンドがやって来ると、シンフィヨトリは嘲るように言った。「お前は八人の男で助けを呼んだが、おれは十一人を相手にしたのだぞ。それでもお前は、お前にくらべたらおれは子供だというのか」

これを聞くと、シグムンドは荒れた狼のようになって自分の息子に襲いかかり、その喉笛《のどぶえ》を食い切った。そして自分の狼の衣を引裂こうとしたが、それはしっかりと肉に張りついていた。彼はその衣を背に垂らしたまま自分の穴に走り戻ると、一日そこに座って、自己の狼の姿を呪っていたのである。

あくる日になって、彼が洞穴から出ると、二匹のイタチが戦っているのを見た。と、一匹がもう一匹を食い殺したが、しばらくすると、彼は一枚の葉をくわえて来て相手の傷の上にのせた。するとすぐさま、嚙み殺されたイタチは立ち上って、何事も起らなかったようにあたりを走り回った。それを見たシグムンドは、すぐにその薬草を探しにかかったが、同時に一羽の大ガラスが飛んで来て、彼の鼻先に一枚の葉を落した。彼がそれを拾ってシンフィヨトリの喉の上におくと、息子はまた元気で立ち上った。

それからは二人は、狼の皮が彼らから落ちる日まで、しずかに洞穴の中に座っていた。それから毛皮を引きずって行くと、それがもはや誰の害にもならぬことを望んで、火に投じたのであった。

シグニイはシッゲイルの館に座って、重たい思いを反芻《はんすう》していた。彼女はいつも父親のことを思い出したり、人間の社会を遠く離れて狼のように平和なくさすらっている、自分の身内を憐れんだりしていた。彼女は自分の孤独と苦しみとを嘆いて、こんなふうに呟いた。

「一つの島が他の島から離れているように、わたしはあの狼とかけ離れている。わたしたちの間には広い沼沢が広がっている。しかも残忍な人たちがいたるところに待伏せして、あの狼がよく気をつけないと、死に追いこまれてしまうのだ。わたしが彼の洞穴を訪ねていった時、わたしの胸はわたしの狼を前にして希望で高く打った。そして日が雨で陰惨に、わたしの胸が重たかった時、あの人はわたしに腕を回した。その抱擁の中でわたしは歓喜と、より多くの苦悩を味わったのだ。狼よ、わたしの狼よ、わたしを病ませたのはこのあこがれだ。わたしの食卓は食べ物で盛り上っているのに、わたしは悲しみで瘠《や》せ衰える——あなたがちっとも来ない故に。目をさましてあの咆える声をきけ！　あれは狼が元気のいい仔狼を、森へつれて行くのだ。じきにわたしがシッゲイルの館での嫌な生活から、身を解き放つ時が近づいて来るのだわ」

やがてシンフィヨトリが十分に成人して、不敵な企てにも堪ええた時、シグムンドは考えた——今こそウォルスングの仇討ちを実行に移すべき時が来た、と。そこで二人は森の洞穴を出て、シッゲイルの屋敷に行き、玄関の間《ま》に立っている酒桶の陰に身を潜めた。広間ではシッゲイルの二人の小さい息子が、腕輪をもてあそんで走り回っていたが、遊びの間にその腕輪が床に落ちてころがって来て、酒桶の間で止った。

子供たちは遊び道具を追って走って来たが、そこに武装した二人の男がいるのを見ておどろき、直ちに走り戻って彼らの見たことを物語った。シグニイは二人の話をきくと、シッゲイルがその見なれぬ男が誰であるかを推測するより早く、少年たちの手を引いてシグムンドの許へつれて行って、彼女の兄弟に言った——この子たちはあなたを裏切ったのです、今は彼らが知っていることを残らず話す前に、殺してしまうのが最善でしょう、と。シグムンドは答えた——もし彼らが自分たちの隠れ場所を見て洩らしたとしても、自分は姉妹の子供を殺すつもりはない、と。しかしシンフィヨトリは何の躊躇《ちゅうちょ》もなく、剣を抜いて二人の首をその場ではねると、その胴体を広間の床の上に投げ捨てたのであった。

シッゲイルはそれを見ると、「者ども、外にいる男を捕えろ！」と叫んだ。夥しい数の部下たちが走り出て、ウォルスングの父子に襲いかかった。二人は勢いはげしく防いでシッゲイルの部下の間をよく切り開いたが、久しからずして多勢に圧倒された。シッゲイルは彼らをきびしく縛めさせて、夜から夜明けまで、どのようにして妻の兄弟を苦しい死にあわせてやろうかと考えこんでいた。

あくる日、彼は芝土と石とで塚を築かせると、その中央に平たい石を、塚を横ぎる壁のように直立させて、両側の石室にシグムンドとシンフィヨトリを入れ、お互いに声は聞えるが、一緒にはなれぬようにした。そうやって下男たちが塚をふさいでいる間に、シグニイが一束の乾草を抱えて来て、シンフィヨトリの許に投げこんだ。夜になって、シンフィヨトリが叫んだ、「われわれは塚の中でも食料に不自由はしないぞ。乾草の中にベーコンがある」と。そしてなおも肉塊をさぐっているうち、剣の柄が手にふれたので引出してみると、それは肉塊の中に妃が隠しておいたシグムンドの剣であったのだ。

彼はその刀を石室の上にあった裂目にさしこんで、刃を下に向けた。そして力を入れて下に押した時、彼は直ちに剣が石に切りこむことに気づいた。シグムンドが反対側で切先をつかんだ。親子は力を合わせて石を断ち割り、二つになった石塊を片寄せた。それから力を合わせ塚に穴をあけ、共に外へ逃れ出たのであった。ついで広間に行ってその周囲に薪を積み上げて、火を放った。炎が壁ぞいに燃え上ると、シッゲイルは声をあげて叫んだ――おれの館に火をかけたのは誰だ、と。

「それはシグムンドとシンフィヨトリがしたことだぞ。今こそ貴様は知ったろう、ウォルスング族がすべて死に絶えたのでないことを！」と、外からは声がした。

ついで二人はシグニイを呼んで、外へ出ておいで、いまこそお前の悲しみがすべて償われる時が来たのだ、と言った。彼女は出て来ると、シグムンドに言った。

「わたしが父の仇をうつためにどれだけのことをしたか、いま申し上げましょう。狼の姿になって森のあなたの所へ出かけたのは、わたしなのです。だからあなたはシンフィヨトリの父、わたしは母なのです。あの子は父の側からも母の側からもウォルスングの血を引いているからこそ、あんなに勇敢なのですわ。わたしは仇討ちのためにこれほどのことをしたので、もう生き永らえることはできません。わたしはいま、これまであの人と一緒に生きてきたのですから、喜んでシッゲイルと共に死んでいきます」

こういって彼女はシグムンドとシンフィヨトリに接吻すると、炎の中にいる夫の許へはいっていったのであった。

シッゲイルの没落後、シグムンドは故国へ帰ると、父親の国を占領していた王たちを追いはらい、ボルグヒルドという妃を迎えて、力強くその国を治めた。

シンフィヨトリは落着くことができなくて、バイキングに出た。彼は帰ってくると、自分の立てた手柄について話したが、その中にボルグヒルドの兄弟を殺した件もまじっていた。それを聞くと、妃の顔は曇って、シンフィヨトリに命じた――国を去って、二度と彼女の前に姿を見せるな、と。しかしシグムンドは、息子を手放すことを欲さず、兄弟の賠償金として多額の財宝をさし出したのであった。すると妃は兄弟のために盛んな追悼宴を開いて、自ら酒を客たちについで回った。

彼女がシンフィヨトリに角杯をさし出した時、彼はその中をのぞきこんで言った。「この酒は不気味だな」シグムンドは彼の手からその角杯を取って、飲みほした。妃はシンフィヨトリを嘲笑して言った。「あなたは代りに人に飲んでもらうのですか、シンフィヨトリ?」彼女は新しい角杯を持って来たが、それも同じことになった。三度目に、妃は彼に言った。「お前がウォルスング家の者なら、お飲み、シンフィヨトリ!」

彼は酒杯をのぞきこんで言った。「酒の中に毒蛇がいるぞ」

「髯を生やした男がそういうことを言うのか」と、シグムンドが言った。彼はもうしたたかに酔っていたのだ。シンフィヨトリは角杯を飲みほしたが、たちまちたおれて死んだ。シグムンドはシンフィヨトリが死んだのを見ると、そこに突っ立ったが、まるで致命傷を受けた者のように、悲しみでよろめいた。彼は息子の屍を抱きかかえると、森の奥へ運んだ。そしてフィヨルドまでやって来ると、そこには一人の男が小舟の中に座っていた。男は、あなたはフィヨルドを渡るのかときいた。シグムンドは相手の申し出を受けた。ところが、シグムンドが息子の屍を舟底に置くと、船べりが水とすれすれになった。男はまずシンフィヨトリを先に渡さなくてはと言った。しかし、それきりシグムンドは、その男も彼の船も、見かけなかったのである。

シグムンドはボルグヒルドを追出して、いまはただ一人で館に住んでいた。その頃、エイリメという王がいて、ヒョルディスという娘をもっていたが、彼女は評判の美女だった。シグムンドは彼女に求婚するべくエイリメ王の許へ出かけたが、その地で、同じ目的でやって来ていたフンディングの息子リングヴェ王にぶつかった。

エイリメ王は嘆息して考えた――ヒョルディスを一方にやれば、わしは他方を敵に回すことになる、と。そこで彼は娘に言った。「わしの見るところ、お前は十分に理性をそなえている。だからわしはお前に自分で夫を択ばせることにした。お前の好きな方を択びなさい、その男がわしにも最適と思われるはずだ」と。

娘は答えた。「それは容易にできることではありません。しかし、わたしはむしろシグムンドを択びましょう。あの人は年はとっているけれど、この上ない名声をもっていますから」と。

そこでシグムンドはヒョルディスと婚礼をあげ、リングヴェは面目をつぶして帰路についた。彼は帰国すると、可能なかぎりの大軍を集めて、シグムンドに使いを出した——両国の中間にある場所で出あって決着をつけたい、と。シグムンドは自分の財宝を隠し、ヒョルディスに奴隷女をつけて森へ送り出すと、リングヴェを迎え撃つ用意をした。両軍の間の戦いは、長くして苛烈だった。しかし、戦いが最高潮にさしかかった時、黒いマントを羽織り、目の上まで帽子をずり下げた片眼の老人が、戦闘中の両軍の間に割りこんで来るのが見えた。彼はシグムンドの前に進み出ると、手にしていた槍を彼に突きつけた。そして王の剣がその穂先にふれたと思うと、二つに折れて飛んだ。ここに幸運は向きを変えて、シグムンドは部下の大部分と共にたおれたのであった。

勝利のあと、リングヴェはヒョルディスを奪い去るべく、王宮に赴いた。しかし、彼女の姿はどこにもなかった。夜に入って、彼女がひそかに戦場を訪れると、シグムンドがまだ生きているのを発見した。彼女が夫の傷を包帯しましょうかときくと、シグムンドは答えた。

「望みが乏しくとも、人は回復することもある。しかし、わしの幸運は去ったのだ。オーディンはわしが二度と剣を振るのを望まないらしい。わしの傷を縛るには及ばない。ただ、お前の腹にある子供は気をつけて育て、またあの剣の破片はよく保存するように。あれはまた剣に鍛え直すことだ。それをその子が佩《お》びるなら、彼はそれによってこの世が決して忘れえぬ名声をうるであろうよ」

ヒョルディスは夜明けまで、夫の許についていた。そして彼は息を引きとったのだ。ヒョルディスが戦場を去ろうとした時、一艘の船が岸について、人々が船から下りてくるのが見えた。と、彼女は侍女に言った。「二人の着物を取りかえておくれ。そしてお前は王の娘だといって、わたしの名を名のるのだよ」

侍女は妃のいう通りにした。こうして二人は森へ向った。ところで、その船を指揮していた首領は、アルフといって、デンマーク王ヒャルプレクの一子であった。彼は戦場へ向って行く時に、二人の女が森の中へ姿を消すのに眼をとめると、部下をやって彼女らを捕えさせた。

彼が女たちに誰かとたずねると、侍女がすすみ出て、リングヴェ王がここでシグムンド王と戦って彼をたおしたことを話した。と、アルフはたずねた――お前たちはどこにシグムンドの宝が隠してあるか知っているか、と。「知っておりますとも」と侍女は言って、シグムンドが財宝を隠した森の中の場所へ、彼を案内した。そこでアルフは、女たちと黄金とを取って、故国に持ち帰った。

ある日、女王が息子のアルフに言った。「なぜあの堂々とした女が、あんなに貧しい身なりをしているのだえ？　お前はたしかに、後に従うべき女を前に立たしているのだよ」

アルフは答えた。「あの女が召使らしくないのは、わたしもよく知っています。あの女にあった瞬間から、わたしはあの女が首領に対してでも自由に話すのに、おどろいたものです。いずれ真実を突きとめますよ」

あるときアルフは異国の妃の傍らに座ると、女にたずねた――天に星が出ていない時には、あなたはどうやって夜の時間を知るのですか、と。すると、女は答えた。「まだ小さかった頃、わたしはいつも朝早く飲み物を一杯飲んだものでした。ですからそれ以来いつも飲み物が欲しくなって目が醒《さ》めるのです」

アルフは笑って言った。「王の娘としては、あなたの習慣はどうもいいものではありませんな」

そのあと、彼はヒョルディスと話して、同じ質問をしてみた。と、彼女は答えた。「わたしは父からもらった指輪を持っていますが、朝早くには、それがいつでも冷たくなりますの」

王は答えた。「召使の身でそんなものを身につけているとは、よほど君は金を持っているのだね。だが、自分を隠しているのはもう沢山です。いまわたしはあなたに結婚を申し込む。あなたがお腹の子供を生んだら、わたしはあなたに花嫁の贈物をして、王家の娘にふさわしいだけの式をあげるつもりです」

ヒョルディスは男の子を生んだ。人々はその子を、ヒャルプレク王の許に抱いていって見せた。王はその子が鋭い目をしているのを見て喜んだ。彼は赤ん坊に水をふりかけて、シグルドと名づけた。そしてフレイドマールの息子の鍛冶レギンにこれを養わせたのである。

あるとき、シグルドはレギンと話しあったが、そのときレギンはたずねた――お前の父親が持っていた財宝はすべてどこに行ったのか、と。「あれは王様の手にあります」とシグルドは答えた。すると、レギンは言った。「お前は王様を信用しているのか？」

「わたしが成人するまで、あれをあの人たちが保管しているのは正しいのです。わたしよりもあの人たちは、ずっと分別を持っていますからね」と、シグルドは答えた。

また別の時に、レギンはまたもやこの問題を持ち出して、シグルドがまるで王の馬丁のように使われているのはおかしいと言った。

「それは嘘です」とシグルドは言った。「ここにはぼくほど王様みたいに豊かな生活をしている者は、他にありません。ぼくは欲しいものは何でも手に入れられますからね」

「そんなら王様に、馬を一頭下さいと頼んでごらん」と、レギンは言った。

「望みさえすれば、そんなものはすぐにぼくの手にはいるんだ」シグルドはこう言うと、ヒャルプレクの許に行って、少しお願いがありますと言った。「何が欲しいのだ？」と、王はきいた。「わたしは乗って遊ぶ馬が一頭欲しいのです」と、シグルドは言った。と、王は牧場《まきば》に行って気に入ったのを択ぶがいいと答えた。そこでシグルドはレギンと一緒に森へ出かけたが、途中で彼らは長い髯を生やした一人の老人に出あった。老人はどこへ行く

レギンに鍛冶をならうシグルド
（ノルウェーの古い教会の扉から）

のかと訊いた。

「馬を択びに行くのです。なにかいい知恵をかしていただけますか？」と、シグルドが言うと、老人は答えた——馬たちを川の中へ追いこんで見ることだ、と。そこでそのようにすると、馬たちは水の深みまで来たのに気づくと、一頭の灰色をした仔馬を除いて、すべてが引返して岸を目ざしたのである。

シグルドがその仔馬を択ぶと、老人は言った。

「そいつはよい馬だ。スレイプニール（オーディン神の乗馬）の血をひいているのだ。それを気をつけて養いなさい。比べもののない馬になるだろうよ」こういうと共に、老人の姿は見えなくなった。シグルドはその馬をつれて来て、グラニと名づけたのであった。

そのつぎシグルドが養父と話した時には、レギンは言った。「黄金が埋まっていてお前を待っているというのに、まるで貧しい百姓の悴《せがれ》同然に、お前がそこらをほっつき回っているのが、わしは残念でならぬ」

シグルドはたずねた——あなたのいうのは、大した宝を抱えて座っている人のことですか、と。

「黄金がグニタの荒野に埋まっているのだ」と、レギンは言った。「それを持っているのはファフニールという奴だ。あいつが抱えこんでいる黄金を見たものなら、お前は言うことだろうよ——こんな沢山の黄金が一個所にまとめられているのを見たことはないぞ、と。あれを手に入れたら、お前がほかの王ほどの年になって、もっと強豪を相手にしても、十分に足りるのだがな」

シグルドは言った。「ぼくもその竜のことは聞いています。そいつは誰も近くには寄れないほど、巨大で兇悪なんですってね」

「そんなことはない」と、レギンは言った。「そんなことは、百姓どもの誇張だ。あいつは荒野の蛇としては大きいだけだ。お前がウォルスングの血をひいているというのは本当かも知れんが、しかし彼の心は持っていないのだな」

シグルドは答えた。「ぼくがぼくの身内の者の剛胆さを持たぬというのは本当かも知れませんが、なにしろぼくはまだほんの鼻たれ小僧から抜け出たばかりですからね」

レギンはその竜を殺すようにシグルドをけしかけ続けて言った、そうすれば名声と富とを共に得られるのだと。

「そんならあなたの腕をつくして、他にくらべるもののない剣を一本鍛えて下さい。そしてぼくの勇気がそれを用いるにふさわしいかどうか、ためして見ようじゃありませんか」と、シグルドは言った。

レギンはシグルドのために、一本の剣を鍛えた。しかし彼は、それを見ると言った。「この剣は役に立たないな」そして彼が金敷《かなしき》に打ちおろすと、刀身は柄から飛んでしまった。レギンは新しいのを鍛えたが、それも最初のと同じことだった。

すると、シグルドは、「あなたはやっぱりあなたの一族の血を受けているんだ。信用はできませんね」と言うと、自分の母親の許へ行って、シグムンドがグラムの破片を彼女にあずけたというのは真実かとたずねた。彼女はそうだと言って、それを出して息子に与えた。シグルドはそれをレギンの許へ持って行って、これで剣をつくってくれと頼んだ。レギンは腹を立てたが、シグルドの言うがままにした。そして彼が火床から剣を引出すと、刃の中に火が燃えているように見えたのである。

「この剣がだめだとすると、おれにはもう剣は鍛えられんということだ」と、レギンは言った。シグルドがその剣で金敷に切りつけると、剣は金敷を断ちわって土にまで食いこんだ。

「これはよい剣だ」と、彼は言った。ついで彼は川に下りて行くと、剣をそこに立てて、一本の羊毛を流してやったが、刃はすぱりとそれを断ち切ったのであった。

「さあ、おれは剣を鍛えてやったぞ。今度はお前が約束に従って、ファフニールを探さなくてはな」と、レギンは言った。シグルドは答えて言った。

「約束は守りますよ。しかし、僕にはまず身内の仇を討つ方が先です」

シグルドはヒャルプレク王の許へ行って言った——今やフンディングの息子たちを訪ねて、ウォルスング家の者がすべて死に絶えたわけではないことを見せてやるべき時だ、と。ヒャルプレクは、彼が父の仇を討てるようにと、人員と船とを与えてくれた。シグルドは船を出して、一日、荒天の中に断崖の切立つ岬を回ってフンディングの土地を目ざした。と、そこの岬の上に一人の男が立っていて、船に乗せてくれと叫んでよこした。シグルドが船を断崖の下につけると、男は甲板に飛び下りたが、その瞬間から天気はよくなって、一行は安らかに船を進めて目的地に着くことができた。しかし、彼らが投錨すると同時に、老人の姿

シグルドの竜退治（スウェーデンの岩壁画）

は消えて、二度と現われなかったのである。

シグルドはあたりを劫掠しながら内地に向った。その間にフンディングの息子たちは兵を集めて、彼を道に待伏せた。しかし、彼らの一人も生きては帰らなかったのだ。シグルドは大きな栄誉と名声とをえて、ヒャルプレク王の許に帰った。そこでは彼を迎えて盛大な祝宴が張られた。今や彼はウォルスング一族の中に、自分の席を戦い取ったのであったから。

まもなくレギンはシグルドに、以前の約束のことを思い出させた。そこで彼は、今度はグニタの原に竜を探す用意にかかった。やがて彼らはヒャルプレク王の館を後にしたが、荒野に来ると、まもなく竜が水を飲みにゆく時の足跡をみつけた。足跡は水の上三十尋《ひろ》の断崖の上で終っていた。水を飲む時には、彼はいつもそこに腹ばいになって、頭を垂れて飲むのであった。シグルドがレギンに「竜ははばかに広い跡をグニタの原につけているではないか」と言うと、レギンは答えた。「お前は彼の通る道に溝を掘って隠れていて、彼奴がお前の上を匍《は》いずって行く時に、その心臓を突きさせばいいのだ。それでお前は不滅の名声をうるのだよ」

シグルドはたずねた——毒が溝の中にいる彼の上にふりかかったら、どうなるのかと。しかし、レギンは答えた。「お前が何にでも怯えるのなら、お前に助言しても無駄だ。お前はお前の身内には少しも似ていないのだな」と。

シグルドは溝を掘りはじめた。その間にレギンは、その場を去って森の中に隠れた。と、シグルドがそこに立って土を掘っているところへ、髯深い老人がやって来て、何をしているのかとたずねた。そしてシグルドが、この穴の中に座って竜を刺しつらぬくつもりだと言うと、老人は言った。「それはいい案ではないな。お前は竜の血が流れるように幾条《いくすじ》もの溝を掘って、その一つにはいっていて彼奴の心臓を刺しつらぬくがよい」そのまま老人の姿は消えた。

シグルドが老人の言った通りにしていると、まもなく竜の匍ってくる音がして、大地が沈んだ。そして彼が溝の上を通りすぎる瞬間に、シグルドはその心臓をつらぬくよう、左下から刀を突き刺したのである。同時に彼はぐいと剣を引きぬいて、溝から飛び出したが、彼の腕は肩まで血に染まったのであった。

ファフニールは身をくねらせて、頭と尾とで石や茂みをはねとばした。しかし、流血で力が弱まるのを感じると、彼はおとなしくなって言った。「おれにあえて武器を用いるとは、お前はいったい誰で、どこの家の者だ？」それは死にあたって、自分を殺した相手に呪いをかけて、その呪いを彼の名に結びつけようと願ったからであった。しかし、シグルドは答えた。「おれの家系は知っている者がないのだ。おれは子供の時から一人ぼっちだった。父も知らなければ、母も知らないのだ。おれの名前が知られる時は、この物凄い怪獣に結びつけてだろうよ」

ファフニールは答えた。「お前は父親も母親も知らんと言うが、それはどういう怪物がお前をこの世に送り出したかを言うわけにいかんのだろう。しかし、おれの命を取る日にお前の名を名のらんとすれば、お前は嘘つきと呼ばれても仕方がないぞ」

シグルドは答えた。「もしおれが家の名前を言っても、お前は知らんだろうし、おれの名前もお前には聞きなれぬものなのだ。だが、おれはシグルドといって、ウォルスング家のシグムンドの子だ。そしてお前の心臓をつらぬいたのはシグルドの剣だぞ」

ファフニールは言った。「お前をこの行為にけしかけたのは誰なのだ？　お前が果敢な父親をもっていることは、お前のきびしい眼を見ればわかる。しかし、熊はまっすぐに打ちかかることは教えんものだからな」

シグルドは答えた。「おれをけしかけたのは、おれ自身の勇気だ。そしておれの手が打ちおろし、おれの剣がおれを助けたのだ。子供の時にめそめそしている奴は、決して大胆不敵に育つことはないよ」

するとファフニールは嘲って言った。「うん、お前が一族の中で育ったのなら、お前が戦士になったことも信じたろうよ。だが、お前は戦いで捕虜になっているではないか。そして奴隷という奴は、いつも慄《ふる》える心臓をもっているものさ」

シグルドは答えた。「お前はおれが父の跡をつがないで、他人の間で暮らしているというので嘲るのだな、ファフニール。だが、おれは捕虜となったとはいえ、奴隷ではないぞ。おれが自由であることは、お前にもわかると思うが」

ファフニールは言った。「おれの言うことを、お前はすべて悪くとるんだな。だが、信じてくれ、おれはお前のためによかれと思っているのだぞ。——おれの金銀はそっとしておくことだ。いくらあれが赤く輝いていようと、あれはお前の命取りになるのだからな」

しかし、シグルドは言った。「いずれは誰しも死ななくてはならんのだ。そして誰しもその日が来るまでは、品物や金銀に愛着をもつだろうよ」

ファフニールは言った。「おれもそのことは知っている。賢い人間は、嵐が静まるまで港にじっとしていることで知れるが、その間に馬鹿者は岬で座礁するのだ。おれはおれの死を来たさせたのがレギンだということは知っている。しかし彼がまたお前の死を狙っていて、いずれそのようになるのだと思うと、いい気持だな」

しかし、死の痙攣《けいれん》がはじまると、彼はまた言った。「いまは心からお前に忠告するが、お前はお前の馬に乗って、できるだけ早くこの場を立去ることだ。致命傷をうけた者が、自分で仇を討つことは、よくあることだからな」

しかし、シグルドは答えた。「お前の忠告はたしかに聞いたよ。しかし、おれはもっといい意見をもっている——お前の洞穴に乗りつけて、お前の身内が持っていた宝を残らず運び去ることだ」

「そんなら、覚えておくがいいぞ――あの金銀はお前の死を招き、またあれを手に入れる者すべての死を招くことを」こうファフニールは叫んで、その言葉と共に息を引取ったのであった。

こうして竜が死に、シグルドはそこに座って剣を草の葉で拭《ぬぐ》っていた時、レギンが森から出て来て、彼に言った。「戦いに勝っておめでとう！　お前がファフニールをたおしたのは、大した手柄だ。このことは決して、人々の記憶から消し去られぬだろうよ」

ついで彼はじっと長く土の上を見つめていたが、最後に言った。「お前はお前の仕事を誇りに思っているが、お前が殺したのはわしの兄弟だからな。このことにはわしも、責任がないわけではないが」

シグルドは答えた。「あなたの分け前は、大きくはありません。僕が剣を竜の血で染めている間は、あんたは頭をヒースの中に埋めて、天に起ったことも地に起ったことも、何も知らなかったのですからね」

すると、レギンは言った。「もし剣が役に立たなんだら、竜の奴はまだ永く荒野を徊い回っていたろうよ。その剣はわしがこの手で鍛えたんだからな」

シグルドは答えた。「鋭い剣よりも、勇気の方が必要なのだ。勇士がなまくらで戦って勝利を占めたことは聞くが、臆病者が鋭い武器で勝ったためしは、一度もないからな」

レギンは凝然《ぎょうぜん》と立って、暗い目つきで地の上を見つめていたが、やがて言った。「お前はわしの兄弟を殺し、そしてわしはそれに幾分か手をかしたのだ。ところで、わしのためにちょっとしたことをしてくれんか。竜の心臓を切り取って、火で焼くのだ。その間にわしは、ひと眠りするから」

シグルドは彼の言う通りにした。彼が心臓を切り取ると、レギンは貪欲にその血をすった。それから彼は茂みの間にもぐりこみ、シグルドは槍の穂先に刺して竜の心臓を炙《あぶ》った。やがて彼が、もう焼けた頃と思って、指で心臓にさわってみた時、煮えたぎった肉汁が迸り出て指を焼いた。彼は痛みを和らげるために、その指を口に突込んだ。ファフニールの心臓の血が彼の舌にふれたとたんに、シグルドは鳥の囀《さえず》りを解するようになり、茂みにとまって喋りあっている小鳥たちの言葉をきき取った。一羽が言った。「あそこにシグルドは座って、竜の心臓を炙っている。あの男が勇敢なほどに賢かったら、あれを自分で食べるだろうにな」すると、もう一羽が言った。「あそこにレギンが寝て、悪いことを考えてるぞ。あいつは前にもあの男を裏切ろうとしたのだが、いまもまた兄弟の仇を討つために、あの男を裏切ろうとしているのだ」

それを聞いて、シグルドは思った。「そんなことにならせるものか。レギンがおれの命を取るというなら、いっそ彼に地獄へ兄の後を追わせてやれ」こうして彼はそこへ行って、レギンの頭を切り落したのだ。それからはじめてファフニールの心臓を食べ、ついでグラニに跨がって竜の足跡を追って彼の洞穴まで行った。そこには二頭の馬にも背負いきれぬほどの黄金が見つかった。彼はそれを二つの振分け荷物にまとめてグラニの背にのせ、荒野をぬけて引張って行こうとした。しかし、馬は進もうとしない。そこで彼が背にとび乗って、拍車をあてると、グラニは背にのせているのは自分の主人だけであるかのように平気で走りはじめたのであった。

シグルドとブリュンヒルド

シグルドは山の方へ騎《の》って行ったが、高みまで来ると、前方に天へ向って揺らめく光を投げている火炎の強い輝きが見えた。近くまで行ってみると、それはある楯の城から出る光で、城は日にきらめき、その上高く旗を吹きなびかせていた。シグルドがその城にはいっていってみると、そこには一人の人間がすっかり武装して横たわって眠っていた。彼が眠っている人物の冑《かぶと》を脱がしてみると、それは女であることがわかった。しかし、胸甲に手をかけてみると、それがからだから生え出ているかのように、しっかりとくっついているのを見出した。そこで彼は、グラムの剣をとって胸甲を、頸《くび》のバンドから下へ両腕にそって切り裂いた。かくて胸甲は女から落ちた。とたんに彼女は目をさまして、起き直ってたずねた。「誰だ、わらわの胸甲を切り裂いて眠りを中断させたのは？」「シグムンドの息子シグルドという者。いま戦いの場から真直ぐに来たところです」彼はこう答えて、女にその名と、彼女を昏睡《こんすい》に落した者は誰かとたずねた。女は自分はシグドリファという名で、オーディン神にワルキュリエとして仕えていた者だと言って、次のように語った。あるとき、二人の王が戦ったことがあったが、片方はヒャルムグンナールという老戦士で、オーディンは彼に勝利を与えることを約していた。他方はアグナールといったが、これを助けようとする者はなかった。ところがオーディンがシグドリファをアグナールの死を意図して派遣したとき、彼女は彼に代ってヒャルムグンナールを戦死させた。そこでオーディンは怒って、お前に二度と戦いの運命を決定させるようなことはさせぬと言い、今はお前は夫をもって、すべてその命令に従わねばならぬとした。そこで彼女は、断じて恐れというものを知らぬ男でなくては夫にしないという誓いを立てた。そのあとオーディンは、彼女をヒンダル山につれて来て、眠りの茨《いばら》で彼女を刺した、というのであった。そして彼女は言うのだった、「わたしに世界の男の中から夫を択べというのなら、わたしはあなたを択びます」と。

そこでシグルドは腕からアンドヴァルの腕輪をぬき取って女に与えて、互いに婚約したのであった。別れる前に、彼女はシグルドにさまざまな忠言を与えた。

それから二人はそれぞれに山を下りて、自らの道を辿った。シグドリファは父のブドリ王の許に帰ると、他の女たちにまじって、彼女たちと変らずに織ったり縫ったりしていた。女としての名はブリュンヒルドと言った。彼女に求婚する者は多かったし、父はまた王家の娘にふさわしく自分で夫を択んで子供を儲《もう》けるよう、彼女を責めたてた。しかし彼女は、わたしには武器を執る方が気が向きますと答えて、戦士の一半を自分に分けてくれと願った。と、ブドリ王は怒って、もしお前が他の女のようにしないなら、お前を娘とは認めないから、財産も肉親も捨てて、好き勝手のところへ行くがよいと言った。

と、彼女は答えた——この世の宿なしとなるよりは、父上の望みに従いますが、ただ、わたしを妻に迎える者はこの上ない首領でなくてはならないことを条件にいたします、と。そして彼女は、ヒンダル山に一つの館を建てて、その周囲に燃えさかる炎の輪をめぐらすことを、父に頼んだのであった——そこに座って、馬でその炎を越えてくる勇気をもつ勇士を待つために。「その人をわたしは夫とします。他の人ではだめですわ」と、彼女は言った。

シグルドは遠く馬を走らせて行って、ギューキ王が住む王宮に来た。ギューキの妃はグリムヒルドといい、二人の間にはグンナール、ヘグニ、グットルムという三人の息子と、グドルンという一女があった。彼らはシグルドを喜んで迎え、彼とグンナールとヘグニの間には心からの友情が生じて、やがて互いに義兄弟の約を結んだのであった。

さてシグルドが王宮に来る前に、グドルンは多くの夢を見たが、その夢には明るいものと暗いものが入りまじっていた。最初の夜に見た夢では、一羽の鷹が彼女の手に止ったが、それはひどく美しい鷹で羽が金色に輝いていた。その鷹はひどく貴重なものに思われて、彼女はそれを失うくらいなら他のすべての持物を差し出したいほどに思ったのであった。あくる夜もまた夢をみたが、その中では彼女がほかの女たちと広間を出て行くと、誰もかつて見たことがないほどすばらしい牡鹿《おじか》が目についたので、みなで追いかけたところ、彼女がそれを捕えたのであった。ところが、牡鹿が彼女の前に立っていた時、一本の矢が飛んで来てこれを射ちたおして、ほとんど堪えられぬほどの悲しみを彼女に与えた上に、ついで一匹の狼が走って来て、彼女の上に自分の兄弟たちの血を吐きかけたのであった。

ある晩、一同が座って酒盛りをしていると、妃が進み出てシグルドに角杯をさし出して言った。「さあ、楽しくお飲みになって下さい。わたしたちはあなたを客に迎えたことを大きな喜びとしています。あなたのためには、わたしたちは出来るだけのことをいたすつもりで居ります」

シグルドは杯を受けて飲んだ。と、グリムヒルドが付け足して言った。「ギューキをあなたの父親にし、グンナールとヘグニを兄弟にしたら、もうこの世であなたにくらべられる者はありませんよ」

これを聞くとシグルドは酔いに恍惚《こうこつ》として、ブリュンヒルドのことをまったく失念して叫んだ。「さよう、たしかにギューキはわが父、グンナールとヘグニはわが兄弟です」と。

一日、グリムヒルドは高座についていたギューキの許へ行って言った。「わたしどもはいま、この世の最も力強い勇士を客としていますが、あの人はわたしたちの一番たしかな支柱となるでしょう。あの人にあなたの娘を、王者にふさわしい仕度をしておやりなさいまし。そうしたらわたしどもの許で暮らす気になりましょうよ」

と、王は答えた。「王から娘を嫁にやろうと申し出るのはよい慣わしではないが、たしかにお前の言う通りだ――あの男に妻を与えるのは、他の求婚者に与えるよりも大きな名誉だからな」

その夜グドルンは酒を運んできた。そしてシグルドは、彼女があらゆる点で美しく堂々としているのに目をとめた。ギューキが「君はわれわれに多くのよき援助をして、われわれの力を強めてくれた」と言うと、グンナールが言い添えた。「われわれは君を引きとめるためには、どんなものでも君に与えるつもりだ――もし君が欲しいというならば、多くの者が求婚したが、誰も手に入れられなかったわれわれの妹でさえもな」

シグルドは彼らの示してくれた名誉に感謝して、喜んで婚を結ぶことにした。こうしてシグルドとグドルンの間に杯が交わされた。二人は仲が睦まじく、やがてシグムンドと名づけられた一子ができた。

ある日グリムヒルドは息子のグンナールと話して言った。「息子よ、お前にはお前の必要とするだけの名誉も幸福もある。ただ一つ欠けているのは、妻を迎えることです。わたしの思うのに、お前はブドリ王の娘ブリュンヒルドに求婚するのがいいよ。これ以上ふさわしい結婚はできませんからね。そしてシグルドをつれて行って、口をきいて貰うことです」

この考えはグンナールも気に入った。彼は父親や兄弟や、また妹婿のシグルドにもはかったが、みなはさっそく賛成して、このような花嫁をうることは君に大きな名誉をもたらすことだと言った。

こうしてギューキ一族とその婿のシグルドは、ヒンダル山に騎りつけた。高原の上まで来ると、遥か遠くの空に燃えている町が放つような光がゆらめくのが見えて、火が黄金に反射するようなきらめきを放っていた。彼らがその光に向って進んで行くと、炎の壁に囲まれた一つの城が目の前に聳え立った。グンナールは直ちにその火焔《かえん》を躍り越えようとして馬に拍車をあてたが、馬はその炎熱に怯えて尻込みして、進もうとしない。彼はシグルドに乞うた

――自分の馬が火に怯えているから、君のグラニを貸してくれ、と。シグルドは馬を下りて、これを義兄に提供した。しかし、グンナールが跨がってグラニを火に向って駆り立てようとすると、馬は棒立ちになった。グラニがシグルド以外の者を乗せたがらないのを見て、グンナールは言った――これではわれわれは用事を果さないままで引上げるほかはないが、実現もできない行為を誓ったことで、全員が嘲笑と侮《あなど》りを受けることだろう。われわれの名誉を救う道はただ一つ、それはシグルドが自分の代りに炎を乗り越えて行って、ブリュンヒルドに求婚してくれることだ、と。

シグルドは彼の義兄弟の名誉を救うためには、どんなことでもする気になった。そこでグンナールと姿と名前を取換えると、グラニに飛び乗った。直ちに馬は主人が背に乗ったのを知って、炎に向って進んだ。グラニが火の中に踏みこんで、踏みつけ蹴散らすと、炎は高く天まで燃え上り、シグルドはまるで闇の中を行く気がしたが、進むにつれて炎はしずまった。炎の輪の内側には耕地が広がり、その真中に黄金で飾られた館があって、炎の光をあびてきらめいていた。シグルドはグラニを下りて広間にはいって行ったが、そこにはブリュンヒルドが座っていたのである。

彼はギューキの息子グンナールと名のって彼女に挨拶すると、自分はあなたの手を求めに来たのだ、あなたは炎の輪を乗り越えた者を夫にすると誓ったのだから、自分で立てた約束を守るはずだと言った。彼女は目をあげると、「そういうことが言えるのは、ただ炎を乗り越えた人だけのはずです」と言って立ち上り、彼を出迎えて、歓迎の言葉を述べた。

その夜二人は寝床を共にしたが、シグルドは眠りにつく前に、グラムを抜いて二人の間に置いたのであった。翌朝目がさめると、彼は腕から一つのリングを抜き取って、これを後朝《きぬぎぬ》の贈物にし、女からはアンドヴァルの腕輪を返礼として受取ったが、すぐにはそれがそうだとは見分けられなかった。

それから彼は義兄弟の許に帰り、またグンナールと服装を変えると、家に帰ったのであった。その後まもなく、グンナールはブリュンヒルドと式を挙げた。式にはブリュンヒルドの父のブドリや、兄弟のアトリも参列した。祝宴が終った後で、シグルドはブリュンヒルドとの約束を思い出したが、それは黙っていて誰にも言わなかった。

と、一日、ブリュンヒルドとグドルンは川へ水浴びに出かけたが、二人が水へはいった時、ブリュンヒルドはずっと遠くまで川を溯って行って言った——わたしはグドルンの頭にふれて来た水に、自分の髪をふれさせたくないと。グドルンはたずねた——同じ水に髪を浸したら、あなたはなぜ不名誉と思うのか、と。ブリュンヒルドは答えた、「知りたければ言いますが、わたしの夫はあなたの夫のように戦いで捕虜になった奴隷とは違うからですよ」

するとグドルンは、彼女を追いかけて川の中へはいって行って言った。「わたしはあなたと同じだけに高いところで髪を洗ってもいいのです。なぜってわたしの夫はファフニールとレギンを殺して、双方の宝を奪ったのですからね。これは誰も——グンナールだって——やらなかったことですよ」

それに対して、ブリュンヒルドは言った。「しかしグンナールは炎の輪を乗り越えましたからね。これはシグルドにも出来なかったことですよ」と、グドルンは声を立てて笑って言った。「炎の輪を通りぬけたのがグンナールだと思ってるの？　それはわたしにこの腕輪をくれた人だと、わたしは思いますよ。あなたもこれはよく知っているわね、アンドヴァルの腕輪といって、グニタの原で手に入れたもの。これを取って来たのは、たしかにグンナールじゃありませんよ」

ブリュンヒルドはその腕輪を見ると、死人のように青ざめた。彼女はそれに見覚えがあったからである。そして一語も言わずに家に帰った。

やがてシグルドとグドルンが寝床についた時、グドルンはなぜブリュンヒルドがあんなにも無言でいたのかとたずねた。「それは知らんが、理由はじきにわかるだろうさ」と、シグルドは言った。「あの人は富と栄誉の中に座っていて、しかも自分の望んだ夫をえたのです。どうして楽しくしていられないのでしょう？」と、グドルンは言った。「それはあの女が、自分の望んだ夫を手に入れたとしてのことだな」と、シグルドは言った。そんなら、明日あの人にきいてみます、とグドルンは言ったが、シグルドは言った――そんなことすれば後悔することになるだけだから、そっとしておくがいい、と。

にもかかわらず、翌朝、グドルンはブリュンヒルドの許に行って、どうしてそんなに沈んでいるのかをたずねて、「昨日わたしたちが話しあったことで怒っているのですか？」ときいた。「あなたはわたしを傷つけるようなことしか言わなかった。ほんとうに意地のわるい人ですね」と、ブリュンヒルドは答えた。そんなにわたしのことを悪く思ってはいけない、それよりもあなたを苦しめていることが何だか言って下さいと、グドルンは言った。「賢い女は自分の聞きたいことしか訊ねないってさ。あなたは望みのものを手に入れたもので、すぐに楽しくなれるのですよ」と、ブリュンヒルドは答えた。「幸福を讃えるには早すぎますよ。あなたの言葉にはちっとも善意がありません。いったいどうしてわたしのことを怒っているの？　わたしはあなたに何も悪いことをしませんよ」こうグドルンが言うと、相手は答えた。「あなたがシグルドの妻になった、それが十分の理由ですよ。わたしはあなたにあの人の愛と富とをやりたくないのです」グドルンは言った。「わたしがシグルドと結婚した時は、あなた方が何を話しあったかは全然知らなかったのです。あなたにききもしないで、わたしの父がわたしを嫁《とつ》がせることが出来たでしょうか？」「シグルドとわたしが約束していたことは、ちっとも秘密ではなかったのです。それなのにあなたは承知の上でわたしの裏をかいて、わたしを裏切ったのですよ」

「あなたの思い上りははてしがないのね。あなたはあなたにふさわしい人と一緒になったじゃありませんか」と、グドルンは言った。しかしブリュンヒルドは即座に言った。「あなたがわたしよりもすばらしい夫を持たなかったとしたら、わたしはむしろ満足していて、こんなに傲慢にはならなかったでしょうよ」「あなたの夫は、それ以上剛勇の人はないと言われるほど剛勇ではありませんか」こうグドルンは言ったが、ブリュンヒルドは答えた。「竜をたおしたのもシグルドだし、火炎を乗り越えたのもシグルドです。それがグンナールには出来なかったのです」「あの人に勇気が欠けていたのではなくて、ただ馬が進まなかったのだわ」と、グドルンは言った。

「グリムヒルドよ、呪われろ。シグルドに悪い酒を飲ませて、わたしのことを忘れさせたのは、あの女です」と、ブリュンヒルドは言った。グドルンは、自分の母を嘘つきとは言わせないと答えた。「そんならあなたは、わたしに忠実なふりをした後で、シグルドと楽しんでいることができるのだ。これ以上言葉を吐きちらすことは止めましょう。わたしは長いことわたしの憤りを押えてきたのに、いまはお喋りしすぎてしまったよ」

ブリュンヒルドは床についた。召使たちがグンナールの許に来て、彼女が病気で床についていることを告げた。彼は妻の許へ行って、どこが悪いのかと訊ねた。しかし、彼女は死んだようになって横たわっていて、一語も言わなかった。そこで彼は妻の枕許に座りこんで、しつこく問いただしたので、彼女はついに沈黙していられなくなった。彼女は肘をついて身を起すと、こう言ってきいた。「わたしたちが最初にあった時に、わたしがあなたにあげた腕輪を、あなたはどうしたのですか?」それに対しては、グンナールは何も答えなかった。彼女はすっかり起き上って言った。「炎を越えたのはあなたではなくて、シグルドだったのね。あの人はあなたがする勇気のなかったことを、あえてやったのです。あの人は竜を殺し、父の仇を討って、部下を率いた王たちをたおしました。そしてわたしは父の家にいた時、日の下で最上の王者ともいうべき勇士でなければ夫にしないと、厳粛に誓ったのです。それなのに、いまではあの男はわたしの夫ではありません。わたしはわたしの誓いを破ったため、もう生きる価値がないのです。あなたの母親は呪われるがいいんだ、あの魔女め!」

グンナールは、妻が自分の母親を悪く言うのを聞いて、腹を立てて言った。「おれの母のことを悪く言うな、あの人はお前なんかよりも立派な女だぞ」

しかしブリュンヒルドは剣をつかむと、いきなり夫を刺そうとした。もし彼が戸口の方へ飛びしさらなかったら、彼女は夫を殺したかも知れない。ヘグニが駆けつけて来て、ブリュンヒルドは縛されるのに値すると言った。しかしグンナールは彼に沈黙を命じて、おれは妻がみじめな捕虜として座っているのを見るに忍びないと言った。と、ブリュンヒルドは言った。「わたしが縛されていようと自由だろうと、あなたにとっては同じことでしょうよ。いずれにせよあなたは、あなたの館でわたしが二度とほほえむのも、あなたと一緒に酒を飲むのも見ず、また二度とわたしの愛の言葉をきくこともありませんからね」

オーセベリ船に刻まれた神の像
フレイ神？

いまや王の館は憂色にとざされ、召使らは怯えてうろうろした。なぜそんなに正気を失った状態でいるのかとグドルンがきくと、召使の一人が答えた。「わたしたちの予感するかぎりでは、館は不満と憤りでみたされていて、どの隅にも不幸が待伏せしている感じだからです」と。グドルンはブリュンヒルドの侍女の一人に言った。「行ってブリュンヒルドを起して言いなさい。もう十分お寝みになりました。さあ、仕事にかかりましょう。そうすれば、気が晴れますよって」しかし侍女は承知せずに、お妃様はもはや幾日も食べ物も飲み物もお召しにならないのですと言った。そこでグドルンは兄のグンナールに言った。「奥さんのところへ行って、わたしたちみんながあの人の悲しみに同情していることを伝えてよ」と。しかし兄は言った——それは無駄だ、彼女はおれにあおうとせず、おれと一切かかわりを持とうとしないのだからと。

とうとう彼女はシグルドの許に行って言った——わたしはブリュンヒルドのことを心配しているのです、なにしろあの人はもう七日も床についているのに、誰にも彼女を起すことができないのです。あなたが行って話してみて下さい、と。

シグルドは答えた、「ブリュンヒルドは眠っているのではない。おれたちに対して大きな計画をめぐらしているのだ」と。

と、グドルンはわっと泣き出して言った。「あなたが死ぬんだと思うことは、わたしには堪えられません。行ってあの人に立派な贈物をして、あの人の怒りをなだめることができないかどうか、ためしてみて下さい」

シグルドは彼女の部屋に入っていって、彼女の顔のところの垂幕を叩いて言った、「起きなさいよ、ブリュンヒルド、太陽がすべての戸口から射しこんでいるよ。もう眠っている時ではないな」ブリュンヒルドは答えた、「よくもここへやって来たわね。あなたほどわたしを不実に裏切った者はないのに！」「僕が君に悪意を抱いていると考えたなら、その考えはちがっているよ。君は自分で択んだ人と結婚したのではないか」

「いいえ」とブリュンヒルドは言った。「わたしの許まで馬で来たのは、グンナールではなかった。勝利と血とでわたしと結ばれたのは、グンナールではなかった。わたしはあの時わたしの館へはいって来た男を見て、あなたの眼を持っていると思ってしまった。でも、それはわたしの五感に覆いかぶさった霧のために、はっきりと見ることができなかったからだわ」シグルドは「僕はギューキ一族よりえらい人間じゃない。あの人たちはデンマーク王をはじめ、多くの首領をたおしたではありませんか」と言ったが、ブリュンヒルドは彼に口をつぐませて言った。「わたしの悩みを思い出させないで下さい、シグルド。竜を殺したのもあなただし、炎を乗り越えたのもあなたです。それをあなたはわたしのためにしたのですよ。ギューキの息子じゃありません」

「われわれ二人は、夫と妻にはならなかった。しかし、君を妻にしたのは剛勇の王ではないか」と、シグルドは言った。

しかしブリュンヒルドは答えた。「わたしはグンナールを見ても、少しも胸が浮き立たないのです。むしろわたしはあの人を憎むほどです――それを誰にも知られたくないけれど。しかし、それよりもなおわたしをくやしがらせるのは、あなたの胸には剣が突き刺さらないことなのよ、シグルド」

シグルドは言った。「安心しなさいよ。悲しみはじきに消えるから。でも、そのことはあなたには何の喜びにもならないでしょうね。僕にはこのあと長く君が生きられるとは思えないな」

「わたしを裏切って、わたしの喜びをすべて奪ったからには、あなたはいつもわたしに悪意を持っているのです。しかし、あなたが何を言おうとわたしは平気です。あなたはわたしが命のことを心配してると思うの？」と、ブリュンヒルドは言った。

シグルドは答えた。「君の考えてることとはまるで反対だ。僕はあなたを生かすためには何でもさし出すつもりです」

「あなたはわたしの気持を知らないのです。あなたはほかの誰よりもえらい人だ。そしてあなたの眼から見れば、わたしなどは軽蔑すべき一人の女にすぎないのです」

「真実から遠いことを言っちゃいけない。僕はよく知っているが、僕らの約束は破れたにしても、あなたは僕にとって僕自身よりも大切な人です。もし二人がお互いに喜びを共にしあえたら、それは僕の最大の仕合せだったのだが」

「そんなことは、あなたがわたしを裏切って、わたしの悲しみがあなたの悲しみだったのを打ち壊す前の、遠い昔の話じゃないの」と、ブリュンヒルドは言った。「でも、起ったことは取返しはつきませんからね。わたしはあなたの愛なんか欲しくないし、他の誰の愛もいりません」

そこでシグルドは彼女の部屋を去ったが、グンナールに逢うと、彼はブリュンヒルドが口をきけたかとたずねた。シグルドは彼女がひどく雄弁だったと答えた。そこでグンナールは妻の許へ行って、何か彼女の健康を回復する手だてはないかときいた。

ブリュンヒルドは答えた。「いいえ、わたしは生きていることはできません。あなたが彼をわたしの寝床へよこした時、彼はわたしに対して不実で、従ってあなたにも不実だったのですからね。だから、あの男が死ぬか、あなたか、またはわたしも共に死ぬかですわ。またあなたがシグルドを殺す時は、わたし忠告しますけれど、狼の後に狼の子を残さないことです。あなた方ギューキ一族は、もう長いこと妹壻の影に覆われるがままになっていました。もしあの男を生かしておいたら、あなた方は栄光と力を取戻すのはむずかしいでしょう。それにわたしは、いつまでもここにいてあなたを苦しめるつもりはありません。身内のところへ帰って、向うで夢を見て過すつもりですわ」

ブリュンヒルドに父の許へ帰ると嚇《おど》されて、グンナールは不安になった、彼女が彼のすべての喜びを持ち去るように思われたからである。そこで彼は座りこんで一日思案していたが、どのような計画もいずれ劣らず悪いものに思われたため、心がきまらなかった。困惑のあまり、彼はヘグニに打ちあけて言った。「起りうる最悪の事態が、おれには起った。シグルドが友情の衣の許におれを裏切ったのだが、もしおれが受けた不正に対して復讐するならば、おれはおれたちの義兄弟の誓いを破らなくてはならぬ。おれが何をしようと、黙視しようと復讐しようと、どちらも悪になるのだ」

ヘグニは急いで答えた。「武器にかけて誓った誓約を破ることは、われわれにふさわしくありませぬ。また、シグルドのような縁者は二度と得られませんぞ」

グンナールは言った。「ウォルスング家のあいつを殺したら、おれたちは今までよりも強大になるだろう。なにしろ彼の富を受けつぐ者は、われわれの他にはないのだからな。しかも、彼はおれたちをペテンにかけたことで、死に値するのだ」

ヘグニは答えた。「僕には、それはブリュンヒルドが兄上をけしかけたのだとわかりますよ。しかし、彼女の意見に従ったら、われわれすべてが恥と損失を受けるだけでしょう」

グンナールは言った。「シグルドが死ぬか、おれが死ぬかだ。ひとつ、弟のグットルムをおだてよう。彼は若くて気軽で、しかもシグルドと兄弟の誓いは結んでいない。シグルドがおれの花嫁と婚礼の祝いをしたというのは、まさしく復讐にあたる行為だ」

ヘグニは兄弟のけしかけに抵抗しきれなかった。彼らはグットルムに狼の肉を食わせて、シグルドに対して立ち上るようにけしかけた。グリムヒルドは息子たちに加担して、相談に加わることができた時には、辛辣《しんらつ》な言葉を添えた。こうしたすべてから、グットルムは手がつけられぬような乱暴者になり、何物をも恐れなくなったのである。

ある朝、彼はシグルドがまだ寝床についているうちに、彼を殺しに行った。しかし、シグルドの眼に恐れをなして、あえて近くまでは行きえなかった。もう一度行ってみたが、同じことだった。しかし三度目に行った時、シグルドは短いまどろみに落ちていた。そこでグットルムは、剣が深く枕に突きささるまでに彼を刺しつらぬいたのであった。同時にシグルドは目をさまして彼の後ろから刀を投げつけた。刀は戸口を出かかっていた相手に命中して、その腰に切りつけた。

グドルンはシグルドの血が振りかかったのに目をさまされて、泣き出した。しかし、シグルドは言った。「泣くな、お前の兄弟が喜んでいることを思いなさい。われわれの息子はまだ幼くて、ひとりで自分を守ることはできない。これはブリュンヒルドの仕わざなのだ、あの女の気持は誰よりもおれに向けられているのだから」

この言葉と共に彼は死んだ。

ブリュンヒルドはグドルンの嘆きをききつけて、自分の部屋の中で笑った。そして寝床の中にいる夫の方に向き直って言った。「事はうまく運びましたよ！　これであなた方はこの国の唯一の支配者になり、シグルドの光があなた方を覆うのを怖れる必要はなくなったのです。あなた方のような剛勇の戦士が館にいるからには、ギューキ一族の相続財産に、あの男が何を手が出せたものですか！」

しかしグンナールは、彼女をまじまじと見て言ったのである。「お前の笑いは喜びからではないな。胸が喜んでいる時に、女が青ざめるわけはない。われわれのあらゆる不幸はお前から生じるのだ。もしお前が目の前でお前の兄弟のアトリが刺しつらぬかれるのを見て、その傷から流れ出る血を止めるためにいくら努めても無駄だったとしても、それは当然というものだな」

ブリュンヒルドは答えた。「おれたちは半分やっただけだなんて言ったって、誰も耳をかしませんよ。だけどあなたの脅かしはわたしの兄弟のアトリにはあたりません。あの人はあなた方よりもずっと永生きをするでしょうよ」

ヘグニがそこへ言葉を添えた。「あなたが意志を通したのです。これは悪い仕事だった。

われわれの決して償いえない不幸ですよ」

ところでグドルンは、シグルドの屍のそばに悲しみで凝然として座っていた。悲嘆もしなければ、女のするように両手をよじることもなかった。悲しみが彼女の胸をはり裂けるばかりにしていたのだが、涙は出て来なかった。館にいるすべての女たちが彼女の許にやって来て、それぞれにシグルドの死がどんなに彼女らに深い悲しみを与えたかを語った。ギューキの姉妹のギャフラウグは言った、「わたしは八人の兄弟が屍として横たわるのを見ましたが、それでもわたしはまだ老婆として生きているんだよ」と。フンヌの女王ヘルラウグは言った、「わたしの七人の息子はまだ若かったのに戦死し、わたしの夫も共に死んだのです。わたしはみんなに屍衣を着せて、薪の上に載せなければなりませんでした。わたしはわたしの持っていた愛する者を、ただの一夏で失ったのですよ」と。

しかし、彼女らが何と言おうと、グドルンは涙を流すことさえできず、悲しみで強《こわ》ばり凍りついて、夫の屍のそばに座っているだけだった。そのとき彼女のまだうら若い妹グルレンドが立ち上って、シグルドの顔から覆いを取り去った。グドルンは夫の光を失った眼を見ると、寝床の上にくずおれた。髪の毛が彼女の顔の上にみだれ落ち、涙は膝の上に滴り落ちた。それから彼女は夫の上を嘆きはじめて言った。「シグルドが屋敷へ馬に跨がって来るのを見るのが、わたしの生きる喜びだったの。それなのにいま彼の馬グラニは、主人が死んだのを知って、口輪を土につけてうなだれています。あの人は、草の中に高く抽《ぬき》んでた花のように、他の人たちの上に抽んでていました。あの人は紐につながれた宝石のように、わたしの兄弟の中で光り輝いていたのよ。前にはわたし、すべての女の上高く頭をもたげて歩いていたのに、いまでは秋の嵐に慄える川ヤナギの小さな葉みたいに、小さなみじめなものなんだわ。座っている時でも寝ている時でも、わたしはわたしの伴侶の真実な言葉をなつかしんでいるのです。シグルドがいなくては、内にいても外にいても、わたしの心は決して満たされなかったの。あの人の眼が閉じてから、日は真黒な夜よりもなお暗くなりました。わたしの嘆きは大きいのです。しかもわたしを泣かせるようにしたのは、わたし自身の兄弟なんですからね。あの人たちが戦さに乗り出してゆく時には、自分たちの隊伍の中にシグルドがいないのに気づかされるでしょうよ」

ブリュンヒルドは遅く寝床から離れると、シグルドの屍が横たわり、それを多くの者が囲んでいる場所へ行った。彼女は戸口に立ったまま、彼女がよりかかっている柱のようにじっと立ちつくした。しかし、血を流している胸の傷を見たとき、彼女の眼には火が迸った。そうして彼女は語りはじめたが、彼女の声の中には笑いではなくて涙があった。「あなた方が望むと望まざるとを問わず、どんな不幸がここに起ったかを、わたしは聞き、理解します。わたしの悲しみをいま口にしなかったら、わたしの心臓ははり裂けるでしょう。わたしは昨夜悪い悪い夢を見ました。わたしの寝床は冷たくなり、広間は凍りついたのです。そしてグンナール、あなたが捕虜として縛られて、敵に曳かれて来たのですよ。このようにして、あなたがすべての誓いを破ったために、あなたの一族は絶えるのですわ。あなたがシグルドと血をまじえて、あの人を身内と叫んだことを忘れたのですか？　あの人があなたを敬い、いつでもあなたを首領として立ててきたのに対して、あなたはどういう報い方をしたの、グンナール？　あなたがあの人に不実だったのに、あの人はあなたへの誠実を守って、あなたに代って炎の輪を越えて来て花嫁の床についた時も、私との間には剣を置いたのですよ。あなたは自分よりまさっているあの人を裏切ったのだわ。あなた方の誰ひとり、あの人には及ばないし、誰ひとりあの人の眼を持ちません。それにしてもあなたは、わたしを一番手ひどく裏切ったのです。わたしはわたしの愛を、最上の首領に誓っていました。それなのに、わたしはわたし自身を裏切り、わたし自身の言葉を破ったのです。わたしは最上の首領を愛してその人にわたしの真実をささげ、わたしの心は断じてそれを翻《ひるがえ》さなかったのです。それなのにあなたは、わたしにわたしの愛を裏切らせました。だからわたしは無価値になりました。もはや誰も喜びを持ってはなりません。わたしの悲しみはすべての尺度と慰めを越えています。わたしはシグルドより永く生きようとは思いませぬ」

グンナールは、彼女がシグルドより永くは生きようとは望まず、どのようにして自分が死ぬかだけを考えているのを見て、妹に近づいてその頸に腕を回して、その固い決心に従わぬように乞うた。しかし彼女は兄を突きのけて、わたしの意志を左右する力はあなたには少しもありませんと言った。グンナールはヘグニに、今度はお前が説いてみてくれと頼んだが、ヘグニは答えた。「彼女の意志に逆らわないで、好きなように死なせよう。あの人はここへ来てから、われわれに不幸しか齎《もたら》さなかったぞ」

ブリュンヒルドは寝床の上に起き上ると、自分の前に彼女の金銀や高価な布地や衣裳をすべて広げ、刀を刃を上にして寝床に突き立てて、その切先に身をかがめて自分を刺しつつ死ぬながら言った。「わたしの後について来ようと思う者は、この宝をお取り」

召使たちは無言で立ちつくしていたが、やがて声をそろえて言った。「わたしたちもお妃さまのようにしなくてはならないのですけれど、誰かは生きなくてはならないと思います。王宮ではもう十分に死者が出ましたから」

ブリュンヒルドは言った。「好きなようにおし。わたしは誰にもわたしに続くことを強いはしません。だけど、このことは知っておいで――もしお前たちが望むなら、お前たちはいま王の娘として着飾って薪の上に登れるのだよ。こんな立派な死に方は、決してお前たちにはできません――お前たちが死に捕えられるまで待っていたなら。ところで、グンナール、あなたに頼むけれど、向うの野に火葬台を築いて、それを赤く塗って下さい。そこにシグルドを載せ、そのそばにわたしを寝せて、間にあの人の剣を置いて――いつか二人が花婿花嫁だった時にそうだったように。そしてわたしたちの回りは、わたしの奴隷や奴隷女で囲んで、みんなを火葬台の上に載せる前に、立派に黄金で飾ってやって。そうしたら、わたしがあの人について行く時に、あの重い扉がシグルドの踵の上に落ちることはないでしょうから」

ブリュンヒルドが死ぬと、彼らは彼女が言った通りに、シグルドとブリュンヒルドと共に死んだすべての者のために大きな火葬台を築いて、その薪の上に彼の下手人であるグットルムを載せ、またシグルドの幼い息子シグムンド――彼は父親と同時に殺された――をも添えて、これに火をつけたのであった。

ギューキ一族とアトリ

シグルドの死後は、グンナールとヘグニが、ファフニールの宝をすべて自分らのものにした。二人はそれぞれに妻をめとって、今や王としてその国を支配した。

グドルンはシグルドの没後の娘を生んで、これをスワンヒルドと名づけた。子供はすこぶる父親に似ていたので、グドルンはいたく可愛がった。夫を失ってからこの方、彼女は家にいても少しも安らぎを見出さず、いつも座っておのれの悲しみに打ち沈んでいた。兄弟たちは彼女を慰めようとして、彼女の夫と息子への償いに、黄金やすばらしい品々を贈ろうとしたが、彼女は彼らの言葉には耳を傾けなかった。そこでグリムヒルドは、狡智をもって一つの飲物をつくった。と、それを飲んだグドルンは、身内に対する苦い思いを忘れ去った。その後で彼らは、ブリュンヒルドの兄弟のアトリが、彼女に求婚して来ていることを話した。グドルンは、シグルドの後では一切結婚の話はききたくないと言い、またブリュンヒルドの兄弟の子供を生むなどはもっての外のことだと言った。しかし、グリムヒルドは言った。

「お前がブリュンヒルドの兄弟に復讐しようと考えるのは、無用のことだよ。シグルドを殺したのはお前の兄弟なのだし、そんなことをしたら後に来る者に、とても高価な償いをさせることになるからね。それよりもわたしの意見をきいて、アトリの求婚を受け入れることです。そうすれば、あれの姉妹がお前に加えた傷手をあの男に償わせられるのです。息子たちがお前の膝に走ってくるのを見たら、お前はシグルドとシグムンドがまた生き返ったような気がしますよ」

どんなにグドルンが自分を守ろうとしても、身内の全体には敵せず、彼らはその意向を押しつけてしまった。こうして彼らは花嫁として彼女をアトリの館に送りこみ、盛大な婚礼をあげたのであった。しかし、彼女の心はアトリに逢っても決してほころびることがなく、夫妻は決して愛の言葉を交わすことがなかったのである。

グドルンと結婚してしばらくすると、アトリはシグルドの持っていた黄金のすべてがどこに隠されているかを探しはじめて、それはグンナールとヘグニが知っているに違いないと考えた。彼は豊かな贈物を持たして使者をやって、彼らを祝宴に招待した。グドルンは夫の友情の下には何かの下心があるにちがいないと察して、アンドヴァルの腕輪をぬき取ると、それに狼の毛を巻きつけて、これをアトリの贈物と共に彼女の兄弟に持っていってくれるよう、使者に托した。

使者がギューキの館に来てその用向きを述べると、グンナールはヘグニの方を向いて、この招待は受けたものかどうかと訊ねた。ヘグニは答えた。「アトリがわれわれを祝宴に招くとはめずらしい。こんなことは彼のついぞしなかったことだ。おれが彼の贈物を調べてみると、中に狼の毛を結びつけた一つの腕輪があったが、これはおれたちの姉妹がしたことにちがいない。それによって妹は、アトリがわれらに対して狼の心を抱いていることを、伝えようとしたのだと思う」と。

彼らが客をねぎらって酒盛りをしている間に、アトリの使者たちは話した――彼らがアトリ王の館を訪れたら、どんなに主君がギューキ一族に対して大きな敬意を払うつもりでいるかを。彼らはまた言った――主君は年老いて来ているのに、息子たちはまだ幼い。そして主君は、ギューキ一族より以上に彼に代って国政をよく指図してくれる人を知らないのです、と。

親族の中にも友人の中にも、フンヌの王とその招待を信用せぬよう、忠告をする者は多かった。しかしグンナールは角杯を持って来させて、それを誇らかに飲み乾すと、おれにこの招宴を受ける勇気がないとは誰にも嘲らせぬぞ、と言った。それからアトリの使者の方へ向き直ると、彼らの王に伝えるように乞うた――王はまもなくその館にギューキ一族を迎えることになりましょうと。

角杯をさされると、ヘグニは言った。「アトリの館に客となることは気がすすまぬ。しかし、いまあなたがそれをしっかりと決めたのならば、あなたが出発する時は、わたしもお伴をしますぞ」

翌朝ヘグニの妻は、夫に言った。「昨夜わたしは悪い夢を見ました。一頭の熊が広間にはいって来て、高座を壊し、戦士を片っぱしから嚙み殺したのです」しかし、ヘグニは答えた。「それはおれたちが嵐にあうことを意味するのだ。熊の夢を見る時は、東から嵐が来るのだ」と。しかし妻は、なおもそれに固執して言った。「わたしはまた、一羽の鷲が家の中へ飛びこんで来て、わたしたちみんなの上に血を振りかけるのを夢に見ました。わたしが見たのは、アトリのフュルギエ（守護霊）だと思いますわ」

ヘグニはまたもや、そんな夢には意味はないと言った。「われわれはしばしば大きな屠畜をした。夢に出てきた鷲は、牛なんだろう」

グンナールの妻グラウムヴォールも、やはり悪い夢を見た。広間の中に色黒の女がはいって来て、悲しげにグンナールに近づいて彼女について来るように命じたというのだった。「その夢は善いことの前兆だとは思えんな」と、グンナールは言った。「われわれの命数もつきるのかも知れない。しかし、死は誰しも逃れえぬところだからな」

ギューキ一族は、いまや祝宴に向って出発する時になった。しかし彼らはそれに先んじて、アンドヴァルの宝を、彼らだけの知っているライン川のある場所に沈めたのであった。

やがて一行がアトリの宮廷につくと、アトリは大軍を従えて彼らを出迎えて言った。「ようこそ来られた！　ではさっそく、当然余のものであるあの宝を、渡してもらおうか。あれはシグルドのもので、その死後はグドルンに属するのだからな」

するとグドルンが叫んだ。「あの黄金があなたのものになるものですか。それでわかった、あなたが大きな宴会の用意をして、狼や鷲を飢えさせまいと考えていたことが」

アトリは言った。「わしは永いこと、君らが義兄弟を裏切った時から、君らの卑劣な行いの仇を討とうと考えていたのだ」

と、ヘグニが答えた。「そんなに永いこと計画を抱いていて、それが実行できなかったとは、さぞ難しかったんだろうな」

ヘグニの嘲りの言葉をきいて、アトリの戦士の間にはどよめきが起り、楯が一斉にもたげられて、投槍がギューキ一族の間に飛んできはじめた。アトリは憤然として声をはり上げて、相手の高慢を手ひどく罰してやるよう、フンヌ軍をけしかけた。しかしグンナールとヘグニはその攻撃を果敢に受けとめ、ここに王宮の前面では午前を通して激闘が続いた。この戦いの間に、アトリの二人の兄弟と、多くの他の縁者がたおれたのである。

しかし、ついにアトリの戦士らにひしひしと追いつめられて、彼らは広間の中に逃れた。戦いはさらにベンチや炉をめぐって続けられ、戦士らは或いはベンチの下に、或いは炉の中にころがってたおれた。しかし、アトリの部下が一人欠けるごとに、代りが扉口から突入して来たのに対して、ギューキ方は一人また一人と数が減ってゆき、最後はグンナールとヘグニの二人だけが、それぞれに敵に囲まれて戦っているだけとなった。二人とも今は傷つき疲れていて、もはや殺到する多勢には抗することができなかった。かくて遂に二人も衆寡敵せず捕えられて、固く縛り上げられたのである。

グドルンは彼女の兄弟が高手小手に縛められて床にころがっているのを見ると、彼女の二人の息子に言った。「お前たちのお父さんのところへ行って、お前たちの叔父さまたちの命乞いをしておくれ」しかし子供たちは厭だと言って、その場を動かず、母親を空しく立ち去らせた。

アトリはやって来てグンナールの前に立つと、どこにシグルドの宝を隠したかと訊ねた。

戦士の冑につけた青銅の浮彫り

しかし、グンナールは答えた――どこに隠したかをおれが洩らす前に、ヘグニの心臓を皿にのせて持って来て見せろ、と。アトリはお前の望む通りにするぞと言ったが、ひそかに部下に命じて、奴隷のヒャルリの心臓を切り取って、グンナールの前にさし出せと言った。奴隷は彼らが短刀を持って近づいて来るのを見ると、身を隠すためにあちらへこちらへと走り回っていたが、梁《はり》のうしろから屋根の上へ匍いあがると、大声でわめいた。「あんたらは、おれになんとひどいことをするのだ。こういうことはすべて、あんたらの不和と争いと殺しあいから来たのだ。それなのに罪のないおれが、それを引受けねばならぬのか！」

やがてみなが彼をつかまえると、彼は折角こしらえた御馳走と温かい豚小舎を前に死なねばならないことを嘆いた。ついで彼を投げ倒して短刀をあてると、刃がまだ皮膚にささらぬうちに、高く悲鳴をあげるのだった。

彼らはその心臓をえぐり取って、グンナールの許に持って行き、「それ、お前の兄弟の心臓だぞ」と言った。しかし、彼は答えた。「ヘグニの心臓は、こんなに慄えはせぬ。

こんなものは奴隷の胸にあったものだ」

そこでアトリはヘグニの心臓を切り取らせたが、ギューキの子の彼は、刃が胸をえぐっている間に高く笑ったのだ。そしてその心臓を皿に入れてグンナールの前に持って行くと、彼は言った。「これこそおれの兄弟の心臓だ。ここに乗っていても少ししか喋えぬが、彼の胸にあった時は、もっとわずかしか喋えなかったろう。いまはあの宝の隠れ場所を知っているのは、おれ一人だ。ただ一人しか知らぬ秘密は、最もよく守られるもの、さあライン川よ、お前の持っているものをいつまでも保管しろ」

アトリはグンナールを蛇倉に投げこませた。しかしグドルンは、ひそかに一つの竪琴を兄の許に送りとどけた。彼はたくみにそれを弾いて、すべての蛇を眠りこませた。しかし、一匹だけには彼の力も及ばず、それが彼の胸を食い破って心臓まで食いこんだ。かくてグンナールは死んだが、彼の泣きごとを聞いた者は一人もなかったのだ。そしてあの財宝は今日まで、ラインの川底に沈んでいるのである。

アトリはこうしてギューキ家の全員をたおすと、翌朝グドルンの許にやって来て、自分の勝利を誇った。彼は妻を嘲って言った。「もうお前の兄弟は残らず死んだのだ。そしてお前自身もこのことに対して罪がないとは言えないな」

グドルンは答えた。「今日はあなたは自分の手柄を誇っているのね。わたしの兄弟の死を告げられるということが、あなたにとっては誇らしいことなのですか。でも、わたしというものをあなたが知って、少しでもわたしの心の中をのぞきこんだら、あなたはあなたの喜びを悔いることになるかも知れませんよ」

アトリは妻の言葉をきくと不安になって、もし自分と和解してくれるなら適当の償いをしようと言った。と、グドルンは答えた。「わたしをなだめるのは容易なことではありませんよ。もしヘグニが生きていたら、わたしはどんな不幸にだって膝を屈しはしません。しかし、身内がみんな死んでしまったら、わたしたち女というものは、無なのです。――もうわたしの根は切られてしまったので、わたしにはあなたに対抗するどんな力もないの。どうぞあなたの好きになさって下さい。ただ、わたしに一つの恩恵を与えて下さるのなら、わたしはあなたにお願いしたいのです――わたしの兄弟のために法事をして下さることを」

アトリは彼女が素直になったことを喜んで言った。「では盛大な追悼宴を開こう。それでおれの身内とお前の身内のための弔い酒を、一どきに飲むのだ」

いまやフンヌ王の大広間では、盛んな酒盛りがはじまった。食卓の上には豊富に肉が並べられ、酒杯が回りはじめて、戦士たちの髯がいよいよ深く角杯の中に浸るにつれて、笑いとざわめきが食卓をかこんだ。

夜も遅くなって、アトリは彼の二人の息子が見えないのを怪しんで、どこで子供たちは遊んでいるのかと訊ねた。グドルンは角杯をささげて彼の前に進み出て言った、「さあ、弔いの酒を飲んで！　あなたの息子がどこにいるかは、いま申します。エルプとアイテルを、二度とあなたは膝に座らせて、槍の作り方を教えることはないでしょうよ。わたしは自分で二人を絞め殺して、その心臓を弔い酒の御馳走としてあなたにさし上げたのです」

アトリは蒼白《そうはく》になり、泥酔していた戦士らは泣いたり吠えたりしたが、グドルンは突立って夫に目を凝らしたままで、涙ひとすじその頰を伝わらなかったのである。

やがて王は、言葉を取戻して言った。「お前は太陽の下で最も惨忍な女だな」

「わたしは覚えていますが、あなたはある朝、わたしの兄弟がみな死んだとき、うれしそうにそのことを伝えてくれましたね。わたしはそれ以来、晩もほとんど眠りません。そして今夜はわたしが挨拶を申上げる番だったのです。わたしはあなたに、あなたの喜びが最後まで続かないことを約束しました。その約束をわたしは守ったのですわ」

アトリは叫んだ。「お前は自分でお前の兄弟の死を望んだのだ。そして今は一つの非行の上にまた他の非行を重ねたのだ」

グドルンは言った。「あなたはわたしの身内を殺した時に、わたしにこの上ない悲しみを与え、しかも嘲りをもってわたしを慰めたのです。それでいまわたしは、わたしに考えうる限りの恥辱をあなたに加えたのです。どんな恥辱だとて、アトリ、あなたのような王には大きすぎることはありませんからね」

王は悲しみと怒りに狂乱したあまり、茫然として考える力も失いつくし、力も萎《な》えてしまった。やがてグドルンが背を向けて去ると、彼は玉座にがっくりとくずおれて、妃がとどけてよこす角杯を、片っぱしからがぶがぶと飲みほした。

さて、アトリの館で法事の用意がすすめられていた時、グドルンはギューキ一族の館に使いを送って、ヘグニの息子ニフルング——彼は父親が旅に伴うには若すぎると考えたために、家に残されていた——をよび寄せていた。

追悼宴がすんだ後、グドルンは泥酔しているアトリを彼の部屋に運ばせておいて、ニフルングの許に行ってたずねた——お前は父のヘグニがアトリの館でどういう目にあったか、わたしに劣らず覚えているか、と。直ちにニフルングは跳ね起きた。そこで二人は一緒にアトリの許へ行くと、寝床の上の彼を刺しつらぬいたのであった。

王は傷手を受けて目をさましたが、彼が最初に言った言葉は、「この傷には手当の用はないぞ」であった。ついで彼は、いったいおれを槍でつらぬいたのは誰か、とたずねた。グドルンは答えた。「一部はわたしがやり、残りはヘグニの息子がしたのです」

アトリが妃に、どうぞ王者にふさわしい葬式をしてくれと頼むと、グドルンは答えた――あなたの最後の願いは必ずみたされるでしょう、あなたは愛情深い妻が愛する夫のために営む最も立派な葬儀を受けられるはずです、と。

やがて彼が息を引取ると、彼女は遺骸に夫の最も豪奢《ごうしゃ》な衣裳をまとわせ、ついで夫と彼の戦士たちが横たわっている大広間に、火をかけたのであった。戦士たちは目をさまして、彼らの周囲を焔《ほのお》が舐め回しているのを見ると、驚愕のあまりにうろたえて、互いに斬り殺しあった。こうしてアトリは、彼の麾下の全員と共に焼かれたのであった。

ヨルムンレクの死

アトリが死ぬと、グドルンももはや生きるつもりはなかった。彼女は海へ行くと、じゃぶじゃぶとその深みまではいって行って、生涯を閉じようとした。しかし、大波がやって来て彼女を運んでゆき、ヨナーケル王の館のそばに彼女を打ち上げた。彼女が浜辺で発見されると、王は館まで運んで来させ、手厚く世話をしてやって、やがて彼女を妃としたのであった。

二人の間には、ハムディルとソルリの二人の息子が生れた。そのほかにヨナーケル王には妾の子が一人あったが、その息子はグドルンとアトリの間にできた息子エルプと同じ名であった。この子をグドルンは養ったが、彼が色黒の汚ない子でギューキ一族には似ていなかったのにもかかわらず、彼女はこれを自分の実の息子たちよりも鍾愛《しょうあい》した。シグルドとグドルンの娘スワンヒルドは、ヨナーケル王の許で養われた。彼女は美貌で、また父親そっくりの眼をしていたため、畏怖の気持なくしてその眼を見うる者は多くはなかった。

ゴートの王ヨルムンレクは彼女の噂をきくと、息子のランドヴェルをヨナーケル王の許へやって、父親のために彼女に求婚させた。ヨナーケルの意見で、スワンヒルドはヨルムンレクと結婚することにきまり、彼女は多勢の伴を従えて王宮からランドヴェルの船に向った。ヨルムンレク王にはビッケという信頼する相談役がいて、今度の旅にも息子に同伴させていた。帰途、ビッケはランドヴェルを揶揄《やゆ》して言った――こんな美しい女性は、ヨルムンレクのような老人よりも君のような若者にはるかにふさわしいと。この言葉は王子のよき土壌に落ちて、彼は終日スワンヒルドのそばに座って傍らを離れなかった。一行が国に帰りつくと、ビッケは王と二人だけになって言った。「これを申し上げなくてはならないのはつらいことだが、起ったことを隠しておくわけにはいきませぬ――あなたの息子は道中でスワンヒルド姫の好意をあなたから盗みましたぞ」

ビッケの意見に耳をかしつけていた王は、彼のいう言葉をすべて信じた。王はひどく立腹して、直ちにランドヴェルを絞り首にしようとした。ランドヴェルは絞首台の下に立つと、自分の鷹を取ってその羽をすべて挘《むし》って、これを王の許に持って行かせた。ヨルムンレクはその鷹を見て言った。「息子よ、お前の言うことは本当だ。鷹は一本も羽がなくては、もう飛ぶことができない。いまおれはもう年老いて、息子がないのだ」

王は急いで絞首台から息子を釈放させるべく使者を出した。しかしビッケは事を急がせた。かくて使者がその場へ着いた時には、ランドヴェルはもはや死んでいたのである。

王がまだそこに座って息子の死を悲しんでいる間に、ビッケは王の許に行って言った――あなたのこの上なく愛した者が死ななければならなかったのは遺憾なことだが、なお悪いのは、その罪を負っている者が生きていることです。というのはこの悲しみはすべてスワンヒルドのたくらんだことだから、と。

一日、狩りから帰ってきたヨルムンレクは、スワンヒルドが浜辺に座って、浴後の髪を晒しているのを見た。カッとなった王は、彼女を馬の蹄にかけて踏みにじるべくそちらに馬を走らせた。しかし馬は、彼女が眼をあげてそちらを見ると、棒立ちになって傍らにドッとたおれた。

「女の頭に袋をかぶせろ！」とビッケは怒鳴った。そしてそれをした後、全員が馬で彼女の上を走りぬけて、これを踏み殺したのである。

スワンヒルドの死の知らせを受取ると、グドルンは息子をけしかけて言った。「お前たちがお母さんの身内に似ているのならば、お姉さんがヨルムンレクの馬蹄にかけられて死んだ時に、ここに座って喜んではいられまいよ」

ハムディルは答えた。「シグルドが自分の血の中で泳いだからって、そんなにあなたの兄弟のことを自慢するにはあたりませんよ。ぼくらだってここにじっと座って、お母さんの言葉を無駄に頭の中を通りぬけさせやしませんから」

グドルンはにっこりしてその場を出て行くと、大きな角杯に酒をみたして戻って来た。それを見て、ハムディルは言った。「あなたはまずスワンヒルドの弔い酒を飲むつもりなんですね。それはわれわれの分も一緒ということになるかも知れませんよ」

グドルンは息子たちのために武器を取り出し、またどんな刀も刃が立たぬ最上の胸甲と冑を探し出してやった。それから息子たちに門の外までついて行って、助言を与えた――途中で石の神聖さを汚さぬように、またヨルムンレクの許へ行ったら、ハムディルとソルリで相手の手足を切り落し、エルプが頭を刎《は》ねるように、と。この言葉からも、他のすべてにおいてと同様、エルプが彼女にとって自分の実の子以上にいとしいものであったことが知られるのだ。

息子たちが屋敷から出てゆくと、グドルンは敷居の上に座って、彼女のすべての縁者の死を嘆いて泣いた。彼女は語りかつ物語った。「三度わたしは花嫁として座り、三度わたしは夫のいろりの番をした。しかし、わたしの心を喜ばしたただ一人の夫は、わたしの兄弟を殺した人だった。ついでわたしはアトリの妻になって、わたしの兄弟を死なせることになった。時にはわたしは死者を羨《うらや》み、時には彼らの死を憤って、ノルンたちがわたしに与えた運命の意志を呪った。スワンヒルドが馬蹄に踏みにじられたのは、この世の誰も経験しないひどい悲しみだった。シグルドがわたしの寝床で殺された時も、この世の誰も経験しないつらい悲しみだった。わたしの兄弟のグンナールとヘグニが、アトリの館で心臓をえぐられたのは、この世の誰も経験しない酷《むご》い悲しみだった。覚えていますか、シグルド、わたしたちが寝床で語りあったことを。あなたは地獄からわたしに逢いに馬に騎ってくるつもりだと言い、わたしはあなたを死人の間に探しますと言いましたね。さあ、黒い馬に騎ってあなたのやもめの許まで来て下さい——身内もなく、娘も息子もない妻のところへ！　わたしは火葬の薪の上に登って、火がわたしの胸の悲しみを融かすことができるかどうか、ためしてみますわ」

グドルンの息子たちはヨルムンレクの館へ進んで行った。怒りに胸をくすぶらせていたハムディルとソルリは、途中でエルプと口争いをはじめた。二人は彼を嘲って言った。「おれたちはこんな黒い取換っ子（妖精などの子と取換えられた子）から、どんな助けが期待できるかな？」エルプは答えて、おれは手が足を助けるように君たちを助けるつもりだと言ったが、二人は言った——ばかなことを言うな、どうやって手が足を助けられるものか、と。

エルプはあざ笑って答えた、「いや、旅でくたびれきった足をしている者には、足に道を教えることはむずかしいからな」と。

すると兄弟は彼の嘲りの言葉になお腹を立てて、彼を途上で打ち殺したのである。かくて彼の血は石の上に流れた。

それからしばらく行くと、ソルリは躓《つまず》いて、手をついて自分を支えた。そこで、彼は呟いた。「エルプが言ったのは正しかった。手は足を支えることができるのだ。エルプが生きているとよかったのに」

ヨルムンレクの館の前に立っていた番兵は、兄弟がやって来るのを見ると、王の許へ走って行って、スワンヒルドの復讐者たちが戸口に立っていると告げた。ヨルムンレクは戦士たちに囲まれて酒を飲んでいたが、この知らせを聞くと、笑って髯をなでて言った。「わしはまだ喉が渇いている。さあもう少し杯を回せ」

女王は角杯をさし出して言った。「あの二人は、ゴート王の戦士をみな縛ってしまうか、最後の一人まで切り殺してしまうか知れませんよ」

ヨルムンレクは角杯を振り回して、自分の楯を見て言った。「母上、われわれは酒で元気を奮い立たしているのです。わしは永いことグドルンの息子たちをこの館に客として迎えたいと思っていました。わしに作れるだけの高い絞首台を立てて、彼奴らに敬意を表してやろうと思ってね」

その間にハムディルとソルリは、武器を手にして広間に躍りこんで来た。戦士と酒杯が互いの間に入り乱れて、酒と血が床に川をなして流れた。兄弟は玉座に肉薄してヨルムンレクに切ってかかり、彼の手と足とを切り落した。しかし、やがて彼らは広間の後部に追いつめられて、それぞれがその場所で壁を背に自分を防ぐことになった。

ハムディルは自分の弟に呼びかけて言った。「いまエルプが生きていたら、ヨルムンレクの頭は床にころがったものを！」ソルリは答え返した。「身内が荒野の狼のように食いあってはいけないことを、まだ間に合ううちに思い出したのはよかったね。このことを今は忘れないことにしよう」

二人はそれぞれその場で勇敢に自分を防いだし、ゴート人たちの武器は、彼らの甲冑には刃がたたなかった。と、そのとき一人の堂々とした片眼の老人が、戸口をはいって来て広間を通りぬけ、しずかにそこに立ちどまって戦士たちに言った。「刀の刃が立たなかったら、石で打つのじゃ」

戦士らは石を運んで来て、二人につめ寄った。そしてそれが彼らの命取りになったのである――彼らが母親の言葉に従わずに、石を敵方に回してしまったために。

ハムディルは死の中へ沈みこみながら叫んだ。「われらは男らしく戦って、鷲が木の枝を踏みつけるようにゴートの死者どもを踏みつけたぞ。ノルンがわれらの寿命を定めた通り、誰も今夜の終りまでは生きないのだ。しかし、われらはわれらの死によってよき誉《ほま》れを刈り取ったぞ」

訳者解説　北欧の神話と伝説の大要

一　これはデンマークの碩学《せきがく》ヴィルヘルム・グレンベック Vilhelm Grønbech の『北欧神話と伝説』*Nordiske Myter og Sagn* の全訳である。初版は一九二七年に出ているが、訳者がテキストとしたのは、その後普及版として、有名なギュレンダル社の「ふくろう文庫」に収録されている版（一九六五年）によった。ドイツ語訳が出ているので（たぶん英訳も）、入手して参考にするとよかったが、それができなかったのは残念だ。

訳者はかねて力を注いできた北欧文学の源泉としての、さらには広くヨーロッパ文化の（ゲルマン族は近代ヨーロッパの最も強力な建設者だから）一大源泉としての北欧神話（ゲルマン神話）の解説書を書きたいと思っていた。しかし、まだまだ力が足りないのを結局は痛感させられて、適当な本があったら訳す方がいいと考えるようになった。十三世紀初頭にアイスランドの有名な学者スノリが書いた『散文のエッダ』の神話の部分を訳すのも一法かと思ったが、これも語学的にむずかしく、また夾雑物があったり、ぬけている神話がある。その後にもいろいろと北欧神話の概説書や研究書（これではオランダのヤン・ド・フリースの『古代ゲルマンの宗教史』二巻が最も基礎的なもの）があるが、どうも帯に短し襷《たすき》に長しで、適当なものが見当らない。その時ふと読んだのが上記グレンベックの本で、大変おもしろかったままにこれを訳すことにした。

①　北欧神話の代表的なものをほぼ網羅して、しかもそれを簡潔な力強い表現で興味ふかく再話していること、

②　その間にこの著者の得意とする文化史的考察をまじえ、また原典ではむしろばらばらに並べられているに近い神話の間に脈絡をつけ、かなり統一的発展的にその経過を辿《たど》っていること、

③　さらに、神話の継続である伝説やサガ（散文物語）の注目すべきものをも後篇として加えて、全体として北欧精神と文学の流れを展望できるようにしていること、

の三点が、訳者に共感されたからだった。もちろん、小さい一冊本のことで、神話でも、また伝説ではたぶんに、語り残しているものがあり、またこの書の性質が研究書ではなく、一般読者のための北欧神話伝説の再話ということにあるため、物足りぬ点もないではないが、この領域についての知識のまだいたって乏しい日本の読書界に紹介するには、まずうってつけの本であるかと思われた。

そのほかに、実は、この原著者グレンベックに対する、訳者の個人的な興味も、これを訳出させた一半の理由をなしている。彼はキルケゴール的な予言者風の人物らしく、その経歴も独得だが、若い世代に対する影響力も甚大で、第二次大戦後にデンマーク文壇を一新させた文芸雑誌「ヘレチカ」（異端派）なども、彼の弟子たちが始めたものだった。訳者がのぞいた彼の著書はまだ三、四冊で、その人と思想を論じるだけの力はないが、とにかく大変に

興味深い思想家らしいので、まずこの本を日本の読者に紹介してみることにしたわけだ。

彼はデンマーク本土からはずっと東よりのバルト海中の孤島ボーンホルムに一八七三年に生れ、コペンハーゲン大学を出て、一九〇二年に『トルコ音楽史』を書いて哲学博士になり、同年から一九〇六年までは首都の聖ヤコブ教会でパイプオルガン奏者をつとめた。〇八年コペンハーゲン大学の英語講師、一一年からは宗教史講師に転じ、ついで正教授になっている。著書はなかなか多く、ことに彼の名を世界的にしたのが『古代におけるわれらの父祖』四巻（独訳『ゲルマン人の文化と宗教』）で、これは独訳の名が示すようにゲルマン族の習俗と信仰を丹念に論究した基礎的研究だった。こういう学問的基礎をもつ著者の本だから、この『北欧神話と伝説』も、啓蒙的な本ながら、その記述には十分の信頼がおけるはずである。他の代表作に、『ヨーロッパとインドの神秘家たち』（四巻）、『ギリシャ』（五巻）、『ゲーテ』（二巻）などがあり、また、ブレークやドストエフスキーについても著書があるようだが、これらはまだのぞいていない。これらと比べれば小さい本だが、訳者の特に興味をもったものに『新しい魂のための戦い』がある。現代文明の頽廃《たいはい》を痛論して、土と労働に帰れと叫び、周囲の世界との協和を切々と説いている点に、予言者の風貌が感じられたのだ。また、『人の子イエス』という本も、まだ読んでいないが、大変評判になったようだ。

ただ、この『北欧神話と伝説』に感じられる色濃い異教主義のようなものと、『新しい魂のための戦い』や、イエスへの傾倒の脈絡に、訳者にはまだよくつかめないところがあるので、その解明を今後の課題にしている。

二　北欧神話はしばしばゲルマン神話と呼ばれている。北欧人はゲルマン族の一分派（北ゲルマン）なのだから、それはそう呼ばれても誤りとは言えないのだが、やはり、ゲルマン神話＝北欧神話とするわけにはいかない。北欧神話の主要な神、オーディン、トール、チュル、フレイなどの名は、少し形が変るだけで全ゲルマン族に共通しているから、古くからゲルマン族の全体に共通した信仰と神話があったことは確実だが、北欧以外の諸国ではギリシヤ＝ローマ文化とキリスト教が早く伝わり、ことに後者の影響下に古い伝承が早く滅び去ってしまった。そこで、ゲルマン族の神話や信仰を知ろうとすれば、豊富にそれの伝えられている北欧の伝承に赴かなくてはならないのだが、そこにもまた問題がある。つまり、北欧神話を伝えている文献は、早いものでも八世紀頃を溯《さかのぼ》らず、大半は十世紀～十二世紀頃に書き記されたもので、時代はすでにバイキング時代に入り、北欧人は西に南に東にと遠征してしきりに他民族の文化にふれ、キリスト教にもかなり親しんできている時代にあたっている。そこで、その時点で書きとどめられた神話や信仰や風習が、どれだけ古来の形を保持しているかに疑問があるわけだ。

そこで、多少とも厳密を期すれば、われわれのいま入手しうる北欧神話は、たしかにゲルマン神話であるには相違ないにしても、ゲルマン族全体にそれを通用させることを控えて、あくまで北欧に伝えられたゲルマン神話にすぎぬという意味で、これを北欧神話と呼ぶのがよく、さらに厳密を期すれば、北欧神話としてもかなり時代の下ってバイキング時代の変容を受けたであろう神話だということを理解しておかなくてはならない。そこでイギリスの有名な神話学者マカロックなどは、北欧神話の語をさえ避けて、その神話が主に伝えられている文献の名を採って「エッダ神話」の名を用いている。

もちろん、タキトスの『ゲルマニア』中の記述や、また近年の考古学上の出土品や、岩壁や墓石に刻まれた絵（北欧にはこれが数多く残っている）などに、彼らの古い信仰や神話を窺わせてくれるものは、必ずしも少なくはない。しかし、タキトスの場合は本文中でもふれているように信憑性《しんぴょう》が乏しく、考古学の発見物や岩壁画（その若干を挿絵として使ってみたが）は、まだ研究が行きとどかない。そんなわけで、善いにせよ悪いにせよ、北欧人の信仰や神話、さらには一般にゲルマン族のそれを窺うには、このいわゆる「エッダ神話」を中心にするほかはないので、当然本書の神話篇も、詩と散文の両「エッダ」に現われた詩や物語の再話になっている。

三　エッダ Edda の語義はいろいろに解され「祖妣《そひ》」とする人があり、「知識」ないし「詩学」とする人があり、最近ではスノリが学んだオッディにちなんだ「オッディの書」の意とする説が有力だが、それもまだ定説となるにはいたっていない。もともとアイスランドの大学者スノリ Snorri Sturluson（一一七八？―一二四一）が若い世代の詩人たちのために書いた本であることは明らかだから、「詩学」としておいてよいかと思う。全体が三部に分れ、第一部「ギルヴェのまどわし」が北欧神話の要約、第二部が「詩人の語法」といって、著者が本書を著わした中心目的だった古い詩語と詩法の説明だが、古詩から著者の先輩にあたる詩人たちの詩を縦横に引用しつつ、第一部で説き残した神話の若干や、英雄伝説を多く述べている（第三部「韻律一覧」は彼自身の作った長詩で、その一節一節にそれぞれ異なった韻律と詩型を用いて、詩作の見本を示したもの）。

彼がこの本を書いた理由は、作中に「詩の発想法を学んで自分たちのスタイルを古人の措辞によって豊かにせんとするか、或いは詩の隠された意味を理解しようとする若い詩人たちに、私は言いたいのだ——この書を研究して利益と喜びを得たまえと」と書いていることで明らかだが、そういう性質の本としては必要以上なほどに、彼は神話の紹介につとめているのが目につく。それは古代北欧文学の権威レイキャビク大学のノルダル教授などによると、当時アイスランドでも教会側で異教時代の信仰を絶滅すべくつとめていたのに対する、歴史家および詩人としてのスノリのたくみな抵抗であったとされる。こういう学者が書きとめてくれたことで、他のどの国でも滅びてしまったゲルマン族の神話が、この極北の孤島に豊かに伝えられたわけで、後代の深く感謝しなければならないことだ。グレンベックの本の神話篇も、ほとんどすべてこのスノリの本によっている。

ところで、ではスノリがそれらの神話の材料をどこで得たかと言えば、書中にしばしば引用されている古詩が示すように、当時既に詩の主流になっていた新しい抒情詩体に対し（それをスカルドの詩という）、より古い、古代ゲルマンの叙事詩の系統をひく詩がかなり存在して、スノリはそれらを縦横に活用したわけなのだ。彼はおそらくそういう古詩の集を手許に豊富に持っていたことだろう。そしてそういう古体の詩は、いつかスノリの書の名にちなんで「エッダ詩」と呼ばれるようになる。

ところで、中世を通じて「エッダ」といえばスノリのその本を指すことにきまっていたが、一六四三年にアイスランドの一農家の納屋から古詩の写本が発見されて、その詩の多くが前記のスノリの本に引用されていることがわかった。そこで、この古詩集がスノリが「エッダ」を書くに用いた原本ではないかとされ、さらにはこういう詩集を編んだのはおそらくスノリの先輩で〈学者〉と仇名《あだな》をとったセームンド（一〇五六―一一三三）に相違ないとされて、発見者の僧正《そうじょう》ブリュヌヨルフはこれを「セームンドのエッダ」と命名した。

ここに「エッダ」は二種類あることになってまぎらわしくなった。古くから知られていたスノリの著は、いまはエッダの名を古詩集の方に奪われた形になって、「新エッダ」「スノリのエッダ」、また散文を中心にしているために「散文のエッダ」とされ、新しく発見された方が、「古エッダ」「セームンドのエッダ」（編者がセームンドであることは後に否定されたが、呼び名としては相変らず便宜的に用いられている）、また「詩のエッダ」と呼ばれることになった。そしてこの稿本（後にデンマーク国王に献じられて一般に「王室写本」と呼ばれる）は長短三十三篇の古詩を集めたものだったが、後には諸方面から発見された同性質の古詩をも追加して、現在断片をも含めて約四十篇ほどに達し、すべてが「古エッダ」に包含されることになった。

それらのエッダ詩は、作られた時代も場所もまちまちで、古いのは八、九世紀のノルウェーで成り、新しいのは十二世紀頃のアイスランドやグリーンランドで書かれたのもあるらしいが、いずれも技巧をこらした新しいスカルド詩ではなく、ゲルマン古詩の伝統に立つ叙事詩風の簡勁蒼古《かんけいそうこ》の趣をもった詩である点では共通する。それらの詩は題材から分ければおよそ三種――神話詩、格言詩ないしまじないの歌、英雄伝説詩になる。

スノリは上記の本を書くについては、おそらくその全部を読んで（いまは失われたものもかなり読んでいたにちがいない）利用しているわけだから、それらの詩が扱っている神話や伝説を多く採り入れているのは事実だが、知ってか知らないでか触れずにすましたものもあり、採り上げている場合も、別のテキストにでもよったか、多少変化した形になっているところもある。そこに北欧神話研究にとっての厄介な問題も生じているが、いまはふれない。

さて、グレンベックは、本書の神話篇を主としてスノリにより、「詩のエッダ」からも補ったり、スノリの見落している点に光をあてた点もあって、そこがおもしろいのだが、説き落している話もかなり目につく。訳者としては、北欧神話がここに再話されたものでつきるわけではないことを強調しておきたい。

一体にエッダの神話詩は、対話体のものが多く、オーディンが物知りの巨人ワフスルドニールと知識をくらべあって最後にこれを負かす対話「ワフスルドニールの歌」とか、邪神ロキが海神エイギルの館の酒宴に招かれなかったのに腹を立て、突然その祝宴のただ中に登場して、客として来ている神々を片っぱしから罵倒する「ロキの口論」などは、詩として読むにはおもしろいにしても、物語性が乏しいために、神話として採り上げるのが困難なのだ。それにしても、「グリムニール（覆面者）の歌」などは、オーディン神話として採ってもおもしろかったろう。自己のひいきにしているゲイルロッド王の客のもてなしぶりをためすべく、その館に覆面して現われたオーディンが、魔法使とこれを見あやまった王から、熱火の中に八日八晩立たされ、ついに王を自分の抜いた刀の上に仆《たお》して死なしめ、火責めにあっている間に一杯のビールを飲ましてくれた十歳の王子に王位をつがせる話だ。また「リグの教え」は、人間の守護神であるヘイムダルが、リグと名乗って人間の世界を訪れ、農奴、百姓、貴族の三組の夫婦を順ぐりに訪ねて、それぞれ子供がないのを嘆いている夫婦に子供を授け、それぞれの身分に応じて生活する知恵と能力とを与え、かくて上記の三階級を人間の間に定めたという神話詩で、成立年代は他の神話詩よりも多少おくれるらしいが、すこぶる特色のあるものだ。

なお「キリストと古い神々」の章の改宗を肯《がえ》んじなかった首領や詩人の挿話は、ほとんどがノルウェーの歴史を書いたスノリの『ヘイムスクリングラ』から採られている。

四「エッダ詩」の見本として、また神話の異伝を示す意味で、ここに「バルデルの夢」という短い詩を訳しておく。

バルデルの夢

神々はすべて　つどいに急ぎ
女神らは　たがいにささやきぬ
かくて天上の　裁《さば》きの神ら
なぜに凶夢のバルデルを脅《おびや》かすかをたずぬ。

そのときオーディン　万物の創造者は立ちて
駿馬スレイプニールに　とびのり
ニフルヘイム（死者の国）めざして　駆け行きて
地獄の門に乗りつけるや　猛犬おどり出でて吠えかかる

その胸毛は血をあびてまだらに
その吠え声は　いとすさまじ
されどオーディン魔法の王は　大地もとどろになおも乗りゆきて
ヘルの住まう大いなる館に乗りつけぬ

オーディンは知る　東の門を入れば

そこに一人の巫女の墓丘のあるを。
彼はいま墓に近づきて　目ざましの歌をうたう——
彼女をして眠りからさめて　かの凶夢の夢ときをさせるべく。

巫　女　どこの見知らぬ男が
わたしにこんな苦しいことをさせるのか？
雪はわたしをおおい　雨はわたしを打ち
露はわたしを濡らして　わたしはもはや死んで久しくなるのに！

オーディン　わしはウェルタムの息子のウェグタムという者じゃ
上の世界のことなら何でも知っている　どうか地下の世界のことを話して
くれ
あそこの床に金をしきつめて
指輪をまきちらした席があるのは　いったい誰のためか？

巫　女　あれはバルデルのためで　蜜酒ももうかもしてある
キラキラ輝く霊酒には　楯でふたがしてあるばかり
神々がいくら願おうとも　もはや望みはたえたのだ
むりやりにわたしはこれを語らされた　もはや口をつぐまねばなりませぬ。

オーディン　沈黙しないでくれ　巫女よ！　一切を知るまで

わしはまだまだ聞かなくてはならぬ　どうか言ってくれ
いったい誰がバルデルを殺して
このオーディンの世継の息のねを止めるのか？

巫　女　あの評判のいい神を殺すのは　盲目のホズル
彼がバルデルの血を流して
オーディンの世継の息のねを止めるのじゃ
むりじいにわたしはこれを語らされた　もはや黙らなければなりませぬ

オーディン　黙らんでくれ　巫女よ！　一切を知るまで
わしはまだまだ聞かなくてはならぬ　どうか言ってくれ
誰がホズルの行為の仇をうって
バルデルのかたきを焼き殺すのか？

巫　女　西の館のリンダが　一人の息子を生む
彼はバルデルのかたきを火あぶりの薪の上につむまでは
手も洗わず　髪の毛もくしけずらない
私はむりやりこれを語らされた　もはや黙らねばなりませぬ

オーディン　黙らんでくれ　巫女よ！　わしはききたい
すべてを聞き知るまでは　どうか話してくれ
どの女が　心の底から泣いて

巫　女　天たかく　そのヴェールを投げるのか？
　　　　お前はウェグタムではない　わたしがはじめに予感した通り
オーディン　お前はオーディン　万物の創造者だな
　　　　お前も何でも知っている巫女じゃあない
　　　　どうやら三人の巨人の　母親なのだな！
巫　女　さあ　帰るがいい　オーディン　そして好きなだけ自慢するがいい
　　　　どんな人間も　もはやわたしを訪ねてくることはならぬ
　　　　あのロキが　いましめのなわを解いて
　　　　神々の世界をたたきつぶすまでは！

スノリの記述、またそれによったグレンベックの本でも、バルデルが死んだ時に地獄のヘルの許へ命乞いに行くのはヘイムダルとなっているが、この「バルデルの夢」ではオーディン自身が出かけてゆくことになっている。どちらかが誤り伝えたのか、それともオーディンが行き、また後でヘイムダルが出かけたのか、こんな点にも疑問がある。しかし、なかなか力強いすぐれた詩ではないか。

ついでにスノリの「散文のエッダ」の方からも、本書に採られていない神話で、日本人にはことに興味のあるのがあるから、引いておこう。

ゲフィオンの国引き

いまスウェーデンと呼ばれている国を、そのころギルヴェという王が治めていた。この王については、こんな話が伝えられている。

一夜、王は一人の旅の婦人と語りあって、ひどく楽しい思いをした。そこで後朝《きぬぎぬ》の贈物に、自分の領土のうちから、四頭の牛が一日一夜で掘り起しただけの土地を与える約束をした。

ところが、このゲフィオンという婦人はじつはアサ神の一人だった。彼女は遠い北の巨人の国へ行って四頭の牡牛をつれて来たが、その牛というのは彼女が巨人との間に生んだ息子たちであったのだ。彼女がその牛たちを一つの大きな鋤《すき》につなぐと、牛は勢いよく引っ張り、鋤は大地ふかく食いこんだ。こうして切り取った大地を、牛どもはぐいぐい西の海まで引っ張ってゆき、やがてそこの海峡の真中で立ちどまった。

ゲフィオンはそこにその土をおろすと、しっかりとそれを踏みかためて、一つの島をつくってシェーラン島と名づけた。他方、大地をえぐり取られた場所には、一つの大きな湖ができた。いまスウェーデンでいうメーラル湖だ。だから、メーラル湖の入江になっているところと、シェーラン島（コペンハーゲンのある島）の出っぱっているところは、ぴったりと重なる。詩人ブラギは歌っている――

ゲフィオンは意気揚々と
黄金の土地をギルヴェから奪いゆく
牛は鼻息あらく鋤をひき
遠くデンマークの岸をめざす
その四つの頭には
八つの額の星（目をいう）を輝かしている
牧場《まきば》の島の前面に
そのぶんどり品を運ぶとき。

この神話に出てくるゲフィオンは、フレイヤ女神の別名という。この神話によって、彼女はデンマークの守護女神と目され、いまアンデルセンの人魚姫の像のあるコペンハーゲンの港の近くには、壮大なゲフィオンの噴水があって、四頭の牛が水を噴き上げている。

五　以上の両「エッダ」のほかにも、北欧人の信仰や神話を窺わせるものはかなり散見されるが、中で重要なものといったら、『スノリのエッダ』の著者スノリのもう一つの大著『ヘイムスクリングラ』の序章をなしている「イングリング家のサガ」であろう。これはオーディンをコーカサス地方あたりから黒海北岸に進出したアジア系の民族の首領とし、それがドニエプル川下流地方にいたヴァナ族たちと戦った後に人質を交換しあって和解したこと、それがローマの強大化に圧迫されて北欧に移り、スウェーデンのウプサラに建国してイングリング王朝を開いたとしている。オーディン、ニヨルド、フレイが最初の三代で、いま古ウプサラにある巨大な三つの塚が、彼らの墓だと伝えている。

これは神話の神々を遠い時代の英雄と解くいわゆるユウフェミズムの立場で、スノリにはこの傾向があったようだ(スノリよりやや早くデンマーク史『ゲスタ・ダノルム』をラテン語で書いたサクソ・グランマティクスも、バルデル神をスウェーデン王ホッドと戦って死んだ戦士として描いている)。しかし、善悪二元の対立抗争を説く神話、またトールやオーディンに濃いシャーマン的性格、北欧人に強い馬の信仰、さらにはスキチヤ美術と北欧美術とのある似通いなどから見て、北欧人に中央アジアないし近東方面との意外に深い関連があって、それがスノリには強く感じられてい、また或いはそういう伝承があって、このような叙述になったのかも知れない。そんな点はまだ謎だらけで、北欧神話の研究もまだ前途はなかなか遼遠だ。本書でも述べられているオーディンを主神とする戦士的貴族的な性格の強いアサ神族とニヨルド、フレイを中心とする農耕的で平和を愛するヴァナ神族との戦いの後の和解にしても、なにか大きな歴史的事実を背景にしているのか知れない。

六　ここで一般的に北欧神話の特色を考えてみると、それが唯一絶対の神を信奉するユダヤ人の信仰と異なるのはもちろんだが、同じ多神論ではあっても、ギリシャ神話の描きだす世界とはかなりに色調を異にしているのに気づく。

ギリシャ神話にも巨人族との争いがないではないが、それは父親と息子の勢力争いといったもので、原理を異にした異種の力の対立抗争ではなく、また一旦オリュンポスの神々の支配が確立すると、神々は愛の喜びと平和のうちに日を送って不死の生命を十分に楽しんでいる。彼らの世界を支え、これを展開させる原動力は、いわば愛の力で、エロスの射る矢には神々も人間も抵抗できないものとされている。それに対して北欧の神話は、この宇宙そのものが寒気と炎熱との相互作用から成立していることを説き、さらにその神々は悪の原理というべき強大な巨人族との抗争に日を送っているばかりか、いつか彼らとの決戦の日が来て世界もろともに滅びるのだという予言に怯えて、戦々兢々《きょうきょう》たる日を送っている。それは深刻な二元対立の上にわずかに一時の平衡を保っているものの、つねに不安な危機感を潜めている世界だ。

従ってギリシャ神話の神々は、どちらかというと安逸に日々を送り、ミューズたちと遊び戯れたり、主神ゼウスなどはあちこちの女を愛して子供を生ませたりして、かなり乱れたモラルを見せている。それに対して北欧の神々は、強大な巨人族という敵にそなえるために、主神オーディンに特に現われているように、つねに知恵をみがき、武技をきたえている。緊張した雰囲気、きびしいモラルがそこに支配する。もちろん神々そのものも、ギリシャの場合のように、不死の生命をもつものとはされていない。しかも神々の中には、ロキのような裏切り者までがもぐりこんでいるのだ。

しかし神々は、いくら巨人族が強大であり、また死者の群やフェンリル狼やミッドガルド蛇のような魔物や、さらには炎熱の国のスルトなどがそれに加わって攻め寄せようとも、決してひるむものではない。敢然《かんぜん》と立って、圧倒的な敵の連合軍から一歩も退かず、共倒れになるまで戦うのである。

これをつらぬいているのは英雄的悲劇的精神というべく、屈従して卑怯に生き永らえるよりも、勇ましく戦って仆れ、そのことによってせめて死後に名声を伝えようとするのである。オーディン自身が作ったとされる格言詩「ハヴァマール」にも歌われている。

　家畜は死に、身内たちも死に
　おまえ自身もやがて死んでゆくのだ
　しかし、余は知っている
　永遠に生きるものを
　そは死者のいさおしの誉《ほま》れ。

それはギリシャ神話の描きだす多彩で花やかな南国的世界とくらべると、殺伐たるまでに荒涼として貧寒な、色彩乏しい、いかにも北欧的風景だ。しかし、そこに何ともいえぬ峻厳偉大な一つのエネルギーが底流していて、それがわれわれを打って来るのだ。

「北欧神話の世界は奇妙な世界だ。神々の住居アスガルドは人間の空想した他のいかなる天国にも似ていない。そこには何ら喜びの輝きはなく、幸福の保証はない。それはその上に避けがたい破滅の脅威がのしかかっている深刻厳粛な場所だ。神々は知っている、いつか彼らの滅びの日が来ることを。いつか彼らは彼らの敵を迎えて、敗北と死の中へ没しなければならないだろう。善の力の悪の力に対する防戦は絶望的だ。にも拘らず、神々は最後まで戦うであろう。人類にとってもこのことは同じでなくてはならぬ。もしも神々が終局的には悪に対して無力だとしたら、人間にとっては一層そうであるにちがいないから」——こうアメリカの神話学者エディス・ハミルトンは言っているが、至言だと思う。

七　伝説篇については、簡単にふれるに止める。もともとこれらの伝説をつらぬいているのは、北欧神話をつらぬいているものと同じ精神であり、またこれらの話の原拠となっているのも、大半が神話篇と同じく両エッダだからだ。即ち、「鍛冶ヴェールンド」「テュルフィングの剣」「スギョルド家とハドバルド家」中の「フロデの石臼」と「ロルフ・クラキのこと」、「ヘルゲ・ヒョルワルドソン」「イルフィング家のヘルゲ」「ウォルスング家の物語」などは、いずれも「詩のエッダ」に断片的にか全体として扱われているところ。そのあるものは、「ウォルスングのサガ」「ロルフ・クラキのサガ」として、いくつかの詩をパラフレーズしてつなげて、長いサガになってもいる。作者はこれらを適当に再話したのに止まる。このうち、「ウォルスング家の物語」は、ドイツの有名な『ニーベルンゲンの歌』と同じ材料を扱ったもの（人物の名前は北欧のシグルドが、ドイツではジークフリートとなっているのをはじめ、多少ちがっている）として、しばしば比較研究の好材料になっているもの。

「ハディング王」「アムレード（ハムレット）」「寡黙のウッフェ」「シクリング家の女たち」また「スギョルド家とハドバルド家」の大部分などは、前出のデンマークの史家サクソの『デンマーク史』（ゲスタ・ダノルム）から採られているが、これらは原文が修飾の多いゴタゴタした書き方をしているため、著者はかなり思いきった刈込みをしている。「ラフニスタの人々」と「永遠の戦い」は断片的な形では『スノリのエッダ』に出てくるが、これだけまとまった形での物語は訳者は読んだことがなく、出典不明。「ビョーウルフとグレンデルの戦い」は、イギリスの古詩『ベオウルフ』を用いている。「イングリング家の王たち」は前記スノリの『イングリング家のサガ』の一部を採ったもの。「みずうみ谷家の人々」は『みずうみ谷のサガ』を縮めながら、ほぼ全体を採っている。

この伝説篇の選択を見ると、神話篇とのふりあいの上からか、神話風なもの、英雄伝説的な伝奇性の濃いものを多く採って、北欧サガとしては最も特色のある、また数も多い、リアリスチックな〈家族のサガ〉〈アイスランド人のサガ〉と呼ばれるものは『みずうみ谷のサガ』一篇を採っているだけだ。そこには著者の好みが反映しているのだろう。もっとも、この〈家族のサガ〉の系列は、伝説というよりもリアリズム小説に近いため、この本に収めるには不適当という点もある。数限りないほどある北欧サガ全体の説明は、ここでしている余裕がない。

八　本書を通読して、読者はその殺伐で血なまぐさいのに驚くか知れない。北欧人はそのバイキング活動からも窺われるように、たしかに好戦的で、また侮《あなど》りを受ければ復讐《ふくしゅう》をせずにはおかない民族であった。しかし、そこにある根元的な偉大さと、高貴で誠実な精神が流れているのを見落さないで欲しいと思う。例えば彼らがあくまで復讐に執したのも、単に復讐のために復讐をするのではなく、そうしなければ一族の名誉が救われなかったからであり、かくてそれは一族の神聖な義務であったのだ。彼らは決して自分の好みに耽《ふけ》る個人主義者ではなく、自己の血族に、村に、共同体に堅く結ばれていて、そのために生き死にしたと言える。そんな点は同じ著者の『ゲルマン人の文化と宗教』に精しく論究されている。これを少し紹介したいと思ったが、もはやこの解説も長くなりすぎたので、それはそのうちに出す予定にしている「北欧サガ」研究の方にゆずることにする。

終りに神名、人名の表記などは、時代のずれと、またアイスランド、ノルウェー、デンマークでそれぞれ少しずつ違うため、いずれによるかに迷って、少しく遺憾《いかん》な点を残したかと思う。大方の寛恕《かんじょ》をお願いしたい。もう一つ、読者の理解を助けるために、適宜に挿絵や写真をはさんでみたが、中にはあまり適切でないものもある。お慰みと思って下さればいい。

一九七一年十月

山室　静

本書の原本は、一九七一年に新潮社より刊行されました。

V・グレンベック（Vilhelm Grønbech）

1873～1948。デンマークの文化史家。

山室　静（やまむろ　しずか）

1906～2000。詩人，文芸評論家，翻訳家。東北大学卒。埴谷雄高らと雑誌「近代文学」を創刊，また堀辰雄らと雑誌「高原」の創刊にかかわった。のちに日本女子大学教授。著書に『アンデルセンの生涯』『山室静自選著作集』（全10巻），訳書にムーミンシリーズ他多数。

講談社学術文庫

定価はカバーに表示してあります。

北欧神《ほくおうしん》話《わ》と伝説《でんせつ》
V・グレンベック
山室《やまむろ》　静《しずか》　訳

2009年9月10日　第1刷発行

発行者　鈴木　哲
発行所　株式会社講談社
東京都文京区音羽2-12-21 〒112-8001
電話　編集部（03）5395-3512
販売部（03）5395-5817
業務部（03）5395-3615
装　幀　蟹江征治
印　刷　豊国印刷株式会社
製　本　株式会社国宝社
本文データ制作　講談社プリプレス管理部

ISBN978-4-06-291963-0

「講談社学術文庫」の刊行に当たって

これは、学術をポケットに入れることをモットーとして生まれた文庫である。学術は少年の心を養い、成年の心を満たす。その学術がポケットにはいる形で、万人のものになることは、生涯教育をうたう現代の理想である。

こうした考え方は、学術を巨大な城のように見る世間の常識に反するかもしれない。また、一部の人たちからは、学術の権威をおとすものと非難されるかもしれない。しかし、それはいずれも学術の新しい在り方を解しないものといわざるをえない。

学術は、まず魔術への挑戦から始まった。やがて、いわゆる常識をつぎつぎに改めていった。学術の権威は、幾百年、幾千年にわたる、苦しい戦いの成果である。こうしてきずきあげられた城が、一見して近づきがたいものにうつるのは、そのためである。しかし、学術の権威を、その形の上だけで判断してはならない。その生成のあとをかえりみれば、その根は常に人々の生活の中にあった。学術が大きな力たりうるのはそのためであって、生活をはなれた学術は、どこにもない。

開かれた社会といわれる現代にとって、これはまったく自明である。生活と学術との間に、もし距離があるとすれば、何をおいてもこれを埋めねばならない。もしこの距離が形の上の迷信からきているとすれば、その迷信をうち破らねばならぬ。

学術文庫は、内外の迷信を打破し、学術のために新しい天地をひらく意図をもって生まれた。文庫という小さい形と、学術という壮大な城とが、完全に両立するためには、なおいくらかの時を必要とするであろう。しかし、学術をポケットにした社会が、人間の生活にとってより豊かな社会であることは、たしかである。そうした社会の実現のために、文庫の世界に新しいジャンルを加えることができれば幸いである。

一九七六年六月

野間省一